Manual de dialectología hispánica

Ariel

Ariel Lingüística

Manuel Alvar
(Director)

Manual de dialectología hispánica

El Español de América

Editorial Ariel, S.A.
Barcelona

Diseño cubierta: Nacho Soriano

1.ª edición: octubre 1996

© 1996 por la dirección de la obra: Manuel Alvar

© 1996: M. Alvar, P. Bentivoglio, R. Caravedo,
C. Coello Vila, C. J. Córdova, N. Donni de Mirande,
J. A. Frago Gracia, J. M. Lope Blanch, H. López Morales,
J. J. Montes, D. Munteanu, M. Á. Quesada Pacheco,
M.ª A. Martín Zorraquino, J. Martínez Álvarez,
A. Quilis, R. Rodríguez-Ponga, M. Sedano,
M. Vaquero, C. Wagner

Derechos exclusivos de edición en español
reservados para todo el mundo:
© 1996: Editorial Ariel, S. A.
Córcega, 270 - 08008 Barcelona

ISBN: 84-344-8218-5

Depósito legal: B. 36.662 - 1996

Impreso en España

CUESTIONES GENERALES

INTRODUCCIÓN

por Manuel Alvar

I

No hay lingüista con un mínimo de solvencia que no lo repita hasta el agotamiento: no hay más que un español. Es absolutamente falaz escindir esa realidad única en dos mundos opuestos: América y Europa. Hay una unidad que permite entendernos a cuantos poseemos este bien que es la lengua única; hay multitud de variantes en cada región de nuestro mundo sin que la unidad se resquebraje. Esta teoría de relatividades no va de acuerdo con los voceros de la desintegración: hace muchísimos años ya discutieron esas cosas don Rufino José Cuervo y don Juan Valera. Muchísimos años después, ya no se puede plantear la tesis de la fragmentación porque asistimos a movimientos integradores. Que me valgan testimonios ajenos en los que me ampararé para seguir. Ángel Rosenblat publicó un libro chico en el que cabe una gran lección, o muchas grandes lecciones, y allí, en *El castellano de España y el castellano de América* (Caracas, 1962), deja unas afirmaciones que ha pensado muy bien: «Hay que admitir no sólo una unidad de lengua hispánica, sino una unidad sustancial de modos de ser [...] El tesoro común de formas de vida pasadas que forman la inexorable estructura del hombre hispánico. Y me inclino a creer que esa unidad es mayor hoy que en 1810, cuando grandes porciones del continente vivían apartadas hasta de sus propias capitales.» Pero 1962 no está tan lejos de nosotros, ni la sombra de don Ángel Rosenblat deja de ampararnos; en marzo de 1990, Eugenio Coseriu venía a decir lo mismo: «el proceso de unificación y reunificación cultural e idiomática de los países hispánicos —proceso que se ha venido desarrollando con intensidad cada vez mayor en las últimas décadas [...]— si no se intensifica, se hace cada vez más patente en esferas más amplias, con lo cual también el problema de la unidad del idioma [...] se hace cada vez más actual». No es justo silenciar un gran nombre: Amado Alonso mostró tantas veces como se enfrentó con la cuestión la unidad sustancial. Ni el español de Chile es castellano con sonidos mapuches, ni los *Chilenische Studien* de Rodolfo Lenz estaban en sintonía. Y lo mismo al estudiar las variantes de la articulación de *tr* o de la *l* y la *r* o de la *ll*. Todas las alteraciones de América son también peninsulares, y nada de lo que es nos parece insolidario en ninguna de las parcelas de este ancho mundo. Lo que no quiere decir que, dejando aparte los elementos léxicos, no se puedan encontrar aquí y allá rasgos de entonación que se amparan en las lenguas indígenas o motivos que en ellas se explican. Así, en el español yucateco encontré *-m* final donde la lengua común tiene *-n* (*pam, vienem*) y restos de consonantes heridas (*k'* más veces que *t'* y *p'*, ésta apenas o nunca), como de manera más exigua han aparecido en el muy reciente *Atlas lingüístico de México*. Pero acaso sea Paraguay donde la coexistencia hoy mismo de español y guaraní ha permitido la interferencia de una lengua sobre otra. Pero nada de esto puede hacernos pensar en una alteración de carácter sustancial; por lo contrario, la tesis de la acción de los sustratos está cada vez más desprestigiada, aunque todavía haya no poco camino por recorrer.

Tomemos las cosas en su razón: no hay un español de España frente a otro español de América, sino que cada uno de esos dominios está vinculado a motivos geográficos, sí, pero también a otros sociales o históricos, y todo resultará enrevesado, de tal modo que un tinerfeño cuando habla se parece más a un puertorriqueño o a un venezolano que a un pastor del Pirineo. Y volvemos a estar en algo que los lingüistas sabemos muy bien: hay un sistema abstracto al que llamamos *lengua* en el que estamos todos, en el que todos están incluidos y en el que vemos un determinado ideal, por más que no lo practiquemos, pero hay otro sistema concreto y preciso que se realiza en cuanto damos virtualidad a la abstracción que es la lengua, y al que llamamos *habla*. Aquí caben cuantas diferencias queramos, pero el desmigajamiento no se produce porque sobre esos infinitos sistemas de realización está ese otro unitario que impide la fragmentación porque en él nos entendemos todos. *Español* de Castilla, y de Andalucía, y del Caribe, y del Altiplano, y de la Sabana, y de la Pampa, sí, pero *español* de todos y para todos.

Dando vueltas a motivos más o menos curiosos, pero que establecen ciertos usos dispares en el español, llegamos a una conclusión: la historia nos conformó acercándonos o diferenciándonos, pero no separándonos tanto que los resultados sean que cada uno hable como le dé la gana, sino que debe respetar unas normas que sean válidas en su comunidad y, si las proyecta, en las otras comunidades. Es entonces cuando nos damos cuenta de que hablamos la misma lengua por más que sean distintas sus variedades regionales y, dentro de éstas, locales. Que la imposición para nada sirve, lo que vale es la convicción, y convicción no es claudicación sin respeto a los demás, aceptación como bien común lo que la mayoría usa. Claro que habrá hirsutos defensores del me-da-la-ganismo con los que es inútil contar. He pasado la vida tratando con gentes humildes de las dos bandas del mar y en todas partes he encontrado muestras de respeto y de admiración, las mismas que yo dedicaba a mis interlocutores. Un día el taxista mexicano que me llevaba al aeropuerto me preguntaba: «¿De dónde es usted? —Español —Pues no habla golpiado.» Otro, en una elegante dulcería de Bogotá, la muchachita de ojos deslumbradores: «¿Es usted español? —¿Por qué? —¡Habla tan sabroso!» Subjetivismo, claro que sí, pero el subjetivismo mil veces reiterado se convierte en actitud colectiva, y a eso llamamos sociología.

Son todo modalidades del español que tienen que ver —y no poco— con el alma de cada uno. Imponer la norma ajena es un atropello, pero respetándola trabajamos por mil respetos y, sin querer, trabajamos por la unidad y al laborar de acuerdo nos encontramos unidos y volvemos a plantearnos esas cuestiones que han quedado como un garabato de duda: ¿la lengua?, ¿el habla?, ¿y la posibilidad de establecer una norma única? Creo que en un consenso silencioso y democrático estamos todos de acuerdo en la lengua literaria: la que hace españoles a Vargas Llosa, García Márquez, Carpentier, Asturias, Azuela, Borges, Neruda... La que hace americanos a Valle-Inclán, Unamuno, Salinas, Guillén, los Alonso, Miguel Hernández. De acuerdo: en nada separa los argentinismos de Borges de los madrileñismos de Ramón. Las hablas populares plantean otras cuestiones, pero ¿dónde la incomprensión? He hecho cientos y cientos de encuestas desde las lindes septentrionales de Texas o de Nuevo México hasta pueblos donde se apunta la Tierra del Fuego, desde puerto Rico a Guatemala. Sólo el más encariñado acercamiento. Diré generosidad sin límites, cuidadas cortesías, humor sobre la severidad del trabajo. ¿Es esto posible sin identidad lingüística? Ante esta visión, don Ángel Rosenblat dijo que todo el español de América procede de España y que todas las variedades campesinas tienen su propia dignidad. Está en lo cierto, y su pluma se llena de un temblor de emociones cuando dice: «Yo defiendo los fueros del habla familiar. Otros enarbolan la bandera de los derechos del hombre, o de la mujer. Yo levanto mi pequeña banderita en favor del habla familiar.» ¿Quién no? El habla familiar que usamos en los actos más íntimos y cordiales, aunque para otro tipo de comunicación recurramos a las hablas cultas. Durante muchos, muchísimos años, hemos trabajado en el *Proyecto* coordinado sobre el habla culta del mundo hispánico. La idea de Lope Blanch tiene hoy un generosísimo desarrollo y sus frutos abundan por doquier: desde las reuniones de Bloomington (1964) y Madrid (1965) han pasado muchas cosas, tantas, que podemos entrever qué es esa norma culta en la que todos estamos insertos. Y resulta que de esos estudios llevados a cabo en Madrid, en México, en San Juan de Puerto Rico, en Bogotá, en Caracas, en Lima, en Santiago de Chile, en Buenos Aires, y en Sevilla o en Las Palmas, hemos aprendido cuánto nos une. Tenemos, pues, un mundo referencial que nos es válido para todos; tenemos el modelo para alfabetizar a los indígenas de muchos países; tenemos el canon que deben aprender los millones de extranjeros que hablan español. Se ha establecido la norma culta panhispánica, independiente de las normas nacionales, regionales o locales. Lo más opuesto al fantasma de la escisión. Esos volúmenes que publicados constituyen una biblioteca cuyo lema debiera ser sencillamente «La unidad del español.»

Para mí, el establecimiento de cualquier norma es una cuestión de prestigio, Y el *Diccionario* académico, como tantas veces, acierta al decir que *prestigio* es «influencia», «autoridad», «estimación», «buen crédito». Creo que es eso lo que en definitiva estamos dilucidando: en cualquier nivel, no importa su altura social, la influencia, la estimación hacen que un uso se propague y se acepte, desde el modesto de un partido político al solemne de una proclamación multinacional. Prestigio es aceptar algo que se estima mejor que otro, y esto lo establecieron los tratadistas griegos y latinos y lo acabo de explicar. Quintiliano dijo que «en una lengua caben diversos dialectos». Estamos en lo cierto: *lengua* es el español, *dialecto* el castellano, el mexicano, el peruano o el salvadoreño. Ahora bien, ese prestigio se acepta más por convicción que por imposición, pues la conveniencia es útil para todos, y la imposición, sólo para unos pocos. Entonces se recurre a eso que se llama *nivelación, que es el proceso* «directo y deliberado» de la sociedad para llegar a un lenguaje común por encima de lo que es fragmentación dialectal. Claro que estamos en las preguntas que formuló al empezar estas páginas el hipotético interlocutor: ¿Cómo establecemos esa norma aceptada por los más? Y mi respuesta será cautamente relativa: la norma variará de unos lugares a otros. He hablado ya de esos fenómenos fonéticos que son comunes al español de España y al español de América, pero ¿son igualmente válidos? Creo que la literatura tendrá su mucho que decir: es la *langue* saussureana, por más que nadie la utilice, pero que se acepta. Nadie en el mundo hispánico, si es ligeramente culto, escribirá *haiga, cabayo* o *veldá*, con independencia que eso pueda darse en determinadas zonas. Pero esa lengua normalizada en la escritura mantiene la unidad del sistema: habrá hablantes «correctos» que distinguirán *ese* y *zeta*, pero no *elle* y *ye* o conservarán esas cuatro consonantes y, sin embargo, perderán la -*d*- en los participios; otros no usarán *vosotros*, pero su español será perfectamente «correcto». He hecho cientos de encuestas en Puerto Rico, en la República Dominicana, en Guatemala, con un grupo yagua en la Amazonía colombiana, y en Cuba; trataba de discurrir cuál pudiera ser la actitud de esos hablantes ante el hecho de nuestra lengua común. Les hacía escuchar una cinta grabada por mí: variedad, pues, muy conservadora de español septentrional: con *ll* y *zeta*, sin neutralización de implosivas, con *s* apical y conservada en todas posiciones, con escaso, o nulo, acento dialectal. Los resultados fueron admirables: mis guatemaltecos creían mejor la variedad que ellos no practicaban, acaso porque ese *español* estaba nimbado por razones que lo prestigiaban; pero los yaguas, perdidos en su infinita soledad, no podían responder de la misma manera, pues en la marginación no cuentan con lo que yo exijo a un hombre para tener la dignidad a que tiene derecho. Muy otra era la situación en la República Dominicana: muchísimos consideraban mejor la modalidad de España, porque en ella veían un ideal lingüístico superior; tal vez porque la lengua que se sometía a su consideración era muy distinta de su propia modalidad, y en ella encontraban unos elementos que consideraron escolarmente prestigiosos, y eso que estos hombres habían percibido muy bien los rasgos pertinentes de las modalidades enfrentadas. En Puerto Rico hubo quienes prefirieron su propia peculiaridad, y otros la extraña, en la que no percibían otro hecho anómalo que el de tener *zeta*, y aún habría que anotar cierta xenofilia entre las mujeres frente a la xenofobia de los hombres. En Cuba dupliqué los registros: presenté grabaciones septentrionales (hombre y mujer) y meridionales (hombre y mujer). Al inventariar los resultados, un 60,5 % de los cubanos prefirieron la modalidad norteña del español, mientras que las modalidades meridionales, no identificadas tan bien, llevaron a considerar la grabación jiennense del varón como la de un andaluz o la de un gitano de las películas, mientras que a la mujer granadina la consideraron española en un 47 % de los casos, en tanto acertaron en un 100 % al identificar como peninsular la modalidad aragonesa. Algo hay seguro: para un antillano, el andaluz no se caracteriza con la misma nitidez que el aragonés, y cabe en un saco indiscriminado en el que al andalucismo y gitanismo hay que añadir su identificación como hispanoamericano e incluso cubano.

Todo esto nos habla de una conciencia hispánica mantenida en el lento fluir de los días. Coseriu ha hablado de ejemplaridad mejor que de corrección; es decir, de un modelo o ideal de lengua común o, como él dice, «la *función* [...] que cumple: por el hecho de que es expresión de la unidad, de la cohesión político-social y de la cultura mayor de la comunidad histórica». Estos valores están reconocidos antes de su manifestación en un acto político y social; es entonces mismo cuando se reconoce su ventaja sobre cualquier otro modo de hablar.

Era necesario ir asentando hitos que apoyan la unidad del español de España y del español de América. Olvidamos las obligaciones suscritas y la mengua de dignidad. He trabajado en la selva amazónica en condiciones que no son de contar porque tampoco fueron exclusivamente mías: iba con dialectólogos colombianos, con mi mujer, con uno de mis hijos. Todos, todos sirviendo a nuestra lengua. Y allí, huitotos, muinanes, boras, ticunas necesitaban el español para lograrse como hombres en plenitud. Prescindir de él era caminar hacia aislamientos empobrecedores. La unidad es imprescindible para la universalización. Si nos desmigajamos en visiones pueblerinas, podremos pensar en ideales lingüísticos de criollización: digamos *papiamento* de Curaçao, *palanquero* de San Basilio (costa atlántica de Colombia), *chabacano* de Filipinas, *chamorro* de Guam. Seamos objetivos y fijémonos en lo que los demás han recorrido: Gabriela Mistral, Pablo Neruda, Miguel Ángel Asturias, García Márquez, Octavio Paz. Y añadamos nuestra nómina: Echegaray, Benavente, Juan Ramón Jiménez, Vicente Aleixandre, Camilo José Cela. A esto yo le llamo universalidad. Pero he trabajado con las gentes más pobres de México, de Guatemala, de El Salvador, de Cuba, de Puerto Rico, de la República Dominicana, del Perú, de Colombia, del Ecuador, y nunca me tuvieron por extraño, ni aquellas criaturas tan diversas lo fueron para mí. Lo que nos hacía unos era la comunidad lingüística, aquello que era, claro que lo era, la sangre de nuestro espíritu, manifestada entre los indios, blancos, negros y mestizos, mulatos y zambos. La universalidad es pertenecer a una cultura expresada por la lengua y nacida por una visión del mundo. El haber hecho, como Roma en palabras de Rutilio Namaciano, «unidad de gentes diversas».

Hemos llegado a otro punto fundamental: Sevilla. Mil veces se ha discutido, la urbe dio la norma del español de América. Para mí, al menos, las cosas están claras: sabemos más que en tiempos de Henríquez Ureña y no podemos atenernos a unos datos que sobre paupérrimos eran parciales.

Trabajos como los de Peter Boyd-Bowman sobre el origen de los colonizadores han venido a incidir sobre la importancia de los andaluces; los estudios de Juan Antonio Frago han demostrado la antigüedad andaluza de todos los fenómenos americanos, y en mi investigación *A vueltas con el seseo y el ceceo* creo haber explicado por qué el español de América, siendo sevillano, no es sólo sevillano, sino que está refrenado por los colonizadores de León y de Castilla, que impidieron que, por ejemplo, el seseo se adelantara hasta convertirse en ceceo. Pero queda claro que la unidad actual es reflejo de otra unidad que arraiga ya en el siglo XVI. Y por si faltara algo, se ha cubierto una inmensa laguna de ignorancia y las islas Canarias han sido un mundo que ha conformado sevillanamente a las modalidades americanas. Esto no se sabía hace treinta años, pero hoy es una realidad incuestionable. Sevilla creó una nueva norma lingüística distinta de la cortesana y, con amparo en el prestigio cultural, económico y social, su modalidad de habla se difundió en la otra banda del mar. Y Sevilla llevó al Nuevo Mundo el arte de imprimir libros, y los propios volúmenes que en tropel iban saliendo de los tórculos de sus maestros: en poco más de quince años (1503-1520), Jacobo Cronberger estampó casi doscientos libros, muchos de ellos en lengua vulgar. Sevilla fue para América todo lo que culturalmente señalo, pero fue también un ideal de belleza que conformó el ideal de las gentes que cruzaban a la otra banda del Atlántico, y no será inútil decir que gentes de todas partes señalarían en la pronunciación sevillana rasgos de *suavidad y dulzura, cecear con gracia, hablar suave*. ¿No es esto algo que bien vale para caracterizar al español de América frente al hablar bronco de las gentes de la España septentrional? Todo en América quedó marcado de sevillanismo (articulación plana y convexa de la *s*, tensión muscular reducida) y es así como seguimos hoy. Sevilla fue la gran sombra que se tendió sobre el español del Atlántico y ya no nos parece raro que un sevillano de Alanís identifique *andaluz* con *español*. Sevilla es metrópoli, que vale tanto como integración, integración lingüística, la más dilatada de toda nuestra historia, e integración cultural, lo más opuesto a la fragmentación o a la destrucción. Lo que hoy es, fue también. Sin la historia, nada dirían esas realidades que he comentado. Contemplamos nuestro horizonte lingüístico y las cosas se nos manifiestan de un cierto modo, pero el cierto modo tiene un arraigo de quinientos años y sabemos su filiación. Por eso, en 1951, don Miguel Alemán, presidente de los Estados Unidos Mexicanos, convocó la primera reunión de Academias de la Lengua Española. Era el testimonio más veraz de la unidad sentida por todos. Y el gran país que es México supo coordinar esfuerzos en busca de la unión, igual que la sentían las gentes del XVI, cuando acomodaban su lengua a una realidad que iba a ser unitaria, como la sintieron los hombres de la Independencia y como la sienten los mejores espíritus de nuestro siglo. Todo tiende a la unión, desde la integración andaluza de un día hasta la nivelación que se está cumpliendo hoy. Son sabidas las palabras de Bello al frente de su *Gramática*, pero merece la pena recordar otras escritas por un gran sabio, pero no exentas de vibrante emoción. Don Alfonso Reyes, en su *Discurso por la lengua*, leído en Quito, dejó estas palabras:

Considero como un privilegio hablar en español y entender el mundo en
español: lengua de síntesis y de integración histórica, donde se han juntado
felizmente las formas de la razón occidental y la fluidez del espíritu oriental; tan ejercitada en las argucias occidentales como en las libres explosiones
del ánimo [...], lengua lo bastante elaborada para captar las regularidades y
exactitudes, lo bastante audaz para respetar las temblorosas indecisiones del
misterio [...], sonora sin delicuescencias que amengüen su viril reciedumbre,
y cuyo equilibrio fonético parece dictado por la misma economía biológica
del resuello. Creada y acrecentada por el quehacer de todos, enriquecida por
los ríos fecundantes de los préstamos y las peculiaridades nacionales, «suma
de todos los modos de hablar y escribir en todas las zonas y pueblos que ella
ha venido a cubrir bajo su manto».

El gran humanista mexicano tiene razón: hablar en español y entender
el mundo en español. Pero quiero añadir por mi cuenta que esto no significa ninguna preeminencia ni ninguna superioridad. Español del mexicano
y del peruano y del chileno y del español. De todos unidos y concordes.
Amado Alonso, muchos años hace, habló de tres focos culturales (Madrid,
México, Buenos Aires) que intervendrían en la nivelación de nuestra lengua. Es verdad, pero no toda la verdad. Casi medio siglo después, vemos
que las cosas han sido así, pero hay que añadir Guatemala, Colombia, Chile, por citar sólo países que cuentan con «reconocimientos oficiales» y, por
ende, fácilmente comprensibles. Es decir, la literatura no puede silenciarse
en este proceso nivelador. Y me permito añadir Cuba, Venezuela, Perú.
Acaso nos estamos quedando cortos: la nivelación está en esa posibilidad
de comunicación que consiguen los grandes escritores no importa de dónde. La lengua se va nivelando en el quehacer de todos: en los libros, en los
medios de comunicación, en los deportes, en las artes de la palabra y en el
intercambio personal. Todo nos va llevando a la unión porque todos nos
necesitamos y, sin decirlo, todos resultamos solidarios. Y en ese todos están las Academias, que un día tanto temor producían y hoy se sienten
como mundo solidario: colaborando todas en unos fines comunes, trabajando sin recelos y aportando al acervo común lo que es peculiar de cada
país. Existe una Comisión Permanente de académicos hispanoamericanos
que trabaja en Madrid y existen unos medios de acercamiento que antes no
existían y que, fatalmente, llevaban a aislarse. Hoy no. Cada país aporta sus
peculiaridades y el conjunto del mundo hispánico las considera propias.
¿No es esto algo que hace unos años se hubiera tenido por impensable?
Pero no hemos de creer que todo sea bonanza. Hemos de mirar hacia
el futuro. El español padece una crisis de crecimiento. No es ello biológi-
camente malo si sabemos orientar el sentido de cuanto nos llega. Los términos nuevos llegan como en aluvión y eso puede afectar a la unidad de la
lengua. Lo que un día fue un caudal asimilable, hoy es la riada que se desborda por doquier. ¿Podemos estar impasibles? ¿No se moverán nuestros
gobiernos contra los ataques solapados? Hay que pedir una política lingüística: bien sé que cada país tiene sus particulares exigencias, pero no ig-
noro que debe haber también una política común a la que deben atender
todas las Academias de consumo. En México y en Venezuela se han susci-

tado cuestiones como éstas, referidas, por supuesto, al español. Que la responsabilidad así sentida sea tarea de todos.

Nos encontramos en los albores de una era de intercambios increíbles: si hoy las comunicaciones por satélite permiten estar en la presencia más inmediata de lo que está ocurriendo en las dos bandas del Atlántico, si emisiones americanas se siguen habitualmente en España, ¿que ocurrirá dentro de esos pocos años que nos separan del siglo XXI? Y la corrección para mí no es imposición, sino cultura. Un mexicano culto, un argentino culto, están en el mismo nivel que un español culto, y recíprocamente. Que el color local en nada afecta a la intelección del sistema, que nada hay más falso y repelente que ese español en conserva que se nos sirve en el doblaje de películas: falto de la vida que le da el ser de algún sitio e inexpresivo porque no es de ninguna parte. He hablado alguna vez de una espléndida versión cinematográfica de *La malquerida* de Benavente. Aquellos tipos mexicanos, con un atuendo de braceros mexicanos, con su habla de campesinos mexicanos, ¿desvirtuaban en nada lo que nació como tragedia rural de Castilla? Quitemos el sabor local, no me importa de dónde, y habrá muerto la obra de arte. Cuando hablo de defender la lengua en los medios de comunicación no pretendo hacerla aséptica, sino culta. Lo demás carece de importancia. Y quiero añadir que la comunicación significa desarrollo y democracia y posibilidades de mejora.

No podemos ignorar que el porvenir de la lengua, que buena parte del porvenir de la lengua, está en esos millones de seres que han de hablarla, y somos nosotros quienes tendremos que suministrar los modelos idóneos para el aprendizaje. Porque quienes enseñen deberán saber qué deben enseñar. Y éste es uno de los fines que cumplirá el *Proyecto de la norma culta en las principales ciudades de España e Iberoamérica*, y ésta es la base de tantos *proyectos* de alfabetización como se han difundido por nuestra América. Y aquí tenemos otro problema fundamental que afecta a la lengua del Nuevo Mundo y que debemos tener muy en cuenta en esa búsqueda del año 2000.

Porque alfabetización significó muchas veces ciudadanía. Quien no sabía leer y escribir era nacional, pero no ciudadano. Así, las constituciones de nuestros pueblos fueron desgranando el rosario de la cronología y, en Costa Rica en 1927 y en Venezuela en 1949, para ejercer los derechos cívicos se exigía saber leer y escribir. Es un problema de cultura que no puede resolverse sino a través de la lengua; de ahí países como Costa Rica, cuyo orgullo es tener «más maestros que soldados». Analfabetismo tantas veces ha sido sinónimo de indigenismo y castellanización de integración nacional; más aún, la lengua determinó la existencia de Panamá como Estado, pues al establecerse por vez primera las condiciones de ciudadanía, se consideró *inmigración prohibida* la de los inmigrantes que no hablaban español y fueron panameños los hijos cuyos padres no fueran de esos llamados *inmigrantes prohibidos*. La lengua integró en la nación a gentes de hábitos muy distintos (religión, costumbres, psicología), pero que en ella manifestaban su sentimiento nacional.

Ni la raza, ni la condición social, dicen nada en el mundo hispánico.

Cuando se estableció el Día de la Raza, don Pedro Henríquez Ureña defendió su creación porque para nosotros no cuenta la biología, sino la cultura que integra. Más o menos es lo que escribió de forma tajante Alfonso Reyes y aún añadió algo categórico: «nuestra lengua es el excipiente que disuelve, conserva y perpetúa nuestro sentido nacional», pues, olvidada la biología, «lo determinante es la cultura y su expresión la lengua». Lengua de todos por igual, como lo fue en el siglo XVI, tan propia de los que se quedaron en Europa, como de los que se vinieron a América. Amado Alonso nos ahorra seguir hablando del bien compartido y tanto más de cada uno de nosotros cuanto más lo podemos comunicar.

Muchos pueblos de América necesitan integrar a estos connacionales que no hablan la lengua común. Recurrir al amparo de don Ángel Rosenblat es de justicia para recordar al sabio y al hombre bueno. Es necesario que pensemos en esas comunidades que aún no poseen el español, pero que necesitan de él para lograr su plenitud de hombres, como me explicaba aquel huitoto que me decía ser baquiano mientras me acompañaba por la selva amazónica. Integración que se hace por la lengua y que nada tiene que ver con el matiz de la piel: séame permitido recordar —por emocionante y justo— a aquel indio chiapaneco que se consideraba mexicano, pues, según él me decía, indios eran los de Bonampak, que vivían en la selva y no sabían español.

He ido caminando por las muchas trochas que unas preguntas nos habían abierto y estamos ya en un final relativo. Sabemos qué fue el pasado y qué es el presente. La preocupación por la lengua de todos es lo que nos ha venido preocupando. Lo he dicho: de todos. También lo he escrito: sin preeminencias ni claudicaciones. Después de tanto pensar llegamos a lo que cada vez podemos ver con más claridad: conservar la lengua, mantenerla unida, enriquecerla es quehacer de todos los que la hablamos en ambas orillas del Atlántico. En 1935, Amado Alonso publicó *El problema de la lengua en América* y escribió unas palabras con las que yo quisiera terminar mis consideraciones:

> En cuanto al futuro de nuestra lengua, el tipo cada vez más universalista de la civilización actual —y si es ésta suplantada, no será ya otra, sin duda, menos universal— hace improbable el fraccionamiento. Pero si éste ocurre algún día, no descarguemos nuestra responsabilidad en nada natural ni fatal. Será culpa de nuestra barbarie. Será que hemos dejado de formar parte del mundo civilizado.

II

En 1951, don Miguel Alemán, presidente de los Estados Unidos Mexicanos, convocó el I Congreso de Academias de la Lengua Española. Nueve lustros más tarde sentimos una mantenida emoción. Porque fue México, país con mil problemas lingüísticos, con otras tantas dificultades étnicas, sin relación entonces con España, el que comprendió —acaso por todo ello— el valor de la lengua. Ese prodigioso instrumento que se nos regala y gracias al cual somos hombres, desde la contingente realidad de dividir el trabajo hasta la alta cumbre de los desasimientos terrenos. México sabía mejor que nadie el valor de tener una lengua que unifique y que libere de la miseria y del atraso a las comunidades indígenas. México, más que ningún otro país, ha elaborado sus programas educacionales para redimir al indio y hacerlo ciudadano pleno. México con los proyectos propios y ajenos (Tarasco, Oaxaca) para alfabetizar y castellanizar, que sólo así la integración se produce y los bienes de una civilización irreversible consiguen salvar a gentes marginadas desde hace siglos. No extraña la decisión del presidente Alemán, y la vemos en cuanto tiene de gallardía y de cordura. El ideal de etnólogos y folcloristas no se cohonesta con los proyectos que actúan desde la Revolución de 1910: salvar al indio, redimir al indio, incorporación del indio, como entonces gritaban, no es otra cosa que desindianizar al indio. Incorporarlo a la idea de un Estado moderno, para su utilización en unas empresas de solidaridad nacional y para que reciba los beneficios de esa misma solidaridad. Porque la medicina puede más que las salmodias del brujo y los niños con ictericia no se salvan metiéndolos en el buche de una vaca recién inmolada. El camino hacia la libertad transita por la hispanización. Irreversible planteamiento, aunque debamos exigir el respeto y la protección de lo que ya nunca podrá enriquecerse. El presidente Alemán tenía razón y sabía de su propia realidad más de lo que nosotros sabemos, aunque nos hayamos acercado a los problemas con espíritu de amor y con afán de aprender.

Por eso la llamada de México fue secundada por todos. Y todos fueron escribiendo unos considerandos en el documento de Bogotá (1960), mediante un convenio «en virtud del cual todos los pueblos de habla española se unan para defender el desarrollo de la lengua común; que es obligación de los Estados fomentar la cultura de sus pueblos y atender a la defensa de su patrimonio espiritual, particularmente en su lengua patria; que tratándose de los pueblos hispanos, la unidad de lenguaje es uno de los factores que más contribuyen a hacerlos respetables y fuertes en el conjunto de las naciones». Hermosa lección la de los pueblos de América unidos «para defender el desarrollo de la lengua común», unidos —también— a España en esa propiedad compartida con igualdad de derechos que es la «Lengua Española». Y es que el sentido de la realidad de los hablantes de América era claro y terminante porque no era ocasional, sino inspirado en la más noble ejecutoria. A mitad del siglo XIX, don Andrés Bello, al frente de su *Gramática* había puesto: «Mis lecciones se dirigen a mis hermanos, los habitantes de Hispanoamérica. Juzgo importante la conservación de la lengua de nuestros padres en su posible pureza y como medio providencial de comunicación y un vínculo de fraternidad entre las varias naciones de origen español derramadas sobre los dos continentes.» Salvar la herencia era para Bello, como después lo fue para Cuervo o para Caro, una forma de asegurar la propia libertad. Cien años después, olvidados recelos y fortalecidos los lazos, el documento de Bogotá concedía a España un privilegio que obligaba —en contrapartida— a una ingente responsabilidad: «Las academias asociadas convienen en que la Real Academia Española sea llamada a coordinar esta labor colectiva de defensa, conservación y desarrollo del idioma.» Después, en Quito (1968), deferencias y responsabilidades se hermanaron, pero todos seguimos unidos por la defensa y salvaguarda del bien común. Como, hace siglo y medio, Bello había recomendado atenerse al buen criterio de nuestra Academia. Esto es, tenemos una herencia compartida que nadie puede dilapidar y todos, acrecer. La lengua ya no es un motivo de especulaciones técnicas o de curiosidad para espíritus inquietos; es un patrimonio de millones de hombres y ese patrimonio está vigilado por los institutos que para ello fueron constituidos. Hay firmados acuerdos internacionales que obligan al cumplimiento de todos y ese todos son —en primer lugar— los Gobiernos, que deben ejercer su autoridad en la protección de la lengua (obligando a su enseñanza, arbitrando medios para su conocimiento), defendiéndola (contra quienes traten de desmenuzarla), prestigiándola como bien común que es (con el reconocimiento de cuánto significa para el propio prestigio de todos). Cercenar su enseñanza, dejarla desasistida a merced de canes realengos, claudicar ante cualquier ataque venga de donde venga, suprimir los centros específicos donde se investiga el español, no es cumplir lo que un día se firmó y fue solidaridad de 16 naciones en Bogotá, ampliada con nuevas adhesiones. Todos los Estados libres signatarios están afectados en la misma medida. Todos reconocieron la unidad con independencia de las realidades internas. Y fue un presidente de México quien llamó a la unidad, como antes habían hecho los gramáticos venezolanos, chilenos o colombianos, o las constituciones políticas de todos los países sin excepción o esos millones de hombres que, sin saberlo, la elevan en sagrado ofrecimiento al rezar, al amar, al trabajar, o esos poetas que en la lengua «incesante y fatal» encontraban «los íntimos hábitos de la sangre». Ese bien providencial del que hablaba don Andrés Bello no lo es sólo para las naciones de América; sin él, y sin ellas, España no sería España. Lo que no deja de tener su valor.

Hay muchos procesos de integración cultural que se llevan a cabo a través de la lengua. El español se adaptó a esa nueva realidad que lo condicionaba y el español sirvió de instrumento para salvar culturas condenadas a desaparecer, y no sólo por el «trauma» de la conquista, o, acaso, por las conquistas de esos otros que hoy levantan la algarabía. La lengua fue el prodigioso instrumento que permitió la difusión de civilizaciones que de otro modo bien poco hubieran contado en América, como el taíno: los españoles ayudaron a la mutua comunicación de los pueblos aborígenes gracias a la designación de lengua general: el español y los españoles fijaron artes, léxicos y confesionarios con multitud de cuestiones que hoy llamamos antropológicas. Dos motivos diferentes, pero con significación parecida: la lengua de Castilla fue el instrumento que en ambos casos cumplió un designio singular. Y hoy, pasados quinientos años, esa lengua nos hermana a los hispanohablantes de los dos continentes. Sigue siendo la lengua lo que nos une más allá del color de la piel, de las creencias religiosas, de las estructuras sociales o de los ordenamientos políticos. Mi lengua es mi patria. Y hoy, al contemplar la prodigiosa unidad de la lengua sentimos que

la patria se nos ensancha, se multiplica por veinte y se abre en unas posibilidades de comunicación que se reiteran en millones y millones de hablantes. Somos hombres en tanto somos capaces de comunicarnos: ésta es
la visión prodigiosa que nuestra lengua ayuda a cumplir. No somos extra-
ños cuando podemos decir *madre, árbol, cielo, río* y otros labios repiten *madre, árbol, cielo, río* y las palabras significan lo mismo. La unidad está ahí,
en el milagro de la comprensión; la variedad es el otro prodigio de la particularidad que no desintegra, sino que enriquece lo que tenemos unidos.
Hablamos a finales del siglo XX. Cruzar el océano es cuestión de unas horas: bajar desde el río Bravo a la Tierra del Fuego son muchas, muchísimas
más, y el avión que nos lleva va agavilando paralelos y paralelos sin que
nuestra lengua deje de hablarse.

Pero el español de América sigue su propia historia y la lengua se va
aindiando conforme adelanta el conocimiento de la realidad. En un principio valdrá con establecer comparaciones más o menos aproximadas; luego vendrán las descripciones; más tarde, se incrustará el término indígena
en la lengua colonizadora. Porque el conquistador tuvo que valerse de su
propio instrumento lingüístico para captar la realidad, pero el sistema formado en Europa no valía y los cascarones *(rancho, estero, hacienda, plati-
car, tortilla)* se llenaban de contenidos nuevos, o las mil cosas nuevas tenían
que adaptarse para que la lengua fuera ese instrumento de comunicación que
se pretendía *(maíz, cacao, cenote, papa, poncho)*. Pero para llegar hasta esta
ascensión los hombres de España tuvieron que aprender el arte de las descripciones en el que la felicidad les acompañó mil veces.

Pero la lengua, como las criaturas, necesita un proceso de aclimata-
ción. Al principio es poco lo que se entiende, si algo se entiende: es la de-
sazón del descubridor que no sabe contar. Luego, los ojos abiertos, entran
las cosas hasta hallar acomodo en los nuevos corazones: se describen, se
comparan, se acervan a lo que pueda hacerlas valederas en la nueva cultura. Por último, la palabra de la nueva realidad, identificada ontológica-
mente con ella, se transmite. La lengua se hace mestiza porque sólo en el
mestizaje se puede vivir y en el mestizaje se puede salvar lo viejo válido y
lo nuevo acepto: un religioso valenciano del siglo XVIII pasó su vida entre
los caribes y temía haber envilecido su español por el continuo contacto
con gentes que no lo hablaban. Pero el padre Gumilla no acertaba en todo,
por más que el yerro aparente aún nos conmueva: su español seguía siendo de buena ley, aunque la realidad fuera distinta. En un proceso mil veces
repetido, había adaptado la lengua a las urgencias del nuevo vivir, pero no
la había empobrecido: la había hecho más rica. Porque la lengua es un
cuerpo vivo que acepta lo que necesita y elimina lo superfluo. La experiencia con los caribes no deturpaba nada, sino que obligaba a la agudeza. Y
ahí está *El Orinoco ilustrado*. En el choque con otras culturas, esa lengua
sufriría intercambios y se modificaría: el «tales somos cuales son nuestras
pláticas y conversaciones» de fray Juan de Zumárraga nos vale ahora: la
lengua de la colonización trocó la situación previa y en ella vive América,
andadura nueva, mestiza e irreversible, porque la motivó la Historia. Lengua e historia hermanadas en su caminar, como en la vida de unos hom-

bres que se fundían al hablar y que juntos tejían el destino de pueblos que se vislumbraban independientes.

Este testimonio de la verdad no se queda prendido en la Historia; sigue vivo hoy. Por 1929, en la tertulia del café de la Coupole han recalado tres jóvenes hispanoamericanos: el guatemalteco Miguel Ángel Asturias, el cubano Alejo Carpentier y Arturo Uslar Pietri, el venezolano. Es la presencia de tres voces que viene a mostrar sus diferencias con el surrealismo que allí se debate, no tanto por acuerdo o desacuerdo con lo que es la doctrina, sino por la verdad que su propia y americana realidad exige. Digamos que están camino de su acabamiento *Las leyendas de Guatemala*, *Ecué-Yamba-O* y *Las lanzas coloradas*. Es decir, la América que no cabe en el manifiesto de Breton exigía con voz propia ser escuchada entre los creadores de occidente, acaso por vez primera. No había imitaciones o mimetismos, aunque alcanzaran la gloria de Rubén, sino —como ha señalado Uslar Pietri— la presencia dispar de lo autóctono, lo negro y lo criollo, que condicionaban tres obras maestras, lo vemos ahora con nuestra perspectiva de lo que es una realidad compleja y agresiva, cuyo significado no se había tenido en cuenta. Pero no lo echemos en saco roto: aquella trilogía diversa tenía un denominador común: estaba escrita en español. He aquí algo que no debemos olvidar nunca: Miguel Ángel Asturias —rostro triangular de sacerdote maya— no hablaba quiché; Alejo Carpentier —hijo de francés y rusa— no profesaba en la religión de Ongú, Oxalá o Changó; Arturo Uslar Pietri, bajo el amparo del dolmán con que se retrató su abuelo británico, sentía latir en sus hombros la reciura del caudillaje anárquico. Eran tres posiciones ante el mundo, y las tres se comunicaban del mismo modo, en una lengua que había arrumbado al cachiqué, al pom, al ixil; que había olvidado los ritos del budú y del baquiné y que, sin embargo, era la de los lanceros de los Llanos y de los peones de las haciendas.

Gracias a la lengua, América se había creado. Porque sin unidad lingüística América no hubiera sido América. Serían las taifas independizadas por su incomunicación, no la unidad carismática de esos pueblos indios, españoles y negros que crearon una hermosísima, angustiada y dolorosa realidad. Y esto —unidad lingüística— en trinidad de sangres se llamó hispanización. México o Perú no son Haití o Canadá. No se trasladó la vida de España, se trasladó la tras-vida con la plenitud del sacrificio y con la miseria del pecado. Doble faz de la moneda, material y espiritual que con moldes cristianos permitió nacer un mundo nuevo que era otra cosa distinta. Valgan unas palabras de Uslar Pietri: «Si los españoles hubieran ido a América con una mentalidad colonial, a la inglesa o a la francesa, México sería la India.» Gracias a esto, Ernesto Sábato —hijo de italianos— puede decir que está más cerca de un indio mexicano que hable español que de un sueco. Toda exégesis eludo.

Las tres ramas del árbol se enlazaron, como los bejucos en torno a una ceiba, y se produjo el mestizaje biológico: lo que asustaba a los sabios europeos, incluido el científico Pittard, era la fuente que daba vigor a esos hombres que crearon el realismo mágico y, desde él, en palabras de Miguel Ángel Asturias, dieron nuevo vigor al estudio de la sociología. Y en este

mestizaje está el porvenir de tales pueblos: valgan las esperanzas de Vas-
concelos o de Rosenblat, valga, como expresión literaria, aquel criollo de
Las lanzas coloradas que decide poner su astil al servicio del rey y arrastra
en su salvaje galopada a una turba de jinetes indios, negros y mestizos.
Esas gentes, unidas en la lucha por los gritos de su lengua, se expresaban
sólo en español. Era algo más importante que el mestizaje biológico, todos
eran ya mestizos culturales a través de la lengua y, gracias a ella, mestizo
es el mexicano que reniega de Cortés o el peruano que dignifica a Pizarro.
Acaso esto nos lleve a un concepto de raza que no tiene que ver con geno-
tipos y fenotipos, con caracteres fundamentales y recesivos, con enlaces de
cromosomas, estamos ante un concepto de raza cultural a la que pertene-
cemos todos, blancos y negros, indios y zambos, mestizos, mulatos, jíbaros,
tentenpiés, saltoatrás, tentenelaires y noteentiendos. Y las otras mil castas
que Carpentier derrama desde su barroca cornucopia como hizo el Inca
Garcilaso con la suya al alborear el siglo XVII. Somos lo que somos no por
los genes que nos formaron, sino por la visión del mundo que tenemos. Y
la visión del mundo nos la da la lengua, nos la conforma la lengua y la
transmitimos por la lengua. Perder la lengua es transculturarse —no me
importa si para bien o para mal—, es cambiarse de cultura; permanecer en
la lengua es ser una especie de hombre y no otra —y quiero creer que para
bien—. Hace unos años acabé en Samaná una encuesta lingüística con un
negro gigantesco, allí, tan lejos, tan perdido, tan sin sentido para nadie, un
dialectólogo español estaba identificándose con un hombre al que le unía
la visión del mundo adquirida por la lengua. Hace unos meses, en una plaza de Guanajuato, una vieja india me pidió limosna; sobre el cielo azulísi-
mo una mano me bendijo y unos labios me hablaron español: «Dios te
guarde, mi hijo, y te tenga siempre bajo su amparo.» Y otro día, la visión
del mundo se expresaba en lo que es mi fe y mi esperanza. En Mitla, en los
aposentos del Vija-Tao una india, ¿mixteca, zapoteca, zoque?, a mi pregunta «¿Qué habla la señora?» me contestó: «Hablo pura Castilla.»

   Así habrá que entender el sentido de la literatura hispanoamericana
que no sea un calco o un remedo; como visión integrada de un mundo mestizo, que aportará arrastres de blancos, de indios, de negros, pero que se
expresará en español. Que éste es un vivir conflictivo me resulta evidente,
pero es el ser de los pueblos nuestros de América: lo era ya en don Martín
Cortés y lo es en las gentes que renuncian de alguna de sus estirpes, como
si la historia pudiera hacerse —*a posteriori*— con fáciles dicotomías. Las cosas son como han sido, porque la historia se hereda siempre. La brutalidad
estuvo en estas tierras compensada con inmensas cargas de humanidad (yo
diría, Gonzalo Fernández de Oviedo y José de Acosta y Bernal Díaz del Castillo y fray Pedro de Aguado y Motolinía y Sahagún. Sí, también, fray Antonio Montesinos o el padre Las Casas y los mil ignorados espíritus de la
generosidad); más aún, el pecado denunciado con escándalo o reconocido
en soledad hacía que la sociedad tuviera unos caracteres específicos. Que
hasta para ser pecador es necesario tener conciencia del pecado. y el pecado
acabó confesándose en español.

   El domingo de Ramos de 1985 vi la procesión de la borriquilla camino de la catedral —¡gótica!— de Santo Domingo: una cohorte de nubios, congos y mandingas iba mandada por un centurión blanco. Cristo se deslizaba sobre la multitud, mecido por la asnilla de incierto andar. Dentro del templo, el cuento de las lanzas golpeó sobre la piedra. El blanco, los negros, los mulatos, los indios, los mestizos, quedaron en un sobrecogedor silencio. Se iba a leer el Evangelio que daba sentido a aquel mundo de disciplina romana. Y el Evangelio se leyó en español.

Situados en esta perspectiva de la evolución y el cambio nos encontramos con el español de hoy, pues si no llegáramos a nuestros pagos no merecería la pena tanto caminar. Y Sábato se enfrenta con una cuestión que ha hecho, y hace, hablar a la gente: ¿qué español es mejor, el de una u otra banda del Atlántico? Me apresuro a decir: no hay un español de España y otro de América, sino muchos españoles a ambos lados de la mar. Con esto la cuestión adquiere un carácter relativo y nada dogmático. Habrá —hay— españoles que se consideran dueños de la lengua y americanos —habrá y hay— que desprecian los modos peninsulares. Todos se equivocan, y la solución está en Amado Alonso, uno de los maestros de lingüística que tuvo el Sábato mozo. No hay una «mejor lengua», según hemos visto, sino una lengua de todos y de cada uno de nosotros, que sólo entonces adquiere la dignidad de mejor, cuando nos integramos en ella y creamos el sistema de sistemas que es el español general. No sé si esto es fácil de entender para los extremistas de cualquier postura, pero acaso su comprensión sea más difícil si lo trasladamos al plano literario. No hay un registro de la propiedad para inscribir el nacimiento de una lengua, pero hay una partida de bautismo que nos dice dónde nació aquella criatura que llegó a ser un gran escritor. Mal se podría escribir la poesía de España si no consideráramos nuestro a Rubén Darío, y mal la novela de América si no tuviera por suyo a Miguel de Cervantes. Ésta es la cuestión: la lengua es propiedad indivisa, sobre la que todos tenemos los mismos derechos y los mismos deberes. Lógicamente, la literatura escrita en esa lengua es también un bien compartido y propiedad común. Hace muy bien Sábato al defender su «bárbaro voseo» y hace muy bien al considerar antepasados suyos a los juglares del Cid, a Berceo, a Cervantes y a Quevedo, como la tenía Alejo Carpentier al contestar, a una pregunta insidiosa, que Cervantes es el novelista mayor de Cuba. Por caminos distantes hemos llegado otra vez al idealismo: para León Felipe su patria era cada sitio donde escuchaba el español, como para Albert Camus su patria era la lengua francesa. Quienes una y otra vez nos desarraigamos, sólo en la lengua encontramos el alimento que nos puede sustentar. Y bien vale ahora el emocionante testimonio de Sábato. Ha aducido en algún momento una frase muy traída y muy llevada de Buffon: «el estilo es el propio hombre» y sigue: «su manera de ver y sentir el universo, su manera de "pensar" la realidad, o sea, la manera de mezclar sus pensamientos a sus emociones y sentimientos, a su tipo de sensibilidad, a sus prejuicios y manías». Es decir, la lengua le ha hecho a él —hijo de emigrantes como Camus— y en la lengua ha adquirido su condición de hombre, y de hombre nada abstracto. Con su conciencia histórica a cuestas, Ernesto Sábato dijo sencillamente esto: «Estuve en la tumba donde descansan los restos de Dante [...] Me conmovió mucho esa tumba porque mis padres son italianos y porque yo he escuchado la lengua italiana desde que era niño. Tuve una profunda emoción. Pero ¡qué distinta fue la emoción cuando estuve delante de la casa de Cervantes!; se me llenaron los ojos de lágrimas [...] Ahí comprendí cómo mi patria estaba entrañablemente unida a la lengua y que mi antepasado, el antepasado de todos los escritores que escribimos o pretendemos escribir estaba acá, y particularmente en Cervantes.»

RASGOS GENERALES

por HUMBERTO LÓPEZ MORALES

Por fortuna, ya han pasado definitivamente los tiempos en que importantes intelectuales de Hispanoamérica mostraban su preocupación sobre la unidad del español en el continente. Se pensaba entonces —se temía— que al igual de lo ocurrido con el latín, la lengua llegada a América y mantenida con cohesión por la estructura política colonial se fragmentaría en una multiplicidad de lenguas diversas, una vez desaparecido el vínculo con la metrópoli, que ocurrió tras las guerras de independencia.

El paso de los años se ha encargado de desmentir tales temores. Se preservó la unidad cultural hispánica, aunque no faltaron —pocos— los que desearan otra cosa, y en la base de este hispanismo siempre renovado estaba la lengua. Es un pedazo de la historia lingüística americana que está por hacer.

Hoy ya no hay lugar para semejantes preocupaciones. El sorprendente aumento de las comunicaciones, el auge de los medios y el vertiginoso incremento de las avenidas de la información nos unen cada día más; el Atlántico ha dejado de ser el ancho océano que nos separaba, los Andes y la imponente selva amazónica son ahora pequeños accidentes geográficos fácilmente salvables y las distancias de miles de kilómetros son devoradas en unas pocas horas por cualquier reactor y en apenas segundos por la imagen y el sonido lanzados vía satélite. La unidad de la lengua está asegurada.

Ello no significa, sin embargo, que estemos ante una lengua homogénea. Hay fenómenos lingüísticos de variado tipo que distinguen unos dialectos americanos de otros. Si el español es un gran complejo dialectal, una enorme parte de él se encuentra en suelo americano, que alberga, aproximadamente, al noventa por ciento de todos los hispanohablantes del mundo.

Los factores que en su día propiciaron esas diferencias parecen ser los mismos que la historia de las lenguas nos han dejado saber desde hace tiempo: diverso origen dialectal de los colonizadores, diversidad de lenguas aborígenes, aislamiento sobresaliente entre los núcleos fundacionales, ausencia de políticas lingüísticas niveladoras, entre otros factores de menor relieve. Todo tendrá que ser abordado por quien se decida a escribir la historia del español americano[1] que, además, deberá ocuparse de varias peculiaridades que acompañaron a este proceso histórico particular, entre los que destaca la zigzagueante política lingüística de la Corona con respecto a la castellanización de los indios o al mantenimiento de las lenguas autóctonas —al menos, de las llamadas «mayores»— en pro de la catequización. Toda la legislación al respecto ya ha sido recogida y su estudio ha comenzado a producirse.[2] De momento, algunos aspectos de este complejísimo proceso, como la llamada «hipótesis andalucista», han sido muy estudiados, dando lugar a encendidas polémicas, no zanjadas definitivamente.[3] Las investigaciones en torno a los procesos de «koinización» o «criollización», como prefirieron llamarlos diferentes autores, responsables de la nivelación lingüística de grandes zonas continentales, se han iniciado hace poco tiempo.

Hispanoamérica es un mosaico dialectal, desde luego, pero aún estamos lejos de saber dónde empiezan y acaban las piezas que lo integran. Es verdad que no han faltado los intentos por deslindar las zonas dialectales americanas,[4] pero también lo es el hecho de que las conclusiones avanzadas suelen ser poco convincentes. A ello se debe, sin duda, el que el viejo trabajo de Pedro Henríquez Ureña, tan criticado por todos, siga aún en pie, a pesar de que sus bases indigenistas no puedan mantenerse.[5] Los que han seguido después por estos caminos no han sobrepasado sus limitaciones, aunque sean de otro tipo. Los planteamientos teóricos, de una parte, endebles casi siempre, y la cantidad y calidad de los datos que hoy es posible reunir, insuficientes en grado sumo, de otra, hacen dudar de las premisas en las que descansan estas otras hipótesis y terminan por desautorizarlas,

1.	Se trata de una tarea pendiente que sólo en parte se ha iniciado. Existen algunas historias particulares, bien de países (Miguel Ángel Quesada Pacheco, *El español colonial de Costa Rica*, San José, Editorial de la Universidad de Costa Rica, 1990, y Manuel Álvarez Nazario, *Historia de la lengua española en Puerto Rico*, San Juan, Academia Puertorriqueña de la Lengua Española, 1991), bien de regiones (Elena M. Rojas, *Evolución histórica del español en Tucumán entre los siglos XVI y XIX*, Tucumán, Universidad Nacional de Tucumán, 1985), por ejemplo, reflexiones sobre la periodización de tal proceso (Guillermo Guitarte, «Para una periodización de la historia del español de América», en *Siete estudios sobre el español de América*, México, UNAM, 1983, pp. 167-182), algunas monografías excelentes (Olga Cock Hincapié, *El seseo en el Nuevo Reino de Granada, 1550-1650*, Bogotá, Instituto Caro y Cuervo, 1969) y un buen conjunto de apuntes iniciales, los contenidos en el volumen colectivo, editado por C. Hernández Alonso, *Historia y presente del español de América*, Valladolid, Junta de Castilla y León-PABECAL, 1992.

2.	Cfr. Francisco de Solano, *Documentos sobre política lingüística en Hispanoamérica (1492-1800)*, compilación, estudio preliminar y edición, Madrid, Consejo Superior de Investigaciones Científicas, 1991.

3.	Para un panorama crítico de la cuestión, véase Julio Fernández Sevilla, «La polémica andalucista: estado de la cuestión», en *Actas del I Congreso Internacional sobre el español de América*, San Juan, Academia Puertorriqueña de la Lengua Española, 1986, pp. 231-253. Añádanse ahora los trabajos de Juan Antonio Frago, «El seseo entre Andalucía y América», *RFE*, 69 (1989), 277-310, y «El seseo: orígenes y difusión americana», en *Historia y presente del español de América*, ya citado, pp. 113-142.

4.	El primero de ellos fue el de Juan Ignacio de Armas, en 1882, quien en sus *Oríjenes [sic] del lenguaje criollo*, La Habana, Imprenta de la Viuda de Soler, presentó sus ideas al respecto. El trabajo tiene hoy una importancia meramente histórica. *Vid.* también Alfredo Torrejón, «Juan Ignacio de Armas y la dialectología hispanoamericana», *NRFH*, 4, 11 (1993), 151-158.

5.	En sus «Observaciones sobre el español de América», *RFE*, 8 (1921), 364-379. Cfr. el trabajo crítico de Juan Miguel Lope Blanch, «Henríquez Ureña y la delimitación de las zonas dialectales de América», en *Cuadernos de la Facultad de Humanidades* (Universidad de Puerto Rico, Río Piedras), 13, 1985, pp. 43-57.

ante la pobreza de las bases empíricas que las sustentan.[6] Sólo cuando se eliminen estas deficiencias estaremos en disposición de emprender la tarea con éxito. El esperado *Atlas Lingüístico de Hispanoamérica*, ya en proceso avanzado de elaboración, será la puerta que nos permita adentrarnos con paso seguro por este laberinto.

El *Atlas Lingüístico de Hispanoamérica* es un ambicioso proyecto cartográfico que mostrará los datos recogidos en cientos de entrevistas, realizadas desde el suroeste de los Estados Unidos hasta la Tierra del Fuego. Con un mismo marco de acción, un mismo cuestionario y un equipo de expertos en geolingüística, dirigido por Manuel Alvar y Antonio Quilis, muchas localidades, hasta la fecha inexploradas, nos han ido entregando su fisonomía dialectal, en cuya conformación no han faltado ni los descubrimientos ni las sorpresas.[7] Si a este imponente proyecto unimos el desarrollo último de los atlas de pequeño dominio —México,[8] Costa Rica,[9] Ecuador,[10] Uruguay,[11] Argentina—[12] no caben dudas razonables de que pronto se

6. Los textos de todos los que han intervenido en el tema (Henríquez Ureña, José Pedro Rona, Melvyn Resnick, Juan Clemente Zamora Munné y Philippe Cahuzac) pueden consultarse en el libro de Francisco Moreno, *La división dialectal del español de América* (Ensayos y documentos, 15), Alcalá de Henares, Universidad de Alcalá de Henares, 1993. El lector sacará provecho de la rica introducción y de los mapas especiales preparados por el autor. Véase también el estudio de Orlando Alba, «Zonificación dialectal del español en América», en *Historia y presente del español de América*, ya citado, pp. 633-684.

7. Cfr. Manuel Alvar, «Hacia la geografía lingüística de América», en *Perspectivas de la investigación lingüística en Hispanoamérica*, ed. por J. M. Lope Blanch, México, UNAM, 1980, pp. 79-92, recogido por M. Alvar y A. Quilis en *Atlas lingüístico de Hispanoamérica. Cuestionario*, Estudios introductorios de M. Alvar, Madrid, Instituto de Cooperación Iberoamericana, 1984. Véase también M. Alvar, «Proyecto de un Atlas lingüístico de Hispanoamérica», en *Estudios de geografía lingüística*, Madrid, Paraninfo, 1991, pp. 439-456 y en *Cuadernos Hispanoamericanos*, 409 (1984), 53-68. Un estado de la cuestión de estos trabajos hasta 1991 puede verse en Antonio Quilis, «Situación actual del *Atlas Lingüístico de Hispanoamérica*», *LEA*, 13 (1991), 269-271. Hitos bibliográficos importantes sobre este monumental atlas son María del Carmen Caballero y Julia B. Corral, «Informatización del *Atlas lingüístico de Hispanoamérica*», *LEA*, 13 (1991), 223-250, y Rocío Caravedo, «El atlas lingüístico hispanoamericano en el Perú: observaciones preliminares», *LEA*, 14 (1992), 287-299, y «El Perú en el *Atlas Lingüístico de Hispanoamérica*», *Lexis*, 11 (1987), 165-182. Ya empiezan a aparecer los primeros resultados de estas investigaciones; véanse, por ejemplo, los trabajos de María Vaquero, coautora del primer volumen del atlas, el dedicado a las Antillas, «El español de Puerto Rico en su contexto antillano», en *Actas del Tercer Congreso Internacional del español de América*, vol. 1, Valladolid, Junta de Castilla y León, 1991, pp. 117-139, y *Palabras de Puerto Rico*, San Juan, Academia Puertorriqueña de la Lengua Española, 1995.

8. *Atlas Lingüístico de México*, dirigido por Juan Miguel Lope Blanch, vols. I, II y III, México, El Colegio de México-Fondo de Cultura Económica, 1991. De lectura imprescindible con respecto a este atlas es el libro de José G. Moreno de Alba, *La pronunciación del español de México*, México, El Colegio de México, 1994.

9. *Vid.* Miguel Ángel Quesada, «Pequeño Atlas lingüístico de Costa Rica», *Revista de Filología y Lingüística*, 18, 2 (1992), 85-189.

10. Cfr. A. Quilis y C. Casado-Fresnillo, «El *Atlas Lingüístico del Ecuador*», *Lingüística*, 4 (1992), 361-371.

11. *Vid.* Harold Thun, Carlos E. Forte y Adolfo Elizaincín, «El Atlas lingüístico diatópico y diastrático del Uruguay (ADDU). Presentación de un proyecto», *Ibero-Romania*, 30 (1983), 26-62. Para una excelente visión general de la geolingüística americana, cfr. el artículo de Pilar García Mouton, «Sobre geografía lingüística del español de América», *RFE*, 72 (1992), 699-714.

12. La presentación de este atlas la hizo Guillermo Ojilvie en el II Congreso Internacional sobre el español de América, celebrado en México en 1986, pero sus palabras no fueron recogidas en las actas correspondientes. Véase G. Ojilvie y Ofelia Kovacci, *Documentos del PREDAL Argentino. El Atlas Lingüístico-Antropológico de la República Argentina*, Buenos Aires, 1987.

podrá dar feliz cumplimiento a este *desideratum*: el establecimiento de las zonas dialectales de América.

Entre tanto sabemos que, salvo los casos de influencia de las lenguas indígenas, no hay un solo fenómeno del español americano —con excepción del voseo— que no tenga alguna vida en el español peninsular o insular. Y cuando excluimos el voseo lo hacemos apoyados en consideraciones sincrónicas, porque desde luego fue llevado a aquellas tierras desde España, en la que era moneda común en siglos anteriores.[13]

Con respecto al influjo indígena se hace necesario especificar ciertos puntos. Quizás ya con demasiada frecuencia se viene hablando de esta influencia, a veces sustratística a veces adstratística, sin tomar en consideración el hecho de que en estos últimos casos deben especificarse con todo cuidado dos fenómenos muy diferenciados: la influencia de la lengua indígena materna en el español de hablantes bilingües, cuyo dominio de la lengua aprendida no alcanza niveles satisfactorios de competencia, y el influjo de lo indígena en hablantes monolingües de español de las diversas comunidades de habla. Los ejemplos del primer caso se multiplican a medida que aumentan los estudios sobre lenguas en contacto; tanto la morfosintaxis como el léxico como la fonética exhiben, según los casos, ejemplos más o menos elocuentes de transferencias lingüísticas.[14] En realidad, no se puede hablar aquí de «influencia» indígena en el *español americano*. El influjo se limita a casos de transgresiones gramaticales del español, debido principalmente a procesos imperfectos de aprendizaje. En cambio, en aquellas situaciones en que la presencia indígena se encuentra en el español de los monolingües, o aún en el de los bilingües equilibrados, entonces sí que estamos en presencia de una auténtica influencia lingüística de una lengua sobre otra.

Refiriéndonos sólo a estos últimos casos, debemos consignar que el continente americano presenta una gradación muy diversa, que va desde las Antillas, donde esta presencia se reduce a unos pocos elementos léxicos,[15] hasta países como el Perú y Bolivia, en que por razones sociohistóricas muy conocidas, la influencia es bastante mayor, aunque aún no nos sea

---

13.   *Vid.* Rafael Lapesa, «Las formas verbales de segunda persona y los orígenes del voseo», en *Actas del Tercer Congreso Internacional de Hispanistas*, México, El Colegio de México, 1970, pp. 519-532, y María Beatriz Fontanella de Weinberg, «La constitución del paradigma pronominal del voseo», *Thesaurus*, 32 (1977), 227-241.

14.   La bibliografía sobre este tema va aumentando considerablemente; véase un buen ejemplo de estas trasferencias, en este caso fonológicas, en el libro de Yolanda Latra, *Sociolingüística para hispanoamericanos. Una introducción*, México, El Colegio de México, 1992, especialmente el capítulo 4, «Lenguas en contacto», en el que explica con pormenor el influjo del quechua de Cochabamba sobre el español de los hablantes bilingües del Perú (pp. 171-226).

15.   Véanse los trabajos de Humberto López Morales, «Indigenismos en el español de Cuba», en *Estudios sobre el español de Cuba*, Nueva York, Las Américas Publishing Co., 1971, pp. 50-71, de Orlando Alba, «Indigenismos en el español hablado de Santiago [de los Caballeros]», *Anuario de Letras*, 14 (1976), 41-74, y los de María Vaquero, «Léxico indígena en el español hablado en Puerto Rico» e «Índices sociolingüísticos de los indigenismos de Puerto Rico», ambos en su libro *Léxico marinero de Puerto Rico y otros estudios*, Madrid, Playor, 1986, pp. 127-148 y 149-194, respectivamente. Cfr. ahora, además, la importante obra de conjunto de Tomás Buesa Oliver y José María Enguita Utrilla, *Léxico del español de América: su elemento patrimonial e indígena*, Madrid, MAPFRE, 1992.

posible delimitarla con puntualidad.[16] De cualquier forma, el peso indígena que pueda tener hoy el español americano es bastante débil, en términos generales, y si en algunos trabajos la impresión que se saca es muy otra, todo parece deberse al resultado de aplicar metodologías analíticas muy endebles y periclitadas.[17]

La bibliografía sobre este gran conjunto de zonas dialectales que el es el español de América, impresionante ya en número, hace resaltar los estudios léxicos —más que nada, los lexicográficos— y los fonéticos y fonológicos.

Desde fechas tan tempranas como 1836 se vienen sucediendo los diccionarios de regionalismos,[18] que en la última década han experimentado un nuevo renacer, no sólo con obras particulares, algunas de gran aliento,[19] sino con esfuerzos internacionales muy ambiciosos. Aquí es imprescindible anotar el conocido Proyecto de Augsburgo, al que dio comienzo Günther Haensch y dirige hoy Reinhold Werner; sus planteamientos teóricos y metodológicos han sido expuestos en varias publicaciones y sus frutos ya han comenzado a aparecer.[20] Con unos propósitos muy diferentes, sigue avanzando desde Tokio otro gran estudio de léxico, el Proyecto *VARILEX*, en este caso, exclusivamente urbano, aunque incluye ciudades hispanohablantes (total o parcialmente) de otras partes del mundo y no sólo americanas; su dirección está en manos de Hiroto Ueda.[21] Súmense a estos proyectos en estado de elaboración, el de *El léxico de la norma culta de las grandes ciudades del mundo hispánico*, elaborado sobre los materiales de estudio de este magno proyecto, preparado y ofrecido en soporte magnético por el equipo de la Universidad de Las Palmas de Gran Canaria, que dirige José Antonio Samper. En esta investigación, que llevan a cabo Humberto López Morales, José Antonio Samper e Hiroto Ueda, se presentará el léxico contenido en las entrevistas de México, San José, Santafé de Bogotá, Lima, Santiago, Buenos Aires, La Paz, Caracas y San Juan de Puerto Rico, además de las ciudades españolas de Madrid, Sevilla y Las Palmas, con múltiples clasificaciones estadísticas y varios estudios. A esta nómina de proyectos interna-

16. Cfr., a manera de ejemplo, el libro de Anna María Escobar, *Los bilingües y el castellano en el Perú*, Lima, Instituto de Estudios Peruanos, 1990.

17. Cfr. el elocuente libro de J. M. Lope Blanch, *El léxico indígena en el español de México*, México, El Colegio de México, 1969, en el que demuestra, tras una exhaustiva investigación estadística, que los indigenismos realmente usados en la capital mexicana constituyen aproximadamente el uno por mil de los términos patrimoniales hispánicos.

18. La larga serie de estos diccionarios la inaugura Estaban Pichardo y Tapia con su *Diccionario provincial de voces cubanas*, publicado en Matanzas en 1836. El *Diccionario* gozó de otras tres ediciones más en vida del autor, y de otras dos póstumas.

19. Cfr., a manera de ejemplo, los tres imponentes volúmenes del *Diccionario de venezolanismos*, preparado bajo la dirección de María Josefina Tejera, Caracas, Universidad Central de Venezuela, Academia Venezolana de la Lengua y Fundación Edmundo y Hilde Schnoegass, 1993.

20. Me refiero específicamente a los tres volúmenes aparecidos ya del *Nuevo Diccionario de Americanismos*: I, *Nuevo Diccionario de Colombianismos*, Bogotá, Instituto Caro y Cuervo, 1993; II, *Nuevo Diccionario de Argentinismos*, coordinado por Claudio Chuchuy y Laura Hlavacka de Bouzo, Bogotá, Instituto Caro y Cuervo, 1993, y III, *Nuevo Diccionario de Uruguayismos*, elaborado por Úrsula Külh de Mones, Bogotá, Instituto Caro y Cuervo, 1993.

21. Hasta la fecha han salido ya cuatro cuadernos informativos, que contienen el cuestionario base de esta gran investigación japonesa y un conjunto de datos preliminares: *VARILEX. Variación léxica del español en el mundo. Distribución de las palabras*, Tokio, Universidad de Tokio.

cionales hay que añadir la elaboración del *Gran Diccionario de Americanismos* que ha comenzado a coordinar la Asociación de Academias de la Lengua española, con la colaboración de todas las academias asociadas de América; se tratará de un repertorio de unas ciento veinte mil entradas organizadas según los más modernos criterios lexicográficos.[22]

Cuando toda esta importante labor esté realizada, el investigador y el estudiante tendrán ante sí un panorama más auténtico de la realidad léxica americana. Se verá la contribución real del vocabulario indígena, la naturaleza y proporción de los llamados «criollismos», tanto morfológicos (*preciosura, profesionista, friolero,* etc.) como semánticos, la presencia y densidad de los extranjerismos, la verdadera constitución de zonas léxicas americanas y tantos otros aspectos a los cuales hoy sólo podemos acercarnos de manera bastante imprecisa.

Los estudios fonéticos y fonológicos, sin embargo, permiten, aunque de manera muy desigual, tener ideas más contundentes sobre esta parcela del español americano. Dos conjuntos de fenómenos segmentales, ambos en distribución complementaria, se reparten el suelo del continente: el debilitamiento del consonantismo final, de una parte, y el fortalecimiento del vocalismo, de otra. El Caribe[23] y amplias zonas de México y Centroamérica, más las costas de casi toda la América del Sur se encuentran en diferentes momentos de procesos de debilitamiento consonántico, especialmente de los segmentos subyacente /s, n, r/; en cambio, presentan un sistema vocálico de gran firmeza, si exceptuamos la intensa nasalización antillana. Este reparto de los fenómenos en cuestión dio lugar, entre otros, a que Ángel Rosenblat hablara en su día de «tierras bajas»,[24] de costa, opuestas a las altas, de altiplano, que se comportan de manera contraria, como una opción válida que oponer a los varios intentos de delimitación de zonas dialectales. No obstante el apoyo empírico que las investigaciones más recientes dan a esta hipótesis, quedan algunos factores sin explicar, aun sin salirnos de estos mismos fenómenos. El *Atlas Lingüístico de Hispanoamérica* será el llamado a despejar esta incógnita.

Muchos otros fenómenos, quizás de menor alcance continental, han sido también estudiados con gran minucia y con riguroso aparato estadístico —la aspiración de /x/, las elisiones de -/d/ y de -/d/-, la asibilación de /r/—, pero lo relativo a la entonación sigue a la espera de indagaciones modernas. Las pocas calas efectuadas hasta la fecha[25] muestran ya resultados

22.   Los presupuestos teóricos y el diseño de planta de este diccionario están completamente acabados; véase el artículo de H. López Morales, «Hacia el *Gran Diccionario de Americanismos*», que aparecerá próximamente en *LEA*.

23.   *Vid.* López Morales, «Caracterización fonológica de los dialectos del Caribe hispánico», en *Actas del I Congreso Internacional de Historia de la Lengua Española*, vol. I, Madrid, Arco/Libros, 1988, pp. 1401-1416.

24.   «Contactos interlingüísticos en el mundo hispánico: el español y las lenguas indígenas de América», en *Actas del Segundo Congreso Internacional de Hispanistas*, Nimega, Instituto Español de la Universidad de Nimega, 1967, 109-154, especialmente las páginas 110 y siguientes.

25.   Cfr. los breves apuntes sobre entonación mexicana y puertorriqueña de Karen H. Kvavik, «Directions in recent Spanish intonation analysis», en *Corrientes actuales de la dialectología del Caribe hispánico*, Río Piedras, Editorial de la Universidad de Puerto Rico, 1978, pp. 181-197, y sobre todo el trabajo de Antonio Quilis, «Entonación dialectal hispánica», en *Actas del I Congreso Internacional sobre el español de América*, ya citadas, pp. 117-164.

riquísimos, por lo que es más de lamentar el olvido sufrido —cada día más injustificado— por este nivel suprasegmental, porque si bien es cierto que este tipo de análisis requiere de instrumental especializado, también lo es el que cada día son más los laboratorios de fonética con que se cuenta en Hispanoamérica, para no decir nada de los laboratorios extranjeros (en España y en los Estados Unidos, por ejemplo) que estarían dispuestos a brindar su colaboración entusiasta.

Como es común en casi todos los casos, los estudios gramaticales están en minoría, por lo que las descripciones dialectales de este nivel de lengua nos dejan ver pocas cosas seguras. No ha habido aquí ningún proyecto colectivo abarcador que nos ofrezca materiales comparables en aquellas cuestiones gramaticales que parecen ser clave para la evolución lingüística del español americano. Es cierto que los estudios de «la norma culta» ayudarían a disminuir nuestra mendicidad informativa, pero muchos de estos materiales no han sido analizados todavía y cuando lo sean, nos darán datos exclusivos de las capitales y sólo de sus hablantes nativos. Es verdad que se trata de un buen comienzo. Pero nadie ignora que precisamente en Hispanoamérica, los constantes aluviones inmigratorios procedentes de zonas rurales o semirrurales son, en muchos casos, mayoría abrumadora, de manera que semejantes estudios no garantizan que puedan llegar a descubrirse fenómenos originados y extendidos entre estos hablantes, aunque no se trate de población indígena.[26]

Uno de los casos de mayor significación son los usos de formas verbales como *canté / he cantado*, que prometen ser de mucho rendimiento. Como se sabe, son tres los factores que intervienen en la elección de cada una de estas formas: la temporalidad, la aspectualidad y la clase de acción. De ellas, la más conflictiva de todas es la primera, que opera, al menos en dialectos conservadores, prefiriendo las formas compuestas para el pasado inmediato *(he llegado esta mañana)* y las simples para el pasado lejano *(llegué hace un mes)*. A la temporalidad se une el hecho, aspectual, de que los resultados o efectos de la acción pasada inmediata puedan llegar hasta el momento de la enunciación, o al menos ser sentidos como tales. Los estudios sobre el español americano parecen dejar en claro la existencia de dos amplias zonas: la que se une a los comportamientos verbales de los dialectos españoles más conservadores —toda la zona andina, desde el sur colombiano hasta Bolivia— y el resto del continente, que, a semejanza de Canarias y de Andalucía, neutraliza estas oposiciones a favor de las formas simples con suma frecuencia *(llegué* 'acabo de llegar'*)*. También con respecto a estos fenómenos se comprueba la realidad del concepto de «español atlántico».[27]

Pero al margen de estos casos, que han recibido relativa atención de parte de los investigadores, hay otros fenómenos gramaticales que merecen

---

26. Véase el trabajo en prensa de H. López Morales, «Marginación sociolingüística en las grandes ciudades hispanoamericanas», en las actas del encuentro «La lengua española en el umbral del siglo XXI», que publicará la Diputación de La Rioja.

27. Cfr. Francisco Abad, «Historiografía del concepto de "español atlántico"», en *Actas del III Congreso Internacional del español de América*, vol. I, Valladolid, Junta de Castilla y León, 1991, pp. 155-164.

un examen a fondo. Éste es el caso de la supuesta regresión de ciertos usos de subjuntivo, principalmente en algunas subordinaciones, en las que compite con el indicativo, la abundancia notable de perífrasis verbales (y no nos referimos sólo a las de futuro —*voy a comer* 'comeré'—, cuyo uso desborda con mucho el suelo americano) en detrimento de formas paradigmáticas. También puede serlo el progreso de la presencia de sujeto en construcciones de infinitivo, que empezó siendo fenómeno típicamente antillano, y la reestructuración del sistema de clíticos, que parece avanzar desde el Cono Sur.

Es posible que los vacíos y las incertidumbres que se observan con respecto al español americano estén en vías de aminorase. Si ello ocurriera, se debería al notable progreso alcanzado en la recolección de materiales de análisis, sin duda uno de los escollos más difíciles de salvar en la investigación moderna. Hoy ya se cuenta con una buena parte de los «materiales de estudio» del *Proyecto de la norma culta*, y no sólo impresos en papel (lo que constituye una muestra más abundante, pero también más heterogénea) sino en cómodo soporte magnético, si bien se trata de una selección de unas siete horas de grabación por ciudad, transliterados en ortografía regular.[28] Aunque no son beneficiosos para los análisis fonéticos (para los que nada puede sustituir a las grabaciones mismas, lamentablemente no siempre disponibles), los análisis gramaticales, y en menor medida léxicos, tienen aquí un buen filón. No son muchos los casos, pero existen, de sintopías que han considerado insuficientes estos materiales y se han lanzado a colectas más exhaustivas y más representativas de su diversidad estratificatoria.[29] En proceso de elaboración se encuentra el nuevo Proyecto PRESEA que, no obstante, dará pronto sus frutos: un conjunto de *corpora* estratificados de las principales ciudades hispánicas. El Proyecto, dirigido por Francisco Moreno y Carmen Silva Corvalán y patrocinado por la ALFAL y por la Universidad de Alcalá de Henares, está encaminado a fomentar estudios de carácter sociolingüístico, aunque no hay dudas de que también será de gran provecho para estudios dialectales de todo tipo. Aunque de carácter privado, al menos por el momento, existe otro gran proyecto institucional: el CREA, de la Real Academia Española, concebido principalmente como *corpus* de referencia del español actual para propósitos lexicográficos; lo dirige Guillermo Rojo. Su propósito es llegar a reunir doscientos millones de palabras, cien de textos españoles y otros cien hispanoamericanos. Su cuidadosa estructuración diatópica, su atención a la lengua escrita y a la oral y su impecable representatividad harán de este *corpus* un instrumento fundamental. También cuenta el investigador actual

---

28.   El *Macro-corpus de la norma lingüística culta de las principales ciudades del mundo hispánico (MC-NLCH)* está contenido en cuatro disquetes de alta densidad (3.5) en el sistema ASCII, y consta de siete horas de grabación de cada uno de los países que hasta ahora intervienen en el gran proyecto, un total de 84 horas aproximadamente.

29.   Cfr. el *Informe sobre recursos lingüísticos para el español (II). Corpus escritos y orales disponibles y en desarrollo en España*, Alcalá de Henares, Observatorio Español de Industrias de la Lengua, Instituto Cervantes, 1996. Esta segunda edición, corregida y ampliada, ha sido preparada por Adelaida Fernández y Joaquim Llisterri.

con una serie de *corpora* más pequeños, pero también en soporte magnético y accesibles con un simple trámite, todo —por supuesto— además del ancho mundo de los textos literarios y del de la prensa, que está más al alcance de la mano.

En materia bibliográfica, los progresos son también sobresalientes. Al libro imprescindible de Carlos Solé, cuya segunda edición es de 1990,[30] y a los repertorios publicados por varias revistas especializadas, se une ahora la colección de Cuadernos bibliográficos *El español de América*, que constará de diez títulos: 1. Introducción, que trae los títulos de carácter general; 2. América Central; 3. Las Antillas; 4. Argentina, Paraguay, Uruguay; 5. Bolivia, Ecuador, Perú; 6. Colombia y Venezuela; 7. Chile; 8. Estados Unidos; 9. México y 10. Índices. De ellos han salido ya los cuadernos 1, preparado por Carlos Solé, 3, por H. López Morales, 4, por N. Donne de Mirande, Adolfo Elizaincín y Magdalena Coll, y Germán de Granda, y 7, por Alma Valencia. Se trata de cuadernos, elaborados por especialistas, que intentan ser exhaustivos y actualizados.[31] No es necesario encarecer la utilidad de semejantes repertorios.

Si bien es cierto que las colectas bibliográficas nos abren un mundo casi siempre nuevo, no lo es menos el hecho de que su consulta puede llegar a presentarnos unos mosaicos muy complejos y, en ocasiones, poco elocuentes. Estos instrumentos, si no son comentados, deberían ir de la mano de trabajos historiográficos que señalaran los grandes temas trabajados, el estado de la cuestión de las investigaciones, las lagunas que es necesario hacer desaparecer y los asuntos que aún están a la espera de mayores análisis. En este terreno, la dialectología hispanoamericana anda un poco huérfana, pues nada, al menos en gran escala y de carácter general, ha sido hecho desde 1969.[32]

En las páginas de este volumen, el estudiante —y el lector general— encontrará una rica información sobre todo lo que ya conocemos, y en ocasiones, interesantes pautas para trabajos futuros.

30.   *Bibliografía sobre el español de América (1920-1980)*, Bogotá, Instituto Caro y Cuervo, 1990.

31.   Véase, de H. López Morales, «La enseñanza del español de América en las Universidades españolas», en *Encuentro Internacional de Académicos de la Lengua Española*, Huelva, Diputación Provincial de Huelva, 1995, pp. 97-100. Hasta la fecha han salido ya los cuadernos correspondientes a la Argentina, Paraguay y Uruguay (1994), las Antillas (1994) y Chile (1995); los publica la editorial Arco/Libros de Madrid.

32.   Me refiero al volumen IV, *Ibero-American and Caribbean Linguistics* de la serie *Current Trends in Linguistics*, La Haya-París, Mouton, 1968. Dos de los trabajos allí reunidos han sido publicados aparte, en formato de libro: el de J. M. Lope Blanch, *El español de América*, Madrid, Ediciones Alcalá, 1968, y el de Yakov Malkiel, *Ibero-American Linguistics and Philology*, La Haya, Mouton, 1971. Un estado de la cuestión, más breve, pero más actualizado, puede verse en H. López Morales, «La investigación dialectal sincrónica en Hispanoamérica: presente y futuro», en *Actas del Congreso de la lengua Española*, Sevilla, 1992, Madrid, Instituto Cervantes, 1994, pp. 767-787.

FORMACIÓN DEL ESPAÑOL DE AMÉRICA

por Juan Antonio Frago Gracia

Mucho queda por hacer hasta que se vea suficientemente solventada esta crucial cuestión de la historia de nuestra lengua, aunque no poco es lo que en los últimos años se ha avanzado en su desentrañamiento. Naturalmente, tener una concepción apropiada de lo que fue la época de orígenes y disponer de los datos necesarios para determinarla lingüísticamente son requisitos que también han de favorecer la correcta elaboración de toda la historia del español americano, que tan grandes deficiencias ha sufrido en su descripción lo mismo sincrónica que diacrónica, en el segundo aspecto particularmente. No hay más que considerar de qué bibliografía hubo de servirse Zamora Vicente al componer un capítulo titulado «El español de América», que en tan débiles pilares históricos se sustenta.[1] Nada extraño, por lo demás, si se piensa en las generalizaciones con que no mucho antes se había movido A. Alonso.[2]

Sin haber hecho una obra de conjunto, notable progreso en la historia del español de América han supuesto los estudios de Guitarte, excelente investigador al que se deben esclarecedoras pesquisas sobre el desarrollo del seseo en el Nuevo Mundo, sabios planteamientos metodológicos y propuestas para la periodización histórica que mucho tienen que ver, asimismo, con la formación del español americano.[3] En fin, ya van siendo posibles monografías de conjunto sobre la variedad ultramarina de la lengua española, como la de Moreno de Alba[4] o la de Lipski,[5] dotadas de importantes aparatos historiográficos y de información dialectológica mucho más completa que la habitualmente dada hasta hace poco tiempo. El cre-

---

1. Alonso Zamora Vicente, *Dialectología española*, Gredos, Madrid, 2.ª ed., 1967, pp. 378-447. Más completa es la parte sincrónica de este capítulo, siempre contando con los materiales hasta entonces publicados. Baste comprobar lo esquemáticas que eran las referencias dialectales proporcionadas por D. Lincoln Canfield, recientemente puestas de nuevo al alcance del lector especializado: *El español de América: Fonética*, Crítica, Barcelona, 1988. De 1962 es *La pronunciación del español en América*, editado en Bogotá, y su título inglés *Spanish Pronunciation in the America* se publicó en Chicago el año 1981.
2. A. Alonso, *Estudios lingüísticos. Temas hispanoamericanos*, Gredos, Madrid, 2.ª ed., 1961.
3. Importantes, efectivamente, son los trabajos de Guillermo L. Guitarte reunidos en *Siete estudios sobre el español de América*, Universidad Nacional Autónoma, México, 1983.
4. José G. Moreno de Alba, *El español en América*, Fondo de Cultura Económica, México, 2.ª ed., 1988.
5. John M. Lipski, *El español de América*, Cátedra, 1996.

ciente aprovechamiento de fondos de archivo ha permitido incluso la aparición de un libro de Parodi en el cual se trata de la misma cuestión que es objeto de este capítulo.[6]

Tampoco faltan las investigaciones de ámbito geográfico más reducido, así las que con motivo del V Centenario del Descubrimiento aparecieron agrupadas en un mismo volumen y constituyen aproximaciones a la historia del español antillano y de ocho países más.[7] No sólo sobre los orígenes de la variedad peruana de nuestra lengua ha investigado Rivarola, sino acerca de las interferencias entre español y quechua desde muy pronto establecidas en el dominio andino;[8] y meritoria es la monografía de Quesada Pacheco, hecha a partir del expurgo de manuscritos costarricenses del período colonial, con abundancia de datos útiles no sólo para el seguimiento diacrónico del español en este territorio centroamericano, sino del de todo el mundo indiano.[9]

Es claro que resulta científicamente impracticable cualquier intento de abordar desde sus inicios la historia del español americano sin antes plantearse algunas cuestiones de orden tanto teórico como metodológico. No es lo mismo, evidentemente, adoptar la postura poligenética que la andalucista a la hora de explicar desde un punto de vista el nacimiento de determinados fenómenos fonéticos en el seno del español hablado por los americanos, y desde el contrario punto de vista el desarrollo en el Nuevo Mundo con ciertas características propias, de esos mismos rasgos fónicos, que no habrían surgido en los amplísimos espacios indianos, sino que habrían sido llevados a ellos por una parte de la emigración que hizo la carrera de Indias. Ciertamente, ambas perspectivas no son de idéntica dimensión histórica ni son compaginables, aunque no hayan faltado baldíos intentos de establecer algún tipo de casamiento entre ellas.

Adviértase, sin embargo, que los defensores de la poligenésis y de otras propuestas conexas construyen sus explicaciones ayunos del más mínimo soporte documental, en buena medida empezando por el mismo A. Alonso, que nunca sintió el menor interés por escudriñar en fondos americanistas, y continuando por quienes, siguiendo su estela doctrinal, tampoco se han

6.   Claudia Parodi, *Orígenes del español americano*, Universidad Autónoma, México, 1995. Los documentos que esta autora emplea son exclusivamente novohispanos y pertenecen al primer cuarto del siglo XVI, de manera que sólo pueden determinar aspectos del primer español trasplantado a México.

7.   Trabajos publicados en *Historia y presente del español de América* (César Hernández Alonso, coord.), Junta de Castilla y León, Valladolid, 1992. Son los de María Vaquero (Caribe), Beatriz Fontanella de Weimberg (Argentina), José G. Mendoza Quiroga (Bolivia), José Joaquín Montes (Colombia), Alfredo Matus (Chile), Juan M. Lope Blanch (México), Germán de Granda (Paraguay), José Luis Rivarola (Perú), Adolfo Elizaincin (Uruguay), a los que tal vez deba añadirse el de Jerry Craddock (EE. UU.). La verdad es que entre estos estudios se observan notables diferencias, pues en algunos de ellos se maneja bastante documentación y en otros poca o ninguna, sus fuentes son de distinta fiabilidad, y sus métodos de diversa aceptación también.

8.   Son varios los trabajos concernientes a dicha problemática que José Luis Rivarola reúne en *La formación lingüística de Hispanoamérica*, Fondo Editorial de la Pontificia Universidad Católica del Perú, Lima, 1990. También el que se titula «En torno a los orígenes del español de América» (pp. 29-56). Notable interés tiene para la comprensión del proceso de aprendizaje del español por los naturales del Perú el estudio de Rodolfo Cerrón Palomino, «La forja del castellano andino o el penoso camino de la ladinización», *Historia y presente del español de América*, pp. 201-234.

9.   Miguel A. Quesada Pacheco, *El español colonial de Costa Rica*, Editorial de la Universidad de Costa Rica, San José, 1990.

preocupado en contrastar sus asertos —por lo general excesivamente apo-
dícticos, por doctrinarios— con los testimonios que dejaron escritos los
verdaderos protagonistas de la formación del español de América. La documentación no va con ellos, y eso que quieren pasar por historiadores de
una lengua que no carece, precisamente, de fuentes textuales.

En el fondo de ese aparente menosprecio al apoyo documental en la
formulación de teorías históricas subyace un condicionamiento de no pequeño calado. Efectivamente, los poligenistas también aceptan el tradicional modo de entender el reajuste del consonantismo antiguo surgido de un
foco «cantábrico», desde el cual se habría producido su irradiación al resto del castellano peninsular y, es de suponer, al de Canarias asimismo.
Como no podía ser de otra manera, suelen coincidir igualmente en la
creencia de que es muy tardía la diversificación del español en modalidades regionales, de tal modo que, por ejemplo, el nacimiento del andaluz no
lo hacen retroceder más allá del siglo XVIII en varios de sus principales rasgos constitutivos, y aun así para dicha centuria sólo admitirán el tímido
arranque evolutivo de alguno de ellos, como el de la aspiración y pérdida
de la /-s/. No deja de haber una cierta coherencia en todo esto, pues si la
nueva pronunciación del español moderno se expandió unitariamente desde el norte, y muy tardíamente además —no hay más que considerar las fechas defendidas en la bibliografía al uso—, lógicamente necesitaría su
tiempo hasta alcanzar a las hablas del sur, que a su vez tardarían en dife-
renciarse dialectalmente, máxime habiendo de competir con la modélica y
uniformadora norma toledana, otro importante tópico de la filología española. Pues no puede ocultarse la existencia de variedades regionales en
nuestra lengua, éstas se tienen por muy recientes, en todo caso posteriores
a los Siglos de Oro, que obligadamente, así se ha dictaminado, hubieron de
tener un español unitario. Por supuesto que no sólo en materia fonética, y,
si no, recuérdese la famosa afirmación que Corominas hizo a propósito de
las relaciones del léxico andaluz con el americano.[10]

Se advierte, por lo tanto, la interna coherencia cronológica de esta
perspectiva historicista; lo que sucede es que no está de acuerdo con un
cambio lingüístico contemplado dentro de una gran lentitud en su difusión
geográfica y social. Sobre todo, es radicalmente incoherente dicha doctrina para a partir de ella comprender el cúmulo de particularidades comunes o semejantes que ligan al español de América con determinadas parcelas —no sólo la andaluza, desde luego— del de España. Es preciso proclamar, por último, que los documentos, tanto los peninsulares como los
canarios y los indianos, no abonan ni la teoría «cantábrica» ni la poligénesis del español americano, algo que irremediablemente terminará imponiéndose.

Resulta penoso tener que insistir una y otra vez en la necesidad de
atender a la manifestación de las pasadas realidades sincrónicas en la escritura; pero debe hacerse, porque nos enfrentamos a un decisivo dilema

---

10.   J. Corominas, «Indianorrománica. Occidentalismos americanos», *Revista de Filología Hispánica*, VI
(1944), p. 140.

metodológico. No se trata tanto de modificar algunos posicionamientos recalcitrantes, que eso es tiempo perdido, sino más bien de convencer a quienes se han decidido a levantar la historia del español de América, de las hablas canarias también, echando mano de los correspondientes acervos documentales. La verdad es que hay americanistas bien preparados y duchos en el análisis de los manuscritos, a los cuales, sin embargo, el prestigio, por lo demás merecido, de que todavía goza la Escuela española de lingüística fundada por Menéndez Pidal les impide romper con algunas de sus enseñanzas que ya no se tienen en pie y que, tal vez por lo mismo, suponen un obstáculo al correcto enfoque de la formación del español atlántico. Es cierto que con el reajuste «cantábrico» de por medio, a Indias habría llegado durante todo el siglo XVI, y hasta en los primeros decenios del XVII, la oposición /s/-/z/ en la lengua de los emigrados, de muchísimos de ellos, al menos. No obstante lo cual, Parodi, tras concluir su análisis grafémico, concluye: «Todos los escribanos —sean originarios del norte o del sur de España— ensordecen la /z/ apicoalveolar. El amanuense III es el único que emplea las grafías [doble ese alta], *ss*. Pero no distingue el fonema sordo del sonoro, pues alterna las grafías simples y las dobles en palabras como *desea* y *dessea, esa* y *essa*.»[11] Naturalmente que no distinguían esos dos fonemas, por la sencilla razón de que para ellos no existían. Y no sucedía tal cosa sólo a los autores de los textos estudiados por esta investigadora, sino a todos, o casi, los que desde el principio plasmaron su lengua por escrito en América.

Hace años que vengo advirtiendo acerca de esta circunstancia. En 1989 observé que de las 40 cartas entonces por mí transcritas, todas datadas entre 1545 y 1613, las más son de los años centrales del siglo XVI, muy pocas parecen mostrar una completa distinción gráfica de *ss* y *s*, con la particularidad de que en la mayor parte de ellas se da el uso preferente o exclusivo de la *ese* simple.[12] Los autores de dicho *corpus* epistolar eran naturales de varias regiones peninsulares y en modo alguno pertenecían a la clase inculta, pues entre ellos había escribanos públicos, oficiales de la Audiencia, clérigos y hasta catedráticos de la recién fundada Universidad mexicana. Es el caso del arcediano Juan Negrete, quien se dirige el 2 de febrero de 1554, el mismo año en que figura como rector de tan alta institución académica, con un breve texto de lograda caligrafía donde pone *esas* y *necesidad*.[13] La excepción, tal vez, está del lado del doctor Bartolomé Melgarejo (nacido en la sevillana Alanís de la Sierra), que en sus cinco misivas leídas para el citado trabajo aparentemente guarda la vieja diferenciación de los dos tipos de *ese*, pues, respetuoso con los criterios etimológicos, escribe de un lado *cosa, deseo*, etc., y de otro lado *çesso, escriviesse, fuesse, libertassen, necessarias, possean, procurasse*, etc. Y digo aparentemente porque en alguna ocasión también emplea *ss* (del tipo alto, como en los casos señala-

11. Claudia Parodi, *Orígenes del español americano*, p. 74.
12. Juan Antonio Frago Gracia, «El seseo entre Andalucía y América», *Revista de Filología Española*, LXIX (1989), pp. 277-310.
13. Archivo General de Indias (AGI), México, legajo 168, cuadernillo 14, carta núm. 7.

dos) a comienzo de palabra (*a ssido*), y porque apunta su seseo en un *parescan* y en muy posibles rectificaciones gráficas atingentes a los usos de *s* y *c-z*. Aparte que este catedrático, también lo fue de Decretal en la Universidad novohispana, hace gala de una formación extraordinariamente tradicional —después de 1550 aún mantiene asiduamente la /-b/ en *cibdad* y voces similares, por ejemplo, y con frecuencia recurre a la conjunción *e* en lugar de *y*—, así como de un profundo sentido de la normatividad, o de la corrección, si se quiere, hasta el punto de que no deja sin enmienda los varios errores cometidos en el tratamiento escrito de la /-s/ y de /-r, -l/, reveladores de su meridionalismo fonético.

Sea como fuere, y siempre contando con la posibilidad de que hubiera singularidades discrepantes, la norma confundidora de las antiguas /s/ y /z/ sin duda se habría impuesto cuando los españoles comienzan a extender su lengua por el Nuevo Mundo. En un personaje de la talla cultural de fray Bartolomé de las Casas se verifica esa indistinción fonemática, igual que la correspondiente a las dentoalveolares africadas sorda y sonora, que delatan los trueques de *c* y *z* y que corrobora el seseo o el ceceo del polémico dominico: ahí están sus numerosos manuscritos, sumamente ilustrativos al respecto. En líneas generales, esto mismo es lo que se aprecia en toda la documentación indiana del quinientos, aunque por razones de pura diferenciación gráfica las confusiones de *c* y *z* hayan sido menos abundantes que las de *ss* y *s*.[14]

En definitiva, a los inmensos dominios ultramarinos que los españoles van descubriendo y colonizando se trasplanta una lengua que en su vertiente fonética ya no es la medieval para la inmensa mayoría de ellos, y esto ni más ni menos quiere decir que en las zonas más norteñas de la Península no pudo originarse el nuevo estado de cosas lingüístico; de ninguna manera, porque la contradicción cronológica resulta insuperable. Ese español con indiferenciación por el rasgo de la sonoridad en las sibilantes arribó a América, pero un numeroso contingente de los emigrados en su hablar también llevó el seseo y el ceceo, de lo cual concluyentes pruebas documentales se conocen ya y algunas más añadiré en lo que sigue.

Varios renombrados americanistas (Alvar, Guitarte, Rosenblat, etc.) han llamado la atención sobre la imperiosa necesidad que hay de acercarse previamente a la realidad histórica del español de España para luego desentrañar convenientemente la de su modalidad americana, y tal requisito obviamente se hace de todo punto indispensable cuando de comprender procesos de formación dialectal se trata. En el plano fonológico se lleva a Indias una lengua diatópicamente fragmentada por el seseo y el ceceo de andaluces y canarios, inmersa además en una progresiva difusión del debilitamiento articulatorio de la velar /x/, tendente a su aspiración, que afectaría a territorios aún más amplios que los correspondientes al anterior

---

14.   De esta cuestión trato en «El seseo: orígenes y difusión americana», *Historia y presente del español de América*, pp. 124-125; hay láminas facsímiles en este estudio sobre la confusión de *ss* y *s* en España y en Indias. De la problemática de referencia, de índole tanto grafémica como fonética, en relación a la documentación peninsular del Medievo me he ocupado por extenso en *Historia de las hablas andaluzas*, Arco/Libros, Madrid, 1993, pp. 213-300, con seis facsímiles explicativos.

fenómeno. No era aquel, evidentemente, un español monolíticamente unitario.

La unidad se conjugaba con la diversidad y ello se manifestaba asimismo en otros hechos fonéticos. Verbigracia, había dos grandes áreas con diferentes resultados evolutivos de la /f-/ latina, una que mantenía su aspiración /h/ y otra en la que se había llegado a su desaparición, amén de la conservación de la consonante etimológica en zonas marginales, de las cuales salió el *fierro* que tan grande arraigo alcanzó en América. Más variaciones fonéticas se daban en el siglo XV, las de *ge lo-se lo, cogecha-cosecha y tiseras-tijeras* entre otras. Hacia finales de esta centuria cobró un enorme empuje la vocalización o pérdida de la /-b/, que tantísimas alternancias formales originó: *cabdal-caudal, cibdad-ciudad, cobdo-codo, debda-deuda, recabdo-recado-recaudo*, etc.

Toda la diversidad lingüística representada en estos pocos ejemplos pasó a Indias, como la de carácter morfológico: variables en el uso o en la ausencia del artículo, su anteposición o no al posesivo precedente al nombre, las variantes del tipo *do-doy*, de *vos* y *os* complemento átono, de *lo/le* con el leísmo, de *e* con *y*, de *ser* y *haber* en la auxiliariedad de los verbos de movimiento, de *ser* y *haber* con los valores de *estar* y *tener*, respectivamente, de *quien* y *quienes* con sentido plural, de las desinencias *-ía* e *-íe* en el imperfecto de indicativo y en el condicional, de las dos clases de negación, con dos o una palabra de significado negativo antepuestas al verbo, etc. Otro tanto cabe afirmar respecto del léxico, que se hallaba a finales del XV y en el siglo XVI tanto o más diferenciado regionalmente de lo que ahora está. Probablemente bastante más, por razones propias de la expansión del castellano fáciles de comprender.[15]

La forma antigua *ge lo* se ve transcrita de documento mexicano fechado en 1531 («holgamos mucho de ver*gelos* llebar»), a la sazón en franco retroceso en España, como la variante con antigua palatalización de la *s* seguida de vocal anterior en el tema de perfecto del verbo *querer*, registrada en texto también novohispano nada menos que de 1575 («y esto, si, a dicha, alguno de nuestro parientes [sic] o hermanos no *quixeren* con vos»).[16] En carta dictada el 11 de marzo de 1550 por Andrés Tapia afloran perfiles de la idiosincrasia del indiano que luego mencionaré, pero igualmente se descubren unos usos lingüísticos mixtos de arcaísmo y de innovación, con la marca regional de por medio, visible en el sistemático recurso de la *h* de referencia fonética, mientras prescinde del signo meramente ortográfico (*abilidad, aora, a ido, e ido, ay, aya, onbre, onrrados*, etc.): *hallan, hasta, hazer* (y *haga, hizo, hecho...*), *hazienda, hijos, holgar (holgará, holgando), holgazanes*, etc. El escribano no desliza ni una sola grafía seseo-ceceosa, de

15. En *Historia de las hablas andaluzas* doy mi visión de cómo se produjo el avance e implantación del castellano más allá de su territorio originario, y en *Reconquista y creación de las modalidades regionales del español*, Caja de Burgos, Burgos, 1994. De inmediata aparición es mi «Unidad y variedad en el léxico español de los siglos XVI y XVII», *Homenaje a Emilio Alarcos García*, Valladolid (en prensa).

16. Concepción Company Company, *Documentos lingüísticos de la Nueva España. Altiplano Central*, Universidad Nacional Autónoma de México, México, 1994, pp. 93, 191. Puede verificarse la exactitud de *vérgelos* en lámina facsímil anexa; en el pasaje donde aparece *quixeren* 'quisieren' evidentemente falta un verbo (*venir* tal vez), en el texto original o en su transcripción.

manera que debía ser extremeño o, más probablemente, castellano nuevo, pues no sólo aspiraba, sino que presenta al lado de la distinción etimológica *lo/le* el doble de casos de confusión leísta, p. ej.: «porque está tan malo y tan flaco y tan viejo, que es lástima *velle*..., pero pésame en el ánima de *verlo* ir», «me pesa de ver que *le* rremueven en tienpo que está dudoso el provecho que podrá hazer en otra parte». La fonética meridional sólo se advierte en la neutralización de la /-r/ reflejada por la forma *adbitrio* 'arbitrio' («y dexe a su *adbitrio* que haga y deshaga leyes»). En otro orden de cosas, el autor de este texto alterna *verlo* con *velle* (también *dexallos, ordenallo, qultivallo*), el antiguo *cibdad* con los modernos *caudal, codicia* (y *qudiçia*), *dudoso, rrecaudo*, la negación simple, casi general, con la doble («ni su hazienda *ni* ellas *no* quedaron muy de codicia»), y el innovador *se lo* («Dios *se lo* demande») con la antigualla *ge lo* («a quien esta tierra ganó y *ge la* dio después de Dios»). Además de alguna otra muestra de arcaísmo, el redactor de esta carta registra la variación *-íe* e *-ía* en el imperfecto y en el condicional, así en: «que él desde Seuilla lo *negociaríe*», «y *auríe* quien...», «se *desqubrirían* muchas minas y se *ganaríe* más que en las liçençias, y porque *podría* ser...»; con un ligero predominio numérico del elemento morfológico que ya había triunfado en el español común. Para el amanuense en cuestión estaba clara esa superioridad normativa del *-ía*, pues una vez escribió *solíen* («y no trabajan como *solíen*»), para a continuación rectificarse, retocando la *e* en *a*; sin embargo, a través de este modismo parece evidenciarse la naturaleza castellano-manchega de quien dejó constancia escrita de su lengua en estas pocas páginas, regionalismo ya apuntado en su leísmo y constante empleo de la *h* aspirada.[17]

Otra carta, ésta autógrafa de Luis de Lara, quien la escribe en Lima el 15 de abril de 1562 a Felipe II, contiene el arcaísmo de la doble negación, que en buen número de casos aparece en la documentación andaluza de la misma centuria («y *njnguno* dellos *no* gasta la quarta parte del salarjo»). Ahora bien, su fonetismo es muy innovador, pues en esta misiva únicamente se pone la *-s-*, se confunden *c* y *z* (*perjuhizio, rrezién*), y, especialmente, el seseo se manifiesta en ella con sobreabundancia de datos. Efectivamente, sus escasas tres planas ofrecen otras tantas confusiones de *z* por *s* (*avzentes, yglezia, yglezias*), frente a más de treinta trueques de *s* por *c-z*:

---

17.   AGI, México, legajo 168 («Muy gran merced rrecebí con la carta que v.m. fue seruido de escreuirme...»), texto de cuatro folios, ocho planas incompletas, incluido el sobrescrito que reza así: «Al muy magnífico señor, mi señor el liçençiado Chaves, en la corte de Castilla». A continuación de la fecha («De México, onze de março de MDL años») cambia la letra, y con la suya añade el remitente: «Vno de mjs hijos que se dize Alonso de Sosa es muj aficionado a ser de la Yglesia y síguela, yes buen estudiante. Si acaso vviese qué darle en [e]sta yglesia, suplico a v. m. lo tenga en memoria. Besa las manos de v. m. su muj cierto servidor Andrés de Tapia» (rubricado). Más pinceladas de modernidad lingüística se verifican en esta carta, sea el uso generalizado de *y* en detrimento de la variante antigua *e*, sea la forma de los verbos *estoy, soy, voy*, la única que aquí se registra, o el completo desplazamiento de *haber* por *tener*. Pero a los usos arcaizantes arriba consignados también se añade el del adverbio *do* («que irá *do* le mandaren»). En cuanto a la ortografía del manuscrito, nada hay que no pueda hallarse en *corpus* peninsulares anteriores y de la época, verbigracia el frecuente empleo de *rr* por *r* (*onrrados, rreales, rrenta, rrepartimiento*, etc.), el de *q* por *c* (en *quando, quatro, qudiçia, qultivalla*, etc.), o la ocasional alternancia de *carguen* con *cargen*. Por otra parte, y esto ya tiene trascendencia fonética, aquí no se encuentra otra ese intervocálica que la simple.

aborresidos, afisionados, alcansar, ase, aser, cabesa, conparasión, gratifica-sión, ynsasiable, mansebo, negosios, nesesidad, etc.[18]

Por lo que al léxico concierne, es obvio que la formación de un importante grupo de particularismos americanos se entenderá de modo bien distinto a como hasta ahora se ha visto, si se tiene la certeza de que en el momento del Descubrimiento no sólo existía el peculiarismo oriental del español, aragonesismos y murcianismos, que tan poca repercusión halló en el Nuevo Mundo, y el occidental, galleguismos y leonesismos, de mucho mayor impacto en el español americano, sino también que las hablas meridionales estaban jugando ya un papel nada irrelevante en la configuración dialectal de nuestra lengua. Efectivamente, el expurgo documental asegura que los emigrados de Andalucía y de Canarias ayudaron a difundir por toda América no pocos noroccidentalismos arraigados en sus respectivas regiones e, igualmente, sin la temprana atestiguación andaluza de *al-caucil, alfajor, atarjea* 'canalito de mampostería', *azafate, badea, barcina, candela* 'lumbre', *chinchorro, estancia* 'finca rural con edificación', *estero, gavera, hueca, maceta, pocillo, pozuelo, rancho, recova* y *resistidero,* mal se explicaría la amplia y rápida implantación de estas voces, y de tantas otras más de semejante signo andalucista por los dominios indianos.[19]

Hubo, pues, diversidad regional en el español americano desde el principio, que sería no tardando mucho objeto de una nivelación propia de la modalidad atlántica, aunque sucesivas nivelaciones de variada intensidad y de distinto alcance territorial pudieran tener lugar después, en determinadas etapas del período colonial. Pero había, es lógico que así fuera, diferentes normas y no estará de más recordar que a América acudieron todas las sensibilidades culturales de España, desde la más baja a la más encimada. Todo un Miguel de Cervantes pretendió vanamente la adjudicación de una merced oficial en Indias, adonde temporalmente iría Juan de la Cueva y definitivamente Mateo Alemán, y en el Perú cumplió su comprometido Pedro de la Gasca, luego elevado a la sede episcopal palentina, por no hablar del infatigable escritor y polemista dominico fray Bartolomé de las Casas.

La nómina de individualidades intelectualmente eximias que poblaron la América española desde un principio se haría copiosísima, aun no incluyendo en ella a los frailes y conquistadores cronistas, que por derecho propio deberían integrarla. Pero interesa mucho más conocer cuál era la formación predominante en la masa migratoria, en la cual sin duda abundaban los analfabetos —¿en qué país europeo de la época no?—, aunque por ello no se ha de concluir que fueran la escoria social, ni que se contaran en el abrumador número que cierta literatura ha querido certificar sin pruebas.

---

18. AGI, Lima, Ramo Secular, legajo 120: «Con zelo de servir a Dios nuestro Señor y a Vuesa Magestad...» Los demás arcaísmos de la carta de Andrés de Tapia no se hallan en ésta. Es más, aquí la aspiración de la /f-/ también parece perdida, según lo indican, entre otras, grafías como las de *allar, asta, azen, aziéndoles, echo, yjos, jzo.*

19. Juan Antonio Frago Gracia, «Nuevo planteamiento para la historia del occidentalismo léxico en el español de América», *Andalucía y América. La influencia andaluza en los núcleos urbanos americanos,* Junta de Andalucía, 1990, t. II, pp. 151-167. Ya había sospechado Manuel Alvar: «Hablamos de leonesismos americanos, pero ahora —con otras fuentes de información— habrá que ver si no se trata de leonesismos, sí, incrustados en las hablas andaluzas que migran al otro lado del mar», en *España y América cara a cara,* Bello, Valencia, 1975, p. 11.

Los puntos sobre estas dos íes los puso con certero pulso Rosenblat en un estudio ya clásico.[20] Cualquiera que se haya asomado al riquísimo acervo de la documentación indiana sabrá que en ella constan miles de firmas, tanto de redactores de textos de la más variada índole como de testigos de los mismos; esto durante todo el siglo XVI, nada digamos posteriormente.

En esos incontables manuscritos americanos abundan los de letra de apreciable factura y son muchísimos los de perfecta caligrafía. Mas no es cuestión sólo de belleza formal, pues es habitual asimismo en ellos la corrección lingüística, así como son frecuentes las pinceladas de buen estilo, sin que escaseen las notas retóricas y eruditas. Sin ir más lejos, la carta dictada por Andrés de Tapia, que acaba de referirse, permite entrever cuál era el ambiente cultural del México de 1550, cuando confiesa, con menciones literarias y escolares: «y si yo no tuviere salud, mis hijos me darán de comer por rruynes que sean, y esto querría dexar hecho, por dexallos en paz y porque conozcan que an de servir a su rrey, porque tengan quietud y hagan lo que devan ya que yo me muera; sé dezir a v.m., aunque el quervo en un fábula dizque dezía lo mismo, que son mis muchachos de los virtuosos que ay acá y aun bien dotrinados y buenos latinos». Esto después de haber hecho una alusión hagiográfica: «y, con todo, por mi fe que si yo viese por acá alguno de casa de qualquiera de esos señores del Consejo de Indias, partiría con él la capa».

Antes, el informe enviado al Consejo de Indias el año 1525 por Diego de Ocaña se ve salpicado de manifestaciones del saber literario y de la erudición como éstas: «él me dixo que lo claro no avía menester glosa», «parecía querer tentar los vados de sus pensamjentos y boluntades agenas», «estando las fortalezas del Rrey como corral de vacas», «aunque yo siento que es error querer yo dar parecer con tan poca abilidad donde tanto saber sobra», «plega a Dios no haga como César quando el pueblo rromano le enbjó a mandar que dexase lar armas». No se trataba sólo de la condición cultural de algunos escribanos públicos, de oficiales y letrados de la Audiencia, etc., sino que individuos del pueblo llano y soldados también se hallaban familiarizados con la literatura, al menos con la de transmisión oral. El mismo Ocaña escribe: «No dexaré descrevjr a vs. ms., aunque es cosa livjana en cantidad, por lo que tiene de calidad, lo que pasó ayer sábado, día de nuestra Señora, en juego de cañas, que salieron çiertos parçiales de Hernando Cortés al juego en ábito de rromeros y echaron çiertas coplas, que dezían cada una:

>»Compliré mj rromería,
>»complida la perdiçión
>»de quantos contra vos son.»[21]

20.   Ángel Rosenblat, «Bases del español en América: nivel social y cultural de los conquistadores y pobladores», *Actas de la primera reunión latinoamericana de lingüística y filología*, Instituto Caro y Cuervo, Bogotá, 1973, pp. 293-371.

21.   Concepción Company Company, *Documentos lingüísticos de la Nueva España*, pp. 59-62. Véase también Manuel Alvar, «Relatos fantásticos y crónicas de Indias», *I Simposio de filología iberoamericana*, Universidad de Sevilla-Libros Pórtico, Zaragoza, 1990, pp. 13-27. Quien no quiera correr riesgos de cometer dislates al hablar del aspecto cultural de la colonización española, bien hará en echar una mirada, por ejemplo, a las colecciones que atesora la sección «Mapas y planos» del AGI, con piezas como las del «Mapa del pueblo de indios de Tetela, en Nueva España», del año 1581.

Este contexto cultural sin duda repercutió en la caracterización del español americano, al menos por lo que toca al nivel del purismo normativo que durante siglos han mantenido muchos de sus usuarios y que en el siglo XIX fue motivo de planteamientos teóricos y aun de vivas polémicas. La actividad constructora de los españoles en América fue incansable, siguiendo ya modelos urbanísticos renacentistas, y un término humanístico como *cuadra* se hizo pronto común para designar los solares de los pueblos y ciudades de nueva planta. Si se difundió tan rápidamente, lo mismo sucedió en Brasil, fue porque muchos colonizadores que no habían tenido ningún contacto con la arquitectura, en Indias hubieron de familiarizarse con sus usos y terminología. De igual modo se vieron obligados a dar nombres a tantas y tantas cosas para ellos desconocidas como el mundo indiano descubría ante sus ojos. Para este multitudinario bautismo nominalizador los españoles aprovecharon materiales léxicos de algunas lenguas indígenas y adaptaron semánticamente a la realidad americana vocablos que habían tenido otras aplicaciones y combinaciones formales en España, casos de *arenas tembladeras, armadillo, contrahierba, gallinazo, hormiga blanca, machetear, pajonal, pan de palo, piña, rabihorcado, turma,* y tantísimos más, incluidos los llamados marinerismos (*abarrotar, arbotante, bajío, brear, ensenada, flete, plan, playa,* etc.), de evolución significativa perfectamente explicable, pues quienes viajaron a Indias tuvieron duradera y estrecha relación con la marinería, dada también la importancia de la navegación litoral y fluvial en América. La afinidad cultural combinada con la experiencia americana fue causa de que el latinismo *catarata* adquiriera al otro lado del Atlántico el moderno sentido de «cascada», con documentación del siglo XVI.[22]

El español que emigraba a Indias entraba en contacto con el *escribano de nao* desde el instante mismo del embarque, y, ya en su destino, cualquier expedición o fundación de pueblos en que participara, lo cual muy a menudo le ocurría, obligadamente había de contar con la presencia del oficial que daría fe de cuanto aconteciera. El notario no había de faltar en ningún núcleo de población, por mínima que fuese su entidad, y además la vida de los nuevos americanos estuvo tremendamente judicializada, porque todo tenía que repartirse y reglamentarse, aparte de que el alejamiento entre las Indias y la metrópoli facilitaba los conflictos de los administrados con las autoridades y el continuo litigio entre quienes ocupaban cargos, fueran civiles o eclesiásticos. No es de extrañar, pues, que el latinismo *mero*, de carácter jurídico, se popularizara en México, donde *pleito* se mantiene familiarmente con sentido que no es usual a este lado del Atlántico, o que en Chiapas *escribano* sea 'el que sabe escribir'.[23] Todavía más, los indianos con-

---

22. Manuel Alvar, «Español *catarata* 'rápido de un río'» (*Estudios Lingüísticos, segunda serie,* Madison, 1962, pp. 11-17).

23. En *El callado dolor de los Tzotziles,* de Ramón Rubín, se lee: «¿Ya trais listos los *escribanos?*/Listos, tata Tzotz./ Pos tomá nota», *apud* Manuel Alvar, *Textos hispánicos dialectales. Antología histórica,* CSIC, Madrid, 1960, t. II, p. 623. En Tabasco, *escribano* es 'coleóptero carnicero, que vive en la superficie de las aguas': Francisco J. Santamaría, *Diccionario de mejicanismos,* Editorial Porrúa, México, 3.ª ed., 1978, p. 502. La cantante mexicana Chavela Vargas dice «hubo un *pleito* detestable entre el mar y yo; no nos entendimos» y «querer de amor, no de *pleito*» en entrevista periodística (*Blanco y Negro,* 2-VI-1996, p. 50).

tinuamente se comunicaban con sus deudos de España y enviaban toda clase de memoriales al Consejo de Indias, con la particularidad de que tales escritos ultramarinos tenían que remitirse al menos por duplicado. Hasta los analfabetos, pues, se hallaban en frecuente trato con los amanuenses de oficio y, por consiguiente, con la lengua escrita. Alguna consecuencia normativa hubo de acarrear tal circunstancia, que, sin embargo, tampoco impediría la proliferación del vulgarismo, sobre todo en medios rurales americanos.[24]

En varios aspectos la sociedad hispanoamericana es lingüísticamente avanzada, por ejemplo en lo concerniente a la eliminación de *cuyo* en algunas zonas, así como a la más extendida supresión del pretérito perfecto compuesto o a la pronominalización verbal con *se*. Pero más llamativo, seguramente, resulta el poso tradicional que se advierte en toda la gama de formas para el tratamiento personal, en la pervivencia de un *vido* ya muy decadente en la España del XVI, aunque con no pequeño uso andaluz en la época, de un *de que* por *desde que*, de *ir en* por *ir a*, de la doble negación antepuesta al verbo, del tipo sintagmático Art + Pos + N, etc.; y, en el léxico, de tantísimas palabras que fueron generales en el español clásico y que después han desaparecido o han ido perdiendo difusión en lo que fue territorio metropolitano.

Por todo ello es preciso conocer lo mejor posible cómo era el español de finales del XV y del siglo y medio siguiente, cuando se forma y adquiere perfiles propios su modalidad americana, básicamente ya a lo largo del quinientos. Y es necesario atender a la diferenciación regional en la época existente, porque los emigrados como bagaje lingüístico llevaban el que por naturaleza le era a cada uno peculiar. En América las diferencias se juntan y pronto pierden el carácter regional o dialectal de procedencia. Al haber mezcla de poblaciones se produce la síntesis niveladora y los menos suelen adoptar los usos de los más, o lo que se tiene por señal de prestigio. Algo así sucedió con el seseo de andaluces y canarios, que no tardando mucho se convirtió en causa de identificación indiana. Más de un emigrado distinguidor tras muchos años de permanencia en el Nuevo Mundo se contagió de este modismo fónico y muchos criollos de primera generación, descendientes de españoles ni seseosos ni ceceosos, se criaron en la indistinción. Del fenómeno sociolingüístico contrario ni un solo ejemplo conozco.[25]

24.　Por supuesto, los hechos de habla vulgar se registran abundantemente en cartas de baja calificación cultural, incluso no faltan del todo en las de mejor registro normativo. Por ejemplo, en la anteriormente citada de Andrés de Tapia encuentro *escreuir*, tal vez arcaísmo en la época, *qudicia* 'codicia', *manífico*, *prove* 'pobre', *tiniendo*.

25.　Sobre el andalucismo americano he publicado el libro *Andaluz y español de América: historia de un parentesco lingüístico*, Junta de Andalucía, Sevilla, 1994. Acerca de la influencia ejercida por otras modalidades regionales, varios trabajos míos están en prensa, además de «La lengua de los castellano-leoneses emigrados a Indias», *La lengua española y su expansión en la época del Tratado de Tordesillas* (César Hernández Alonso, coord.), Junta de Castilla y León, Salamanca, 1995, pp. 79-97.

LAS INVESTIGACIONES SOBRE EL ESPAÑOL DE AMÉRICA

por Manuel Alvar

Consideraciones sobre la bibliografía

Es útil volver los ojos al pasado de nuestras investigaciones y saber qué se ha hecho, pues de ello podemos deducir qué queda por hacer. Enfrentarnos con el español de América, hoy resulta sobrecogedor: tanto se ha llevado a cabo y tan dispersas están las investigaciones. Pero resulta consolador contemplar nuestro panorama; basta pensar en las etapas cubiertas desde que nos dejaron Pedro Enríquez Ureña y Amado Alonso. Entonces nos explicaremos el temor a la bibliografía, pero es necesario poner orden a la maraña para que podamos dar sentido a lo que debemos hacer. Tenemos bibliografías que nos pueden orientar entre las sombras, pero también habría que poner orden a las bibliografías. Hay unas fiables,[1] y otras mucho menos[2] y nos quedan las que van apareciendo en las revistas más solventes, digamos *Nueva Revista de Filología Hispánica* o *Revista de Filología Española*. Los trabajos de Lope Blanch y Carlos A. Solé son especialmente útiles por sus apreciaciones críticas; sobre todo el de Lope Blanch, que valora, con su habitual rigor, esas contribuciones de las que tanto necesitamos. Al comenzar estos trabajos sobre el español de América me parece útil dedicar unas pocas páginas a lo que hay hecho.

La historia lingüística en los documentos particulares

Si partimos de unas consideraciones diacrónicas, evidentemente tendremos que considerar los inevitables estudios sobre los orígenes del español americano. Entonces deberemos recurrir a los documentos de carácter privado, pues en ellos podemos rastrear cómo hablaban los colonizadores

---

1. Juan M. Lope Blanch, *El español de América*, Madrid, 1968 (se había publicado en inglés en el t. IV de *Currents Trends in Linguistics*); Carlos A. Solé, *Bibliografía sobre el español de América 1920-1967*, Georgetown University, Washington, D.C., 1970 (2.ª edición, actualizada hasta 1986, Bogotá, 1990).
2. Gisela Bialik Huberman, *Mil obras de lingüística española e hispanoamericana*, Madrid, 1973. Reseña de Humberto López Morales en el *Anuario de Letras*, XIII, 1975, pp. 299-307.

que se asentaron en cada zona. Lógicamente, sólo se podrá encontrar sentido a este tipo de trabajos en la consideración de fuentes primarias o publicadas con un rigor que los lingüistas exigimos, pero que no suelen ser los habituales en otro tipo de indagaciones. Pienso, por ejemplo, en el libro de Olga Cock Hincapié,[3] minucioso, lleno de precisiones y de interpretaciones válidas, nos encontramos con un buen modelo que podría extenderse a otras regiones y a otros fenómenos. En tal sentido, las investigaciones de Juan Antonio Frago nos muestran la fecundidad de recurrir a documentos originales, pues sólo así podremos asentar las bases de unas sólidas conclusiones.[4] Porque el conocimiento de la realidad americana desde comienzos del siglo XVI tendrá que hacerse por transcripción rigurosa de los textos y el conocimiento de la procedencia de los colonizadores. El primer motivo debe llevarnos a la formación de unas colecciones documentales tan rigurosas en sus lecturas como las que en su día hicieron Staaff, Menéndez Pidal y Navarro Tomás con referencia a los dialectos peninsulares.[5] Conozco tres empresas orientadas en este sentido: la de Lope Blanch, la de ALFAL y la de Frago. El primero de estos investigadores presentó en el IX Congreso de ALFAL (Campinas, 1990) el *Proyecto de estudio histórico del español americano*, que se completó con otro *Proyecto de estudio histórico del español americano* debido a Guillermo Guitarte.[6] El proyecto de Lope Blanch[7] se centraba en el castellano de la Nueva España, mientras que el de ALFAL tenía un carácter general.

Estas transcripciones deben ir emparejadas con el estudio del origen de los colonizadores. Tenemos numerosa bibliografía coronada por la obra de Peter Boyd Bowman,[8] que nos puede ayudar, pero tenemos también los destinatarios de tantas cartas privadas que nos sirven para saber de dónde procedía tan abigarrado tropel de gente. Así, podremos explicar la génesis del fonetismo americano, pero, también, la articulación de su léxico. En las cartas publicadas por Otte[9] podemos rastrear rasgos del dialectalismo léxico *safrán* por azafrán, *quedar* por 'dejar', *olear* 'dar los santos óleos', *mollinita* por 'llovizna', que nos podrá servir para inferir la historia de algunas isoglosas ac-

---

3. *El seseo en el Nuevo Reino de Granada (1550-1650)*. Prólogo de Guillermo L. Guitarte, Bogotá, 1969.

4. «Una introducción filológica a la documentación del Archivo General de Indias» (*Anuario de Lingüística Hispánica*, III [1987], pp. 67-97); «El seseo entre Andalucía y América» (*Rev. Filol. Española*, LXIX [1989], pp. 277-310); «Yeísmo dominicano en 1569 y problemas conexos» *(Actas del III Congreso Internacional de «El español en América»)*. Este autor ha publicado un libro de la mayor importancia: *Andaluz y español de América: historia de un parentesco lingüístico*, Sevilla, 1994. Carácter distinto tiene el libro de Claudia Parodi, *Orígenes del español americano*, México, 1995.

5. Erik Staaf, *L'ancien dialect léonais d'après des chartes du XIIIᵉ siècle*, Uppsala, 1907; Ramón Menéndez Pidal, *Documentos Lingüísticos de España, I, Castilla*, Madrid, 1919; Tomás Navarro Tomás, *Documentos de Aragón*, Syracuse, N. Y., 1957.

6. *Vid.* las Actas de la reunión (San Juan de Puerto Rico, 1974, pp. 169-172). Se ha publicado un valioso volumen: Beatriz Fontanella (coord.), *Documentos para la historia lingüística de Hispanoamérica. Siglos XVI a XVIII*, Madrid, 1993.

7. Se ha visto culminado en 1994, cuando Concepción Company publicó los *Documentos lingüísticos de la Nueva España. Altiplano-Central*, Universidad Nacional Autónoma de México.

8. *Índice geobiográfico de cuarenta mil pobladores españoles de América en el siglo XVI*, t. I, Bogotá, 1964.

9. *Cartas privadas de emigrantes a Indias 1540-1616* (Sevilla, 1988), carentes de cualquier valor filológico.

tuales.[10] Pienso, por ejemplo, en los preciosos artículos que Corominas amparó bajo el título genérico de *Indianorrománica*[11] y los que intenta señalar el leonesismo, actual, de alguna parcela del léxico hispanoamericano.

Si de los documentos particulares pasamos a los oficiales, tendremos que repetir las mismas cuestiones. Tenemos viejas colecciones de cartas,[12] que se han reproducido modernamente y cuya transcripción parece más rigurosa que las cartas particulares que comento.[13] En este sentido habría que otear muy variados horizontes, ilustrativos de no pocos aspectos de la historia social y cultural de América. Pienso, por ejemplo, en la transcripción de unas fuentes para la historia lingüística, por más que rebase esos límites. Elena Alvar transcribió hace años, y siguen inéditos, los legajos que daban testimonio de la creación de la cátedra de chibcha (1581) en Santa Fe de Bogotá. Al filo de inacabables disputas de frailes, de intervención de la corona, de desesperadas series de dimes y diretes, hay una lengua que sustenta los inacabables pleitos y una postura ante hechos que tienen una proyección mucho mayor.[14]

Los cronistas de Indias

En las consideraciones diacrónicas que vengo teniendo en cuenta es necesario aducir el estudio de los cronistas de Indias. Estos singularísimos escritores no habían sido considerados lingüísticamente, sino de una manera muy fragmentaria. Enfrentarse con la realidad que transmiten e interpretan creo que es un quehacer fundamental. Me cupo ser el primero en presentar los valores de conjunto de uno de estos narradores; acaso el más apasionante de todos ellos, Bernal Díaz del Castillo.[15] A partir de él, Colón,[16] las *Relaciones* de Yucatán,[17] Juan de Castellanos[18] y multitud de tesis doctorales que dirigí o monografías que conmigo se hicieron.[19] Lope Blanch escribió sobre

10. *Vid.* mi libro inédito *Los otros cronistas de Indias*, en prensa en el I.C.I.
11. «Occidentalismos americanos» (*Rev. de Filol. Hispánica*, VI [1944], pp. 139-175 y 209-254). Cfr. Juan Antonio Frago, «Nuevo planteamiento para la historia del occidentalismo léxico en el español de América» (*Actas de las VII Jornadas de Andalucía y América*, Sevilla, 1990, t. I, pp. 151-167).
12. Se habían publicado en Madrid, 1877, y se han reimpreso facsimilarmente en México, 1980. En este momento creo útil aducir la obra de un benemérito americanista, Joaquín García Icazbalceta, *Cartas de religiosos de Nueva España, 1539-1594*, México, 1896.
13. Se incorporaron a la *Biblioteca de Autores Españoles* (Madrid) con el mismo título de *Cartas de Indias*.
14. *Vid.* Manuel y Elena Alvar, «Evangelización en chibcha o en español (1582-1586)», *Actas del V Congreso Internacional de estudios sobre el español de América* (Burgos, noviembre 1995). Complemento de éste es el estudio «Grafías y fonética en un legado bogotano de 1582 a 1586» (*Homenaje a Guillermo Morón*, Caracas).
15. *Americanismos en la «Historia» de Bernal Díaz del Castillo*, Madrid, 1970 (2.ª edic., Madrid, 1990).
16. *Diario del Descubrimiento*, edic. M. Alvar (2 vols.), Las Palmas de Gran Canaria, 1976.
17. «Las *Relaciones* de Yucatán en el siglo XVI», incluidas en *España y América, cara a cara*, Valencia, 1975, pp. 145-194.
18. *Juan de Castellanos. Tradición española y realidad americana*, Bogotá, 1972.
19. Emma Álvarez y Mahjoub Yakhlef, sobre la *Conquista del Nuevo Reino de Granada*, de Rodríguez Freyle; Cecilia Campos do Nascimento, sobre *El señorío de los Incas*, de Cieza de León; Almudena Cañameo, sobre los *Naufragios de Cabeza de Vaca*; Rosa Carrasco, sobre la *Historia de los Incas*, de Sarmiento de Gamboa; Rosangela Lopes de Santana, sobre la *Historia de la Nación chichimeca* de Ixtilxochitl; Marisol Palés, sobre *La Florida del Inca*, etc.

la lengua de Ordaz[20] y Enguita sobre Fernández de Oviedo.[21] Prescindo de trabajos más estrictamente monográficos, pero que demuestran el valor lingüístico de estos viejos textos. Creo que es baladí insistir en estas cuestiones para justificar lo que está fuera de cualquier ponderación, pero no podré decir que con lo hecho se haya agotado el tema; el interés que suscita sigue en pie y no creo que el manantial esté exhausto, sino que está manando.

Pienso en el estudio con que Ángel Rosenblat resucitó a la vida la historia perdida de otomacos y taparitas[22] y que no es sino una muestra de las posibilidades latentes. Sin embargo, gracias a las monografías llevadas a buen fin se ha podido ordenar por Manuel Alvar Ezquerra un copioso diccionario de indigenismos antiguos del español. Quisiera insistir en el modo de proceder. Como es sabido, Georg Friederici compuso dos repertorios, el *Amerikanistisches Wörterbuch* y el *Hilfswörterbuch für den Amerikanisten*,[23] cuyo valor no vamos a discutir. Pero desde un punto de vista estrictamente lexicográfico, ambas obras son heterogéneas: se mezclan indigenismos, hispanismos, anglicismos, galicismos, etc., con términos de las lenguas más variadas (algonquino, papúa, kimbundo, etc.), con lo que se nos dan unos repertorios misceláneos y, sobre todo, incompletos. El americanista que pretenda comprobar un término corre el riesgo de no encontrar nada de lo que busca. Voy a poner ejemplos que tengo comprobados: un 38 por ciento de los términos indígenas que utilizó Bernal Díaz del Castillo no consta en los repertorios, pues de algo más de ochenta americanismos léxicos, faltan veintinueve.[24] Del mismo modo, más del 25 por ciento de los indigenismos de Juan de Castellanos tampoco han sido recogidos y, si descendemos al campo léxico de las castas coloniales, de un corpus de ochenta y dos términos, el investigador alemán sólo recogió nueve, y de los más triviales.[25] Sólo en las seis páginas que en la compilación se dedican a la letra *a* faltan más de cuarenta voces de las que se han allegado en los estudios a que he hecho mención.

Gramáticas y diccionarios

Este camino por los viejos textos nos ha llevado a otro aspecto de la investigación histórica. Porque, si el vocabulario pertenece a la estructura superficial, hemos de tomar en consideración la estructura profunda que se

20. *El habla de Diego de Ordaz. Contribución a la historia del español americano*, México, 1985.
21. *La influencia americana en el léxico de la «Historia general y natural de las Indias»*, de Gonzalo Fernández de Oviedo, Zaragoza, 1981. Este autor escribió también sobre los «Indoamericanismos léxicos en la "Historia de Chile" de Góngora Marmolejo» (*Anales de la Universidad de Chile*, V [1984], pp. 95-119).
22. «Los otomacos y taparitas de los llanos de Venezuela» (*Anuario del Instituto de Antropología e Historia*, I, 1964). También responde a planteamientos afines, Hermann Trimborn, *Señorío y barbarie en el valle del Cauca. Estudio sobre la antigua civilización Quimbaya y grupos afines del norte de Colombia*, trad. J. M. Gimeno Capella, Madrid, 1949.
23. 2.ª edición, Hamburgo, 1960.
24. Son: *alala, cacahuatera, cacicazgo, cazalote, cuilones, cuylonemiquis, huehue, ipiri, jiquipiles, lopelucio, malinche, mazatecas, motolinea, pachol, quequexque, quilite, sacachules, tacalnagua, tatacul, tececiguata, texcat, tlati, tlenquitoa, tonatio, totoliques, xihuaquetlan, yxozol y zacotle*.
25. *Léxico del mestizaje en Hispanoamérica*, Madrid, 1987, p. 68. Aduzco esta proporción como ejemplo, pues no se trata exclusivamente de términos indígenas.

denuncia en las artes y gramáticas. Evidentemente, antes de reducir una lengua a arte fue necesario establecer los modelos que la conforman. La repetición de unos determinados esquemas llevó a las reglas de combinación, pero no menos cierto es que no se hubieran podido establecer de no haberse conocido las palabras que la constituían. Antes que las reglas gramaticales se apercibieron palabras que querían significar algo. Creo que la cuestión no merece ser debatida, pues lo que tenemos son unos resultados. Si la aduzco ahora es para justificar el orden en que procedo.

Estudiando la gramática quechua de fray Domingo de Santo Tomás (1560), la náhuatl de fray Alonso de Molina (1571) y la chibcha de fray Bernardo de Lugo (1610)[26] vemos cuán importante fue el papel que jugaron las *Introducciones latinas* de Nebrija, con independencia del que tuvo el *Arte*. Pero lo que sí quiero dejar claramente asentado es cómo los frailes españoles hicieron —y cuántas veces— el prodigio de fijar unas lenguas que, sin ellos, no hubiéramos conocido, pero en la sorpresa que es América, aquellos gramáticos habían descubierto dos cosas: primero la necesidad de someter las lenguas indígenas a un arte que las fijara. Sin querer, pues, daban a tales lenguas la dignidad con que Elio Antonio quiso enriquecer a la suya propia, comparándola con las clásicas. Por otra parte, las *Instituciones* eran un tratado para enseñar latín a unos mozos españoles; sustituyendo latín por español, o por la lengua americana pertinente, se convertían en un manual práctico para la adquisición de una segunda lengua. Creo que así se asienta el doble valor que Nebrija tuvo para América y que va mucho más lejos de lo que desde nuestra perspectiva española pudiéramos creer. Estamos ante otra doble proyección: describían el uso correcto de la lengua amerindia, y, por tanto, la codificaban según unos modelos de corrección, pero, al fijar ese uso y recomendarlo como mejor, se convertían en árbitros de una norma basada en numerosos principios sociológicos, digamos variedad más prestigiosa o más difundida o más cultivada. Sin olvidar el fin que perseguían todos aquellos esfuerzos: la evangelización.

En cuanto al vocabulario, hay que pensar cómo el español había adoptado los términos antillanos y los difundía al extenderse por el continente. Sabemos de esa universidad americanista que fueron la Española o Cuba y sabemos cómo la lengua pasó configurada americanamente en su expansión por los imperios azteca e inca. El español fue una especie de latín vulgar que difundiera préstamos a lenguas que de otro modo no hubieran tenido ninguna relación. Abramos viejos diccionarios: en el *Lexicón o vocabulario de la lengua general del Perú*, compuesto por el maestro fray Domingo de Santo Tomás, ya se dan como términos españoles *axí* 'especias de indios', *canoa* 'nave de un madero', *mayz* 'trigo de los indios', no es demasiado, pero sí muestra cómo la lengua de los taínos se había incrustado en la de los conquistadores. Por otra parte, manifiesta la adaptación de algún término tradicional a la nueva realidad; así *gallinaza* o 'ave de Indias'. En un texto ejemplar, Agustín de Zárate había tenido conciencia de los

---

26.   «Nebrija y tres gramáticas de lenguas americanas (náhuatl, quechua y chibcha)», en los *Estudios nebrisenses*, Madrid, 1992, pp. 313-339.

cambios que la nueva realidad había impuesto: «En todas las provincias del Perú había señores principales, que llamaban en su lengua *curacas*, que es lo mismo que en las Indias solían llamar *caciques*, porque los españoles que fueron a conquistar el Perú, como en todas las palabras y cosas generales y más comunes iban amostrados de los nombres en que los llamaban en las islas de Santo Domingo y San Juan y Cuba y Tierra-Firme, donde habían vivido, y ellos no sabían los nombres con que los cristianos nombran estas cosas generales por los vocablos que han oído dellos, como al *cacique*, que ellos llaman *curaca*, nunca le nombran sino *cacicúa*, y aquel su pan [...] le llaman *maíz*, con nombrar en su lengua *zara*, y al brebaje llaman *chicha* y en su lengua *azúa*.»[27]

Si abriéramos ahora el diccionario de Fray Alonso de Molina,[28] no sólo *axí, canoa* y *maíz*, sino que se documentan otros varios antillanismos y nahuatlismos: *cacao* 'almendra y moneda', 'bebida', *caña de maíz helada, caña de maíz verde, caña de maíz seca, coa* 'pala para cavar', *cordel* o *mecapal, cutaras* 'sandalias', *embixar* (pero falta *bixa*), *guindarse en hamaca* (pero no está *hamaca*), *petaca* 'hecha como caxa de cañas' (nahuatl *petlacalli*), *taita* 'padre de los niños, tata', *tuna* 'cierta fruta [higo chumbo]'.

Los concilios y la lengua

La evangelización en lenguas indígenas es un factor que debemos tener muy en cuenta. Francisco de Solano ha publicado un libro capital: *Documentos sobre política lingüística en Hispanoamérica. 1492-1800.*[29] Abriéndolo tenemos una historia portentosa en la que, razones y sinrazones, nos van dando la historia de diversas actitudes ante la lengua y ante las lenguas. El III Concilio de Lima (1583) dictaminó taxativamente que «no se obligue a ningún indio a aprender las oraciones o el catecismo en latín, porque basta y es mucho mejor que los diga en su idioma; y, si alguno quisiere, podrá agregar también el español, que ya dominan muchos de ellos. Exigir de los indios alguna otra lengua que no sea ésta es superfluo».[30] De ahí la cátedra de chibcha en Santa Fe, a la que he podido referirme, la que fundaron en Quito para enseñar quechua, de acuerdo con una real cédula del 12 de junio de 1591, en la que se mandó «instituir y fundar cátedra de la lengua de los indios en las ciudades principales de las Indias»,[31] o las que fueron surgiendo. Que el interés no se generó en ese mismo instante es cierto, pues el colegio de Tlatelolco funcionó desde 1537 y tuvo no poco valor para la hispanización y cristianización de los adolescentes indígenas; por otra parte, Fortino Hipólito Vera publicó una abundante documentación que permite plantear no pocos problemas para la castellanización de la Nueva Es-

27.   *Historia del descubrimiento y conquista de la guerra del Perú, y de las guerras y cosas della*, Biblioteca de Autores Españoles, XXVI, p. 470b.
28.   *Vocabulario en lengua castellana y mexicana* [1571]. Citaré por la edición de Madrid, 1944.
29.   Madrid, 1992.
30.   Capítulo 6.
31.   *Recopilación*, libro I, título XXII, ley 55.

paña y otras cuestiones que tendrían que ver con el empleo de las lenguas indígenas,[32] pero acaso nada tan significativo como los acuerdos del Concilio III de Lima (1583) que dio lugar a singulares consecuencias, como el curiosísimo *Confesionario* de 1585[33] que, traducido al quechua y al aimara, es un venero de riquísimos informes. Porque no se trata de un repertorio para facilitar la reconciliación, sino como consta en el *Proemio*: «En estas provincias del Pirú es cosa de admiración ver la muchedumbre y variedad de supersticiones y cerimonias y ritos y agüeros y sacrificios y fiestas que tenían todos estos indios y quán persuasidos assentado les tenía el demonio y sus disparates y errores.»

Al denunciar cuáles eran los errores, se nos da una especie de repertorio antropológico sobre creencias, supersticiones e idolatrías. Buena conciencia tuvieron de ello los padres que redactaron el confesionario en un *Proemio* cargado de sensatas doctrinas. Al descender al mundo de la práctica, hay un casuísmo que permite asomarnos al oscuro reino de las viejas creencias. El valor del texto está en cada uno de los planteamientos; un poco al azar selecciono lo que se nos dice en el primer mandamiento: «1. ¿Has adorado huacas, villcas, cerros, ríos, al sol o a otras cosas? 2. ¿Hasles ofrescido ropa, coca, cuy o otras cosas? 7. ¿Has desenterrado y hurtado de la yglesia algún defunto para llevarlo a la huaca o a otra parte? 9. Viendo algunas cosas de animales o de sabandijas o de aves o oyéndolas cantar ¿has dicho o creydo que ha de suceder bien o mal a ti o a tus cosas? 10. ¿Has creído en sueños o pedido que te los declaren o declarado los tres astros?»

Junto a estos principios, un léxico indígena incrustado en el español: *curaca, guaca, tianguez, chacra, cacica, tambo, china, hilacatas, marcamayos, quipocamayos*, etc. ¿Cuántos términos propios del incario o traídos por los españoles? ¿Cuántos documentos tan importantes como éste esperan nuestra diligencia? Y no acabaremos nuestro interés sin tener en cuenta muchos principios que afectan a la discreción que deben usar los confesores. Repasar estas páginas es disponer de un inmenso caudal léxico, de unas minuciosas equivalencias y de unas riquísimas observaciones de todo tipo, pero lo más importante es que las recomendaciones se proyectaron sobre otros tratados. A veces, tras el arte con que se fijaba una lengua aparecía una guía de confesión y en ella los principios a los que había que combatir y, en contrapartida, las creencias más arraigadas.

Geografía lingüística y sociolingüística

Nos lamentamos siempre de las lagunas de ignorancia que presenta el español de América. No voy a unirme al coro de los lamentos. Pero la queja tampoco tiene nada de original. Cuando en 1889, Wilhelm Meyer-Lübke

---

32. *Compendio histórico del Concilio III Mexicano, o índices de los tres tomos de la colección del mismo concilio*, Amecameca, 1879.

33. *Confesionario para los curas de indios con la instrucción contra sus ritos y exhortación para ayudar a bien morir y summa de sus privilegios y forma de impedimentos del matrimonio*, Ciudad de los Reyes, 1585.

decía esto mismo del mundo románico estaba muy lejos de poder predecir que pronto surgiría un método capaz de acallar los lamentos. La historia es sabida; Jules Gilliéron acertó con la vena que iba a saciar las preocupaciones y nos haría olvidar, en muy poco tiempo, esas muchas zozobras. En América pasa lo mismo: si dispusiéramos de un atlas lingüístico de inmenso dominio no tendrían sentido los lamentos. Y aquí se nos plantea una nueva cuestión: ¿Atlas general o atlas particular? ¿La visión sintética o la analítica? Creo que, como siempre, debemos atender a lo que es hacedero y lo hacedero puede ser un atlas de todo el dominio formado con las partes del gran mosaico. Entonces tendríamos la posibilidad de ir trabajando en un mundo fragmentado, que nos permitiría, al final, la ordenación del inmenso rompecabezas. Tendríamos, pues, que la situación, metodológicamente al menos, viene a ser la misma que suscitó el nuevo atlas lingüístico de Francia por regiones. Cierto que la característica de ambas posibilidades es harto distinta: en Francia un cuestionario formado por dos partes (una general y otra particular) permite conocer cuál es la situación actual de la lengua francesa y cuál es la vitalidad del dialecto. Pero en América se nos plantea todo de un modo diferente: no teníamos un atlas previo y, por tanto, debemos hacer frente a una realidad que parte de un cero absoluto, con grandes áreas de las que nada sabemos y con otras que son conocidas de una manera muy discontinua. Por otra parte, nuestra ignorancia de las peculiaridades regionales insertas en las nacionales es también, en muchos casos, de un gran vacío. A la vista de ello creo que es preferible suscitar un atlas general, con un cuestionario único, de validez para toda Hispanoamérica, aunque las encuestas se hagan por sectores más asequibles que la inmensidad monolítica de todo el dominio.

En América hay no pocas naciones en las que las posibilidades de estos grandes trabajos —grandes, aunque se trate de pequeños dominios— no son viables, mientras que una obra coherente, en la que todos participáramos y todos la sintiéramos propia, nos permitiría saber en muy poco tiempo mucho de lo que necesitamos y tendríamos abiertos los portillos que nos permitirían acceder a las mil cuestiones que hoy tenemos negadas. Mis conclusiones son de una gran esperanza si miramos al futuro: los atlas de América están esperándonos. Tenemos iniciada la obra de todo el dominio y otra de varios dominios; necesitamos que los trabajos se logren y que no nos quedemos como se ha comprobado para el léxico de nuestra lengua: *empezar* aparece tres veces más que *terminar*.

Un cierto modo de hacer sociolingüística nació del *AIS*, y no podemos negar que no se haya aprovechado la lección. Pero la consideración social de los hechos lingüísticos afecta hoy a la totalidad de la lengua. De ahí los mil métodos que se aplican y los mil intereses que se suscitan. Desde los problemas de las lenguas en contacto a la variación, desde la oposición dentro de los grupos urbanos a la antítesis ciudad / campo. Enumerar todo esto nos llevaría al fárrago, y en nuestro mundo, tenemos magníficos estudios que nos pueden servir de introducción: pienso en los de Carmen Silva Corvalán y en los de Humberto López Morales.[34] Pero no cabe olvidar que la sociolingüística también se podrá relacionar con la geografía lingüística y ahí tenemos otro motivo de interés.

No se trata ni de hacer una bibliografía ni de decir dogmáticamente qué debe hacerse, sino de algo más importante: llevar a todos la conciencia de lo que se está haciendo. La sociolingüística es una metodología muy reciente y por ello se ha adaptado con madurez a nuestros estudios frente a una geografía lingüística a la que nos hemos incorporado a una etapa, sin haber conocido las anteriores. Y esto nos hace pensar en la necesidad de recuperar el tiempo no vivido o acaso la urgencia por llegar a donde los demás están, y no hablemos de técnicas complementarias imprescindibles, o de grandes inversiones económicas que nos llenan de zozobras. Con la sociolingüística no ocurre esto: los investigadores americanos han llegado a un momento de plenitud, pero se han presentado con todas sus armas y con una formación que era más que asequible (no digo ni fácil ni difícil), por cuanto Estados Unidos había impuesto su garra en la sociolingüística y —desde Hispanoamérica— es más cómodo trabajar en la gran nación del norte que desplazarse a la desmigajada Europa.

Final

Vuelvo a los métodos que pudiéramos llamar diacrónicos y sincrónicos. ¿Todos nos son igualmente válidos? No puedo olvidar nuestra condición de lingüista y, entonces, la filología cobra un sesgo de rigor y de ascetismo que para otros no tiene. El desdén por una comilla o por una tilde resulta que para nosotros es fundamental; tal vez en ello vaya embarcado el caminar seguro de nuestra lengua. Tenemos que volver una y otra vez a las fuentes primarias. ¿Impertinencia? Exigencias de una disciplina a la que dedicamos nuestro fervor. Entonces los documentos menos solemnes nos dicen de la vida de unas gentes, de su procedencia, de su inseguridad o de su asentamiento.

Podremos repetir mil veces lo consabido, pero otras mil nos asomarán los inesperados, con su geografía, con su proceso de adopción y con la nada sencilla adaptación. Pero así llegamos a otro lago que debemos cruzar. El léxico y las artes o los vocabularios y las gramáticas. Hoy hablamos de las lenguas en contacto, pero también estaban en el siglo XVI, y con sus propias peculiaridades y con el descubrimiento que el español vino a ser para las lenguas indígenas, cuando las lenguas indígenas apenas habían sido descubiertas. Pensar en lo que el español adquirió no es poco, pero mucho más lo que dio, muchísimo más lo que permitió. Aquellas lenguas se salvaron gracias a los frailes doctrineros y hoy las podemos estudiar; en el español está la migración de los términos y la creación de las lenguas generales. Gracias a una voluntad por evangelizar se fijaron modelos que

---

34. Carmen Silva Corvalán, *Sociolingüística: teoría y análisis*, Madrid, 1989; Humberto López Morales, *Sociolingüística*, Madrid, 1989.

nunca se hubieran salvado y sabemos de esas lenguas, pero siguieron las enseñanzas de Nebrija.

Hemos caminado por una diacronía de múltiples imágenes. Acaso su carácter lejano y definitivamente estático nos hace ver las cosas con una gran precisión. Acaso. Pero la sincronía es deslizante y tenemos que fijarla: también, como siempre, lo consabido. El eje de las abscisas que fija el dónde y el cómo. Hablamos de geografía lingüística, y de dialectología. Hablamos de los ordenamientos sociales. Aquí ya cabe todo. ¿Hay descripciones de hablas vivas? Muchas menos de las que quisiéramos. ¿Hay lagunas de conocimiento? Muchas más de las deseables. Hay que trabajar con ahínco allí donde los huecos sean más ostentosos, pero hemos de buscar los procedimientos para que los descuidos desaparezcan.[35] Y entonces nos embarcamos en un método fecundo para que olvidemos —algo— nuestra ignorancia. Pero la sociedad condiciona nuestro ser real. Fuera de ella, no seríamos nada. Y el campo se hace infinito: la variación, el cambio, los contactos, las lenguas criollas, las normas. Es el cuento de nunca acabar.

---

35. Con un estimulante pesimismo, Juan M. Lope Blanch hablaba de «nuestros escasos conocimientos del español mexicano» y daba una buena serie de monografías dialectales («Los estudios generacionales sobre el español de América», *Cuadernos del Sur*, n.º 16 [1983], p. 20, nota 14).

ANTILLAS

ANTILLAS

por María Vaquero

Introducción

Los historiadores aceptan sin discusión que el siglo XVI fue significativo como etapa en la cual se consolida la relación del europeo con el medio ambiente americano. Este proceso de *criollización*, logrado en todos los ámbitos y conseguido con el propósito de acomodarse a las nuevas realidades, se inicia en las Antillas, cuya situación geográfica sirvió de trampolín hacia la conquista del continente. Las islas antillanas, puntos de destino único en los primeros años de la colonización, acabarán desarrollando una sociedad móvil y en tránsito frente a los asientos definitivos.

Si, como ha demostrado Boyd Bowman, tenemos en cuenta la presencia mayoritaria de andaluces (36,9 %) durante la primera etapa de adaptación, etapa en que, además, las mujeres andaluzas representaron el 67 % de la población femenina trasplantada,[1] no debe sorprender que la primera nivelación lingüística sea de signo meridional. Si recordamos, además, la importancia que tuvo el comercio en este primer momento, no hay duda de que *mayoría* y *prestigio* actúan como factores condicionantes de la nivelación antillana, pues el 49 % de los andaluces eran comerciantes y mercaderes. Estos datos permiten aceptar que las hablas andaluzas actuaron como formas niveladoras, dando como resultado el primer acriollamiento del español en América.

Al continente pasa la norma antillana y allí convive con modos de hablar procedentes del centro y norte peninsular, llegados con las oleadas migratorias posteriores. En este segundo momento, por lo tanto, y sin olvidar las presencias autóctonas, las gentes acriolladas de las Antillas comparten el espacio con las llegadas directamente de la Península, situación que hace posible la convivencia de la primera norma, producto de la primera nivelación andaluza, con la segunda, norteña peninsular, llegada con las mi-

---

1. Peter Boyd Bowman, *Índice geobiográfico de cuarenta mil pobladores españoles de América en el siglo XVI*, I, 1493-1519, Bogotá, 1964, y «Paterns of Spanish Emigration to the Indies until 1600» (*Hispanic American Historial Review*, 56 [1976], pp. 580-604).

graciones directas.[2] El desarrollo posterior de las modalidades lingüísticas hispanoamericanas confirma que la convivencia de normas incluye un continuo trasvase de usuarios de una a otra, en un proceso que puede ser lentísimo y cuyo resultado final depende, en cada territorio, de otros muchos factores particulares. No debe pasarse por alto, sin embargo, que el *seseo*, llevado al continente con la norma antillano-andaluza, acabará imponiéndose como el único fenómeno fonológico general en el español de América.[3]

Al hablar de andaluces o de nivelación andaluza como base del español antillano se impone recordar las precisiones hechas por Manuel Alvar sobre la presencia canaria en América desde las primeras migraciones. Hablamos de andalucismo, en sus propias palabras,

> sin tener en cuenta que puede no ser ya de un andalucismo directo, sino adaptado en las Islas Canarias y, desde ellas, trasplantado al Nuevo Mundo. [...] los canarios que querían cruzar el mar no iban a inscribirse a Sevilla, sino que pasaban directamente; incluso gozaron de numerosos privilegios para hacerlo y el éxodo fue masivo.[4]

Si las investigaciones históricas de Pérez Vidal[5] testimonian el éxodo canario hacia el Caribe, postulado por Alvar, las de Álvarez Nazario corroboran su efecto en Puerto Rico,[6] donde la presencia canaria fue muy importante.[7]

El andalucismo, problema de orígenes, es la base del español antillano, esto es, el punto de partida de su desarrollo, presidido, como en las hablas que sirvieron a la nivelación, por el carácter innovador.[8] La realidad histórica, reflejada en la sincronía de tantos fenómenos coincidentes, no empaña, por otra parte, la originalidad del español caribeño, pues los inventarios de fenómenos compartidos no explican gran cosa, en sí mismos, a la hora de diferenciar las modalidades regionales: hoy se sabe que los mismos procesos adquieren otro valor en contextos diferentes, aunque coincidan, incluso, en los resultados particulares.

Además del andalucismo, se ha planteado para el Caribe la llamada *hipótesis criolla*, según la cual el español de esta zona parte de un sistema simplificado y creolizado, desarrollado desde el siglo XVI por contacto entre distintas etnias africanas y el español peninsular, o por contacto entre el español

2. Hipótesis de José A. Frago, «El andaluz en la formación del español americano», en *I Simposio de Filología Iberoamericana* (Sevilla, 26 al 30 de marzo de 1990), Zaragoza, Libros Pórtico, 1990, pp. 77-96.

3. Guillermo Guitarte ha demostrado hasta qué punto el *seseo* acabó considerándose rasgo hispanoamericano frente al habla peninsular, actitud que acabó dándole el prestigio definitivo en una época, fin del siglo XIX, de afirmación y búsqueda de identidad americana. («La constitución de una norma del español general: el seseo» y «Seseo y distinción S-Z en América durante el siglo XIX», en *Siete estudios sobre el español de América*, México, UNAM, 1983, pp. 99-106 y 107-125.)

4. Manuel Alvar, «Significación de las Islas Canarias», en *Norma lingüística sevillana y español de América*, Madrid, Ediciones de Cultura Hispánica, 1990 [pp. 63-84], pp. 63 y 64.

5. José Pérez Vidal, «Aportación de Canarias a la población de América» (*Anuario de Estudios Atlánticos* [1955], pp. 91-197, *apud.* M. Alvar, *Norma*, p. 65, n. 8).

6. Manuel Álvarez Nazario, *La herencia lingüística de Canarias en Puerto Rico*, San Juan de Puerto Rico, Instituto de Cultura Puertorriqueña, 1972.

7. Estela Cifre de Loubriel, *La formación del pueblo puertorriqueño. La contribución de los Isleño-Canarios*, San Juan, Centro de Estudios Avanzados de Puerto Rico y el Caribe, 1995.

8. Manuel Alvar, «¿Existe el dialecto andaluz?» (*Nueva Rev. Filología Hispánica*, XXXVI/1 [1988], 10-22); Beatriz Fontanella de Weinberg, «El español del Caribe: ¿rasgos peninsulares, contacto lingüístico o innovación?» (*LEA*, II/2 [1980]).

y un protolenguaje de base portuguesa usado en el Caribe por los africanos. Esta hipótesis supone, en las Antillas hispánicas coloniales, una situación sociolingüística similar a la que existió en el Caribe francés o sajón, situación propicia al desarrollo de lenguas criollas. La hipótesis, sin apoyo documental convincente,[9] no diferencia a los africanos recién llegados a América de los nacidos en el nuevo territorio, y, por otra parte, identifica como *rasgos criollos* fenómenos presentes en todas las hablas innovadoras (la ausencia de flexión verbal, por ejemplo, motivada por el desgaste fonético de la -s implosiva).[10]

El español antillano actual, después de cinco siglos de adaptaciones, adopciones, reajustes e influencias, presenta características dialectales que permiten describirlo como la modalidad caribeña insular, de base andaluza-canaria, hablada en Cuba, la República Dominicana y Puerto Rico.[11] Aunque ha sido distinta la trayectoria histórica de estos tres países a partir del siglo XX, y a pesar de la especial situación política de Puerto Rico,[12] el español es la lengua materna en los tres territorios citados, condicionada por los factores socioculturales propios de cada uno, y sin que haya producido el desarrollo de ninguna lengua criolla, a la manera de los *creoles* de base francesa (Haití, Martinica) o sajona (Islas Vírgenes anglohablantes).

El análisis de todas las fuentes disponibles[13] permite afirmar que la dialectología hispanoamericana se inicia en las Antillas con el primer estudio científico sobre *El español en Puerto Rico*, de Navarro Tomás,[14] dentro del marco de la Geografía Lingüística vigente a principios de siglo,[15] método aplicado al estudio de varios pueblos y municipios de Puerto Rico, hasta 1970,[16] con el mismo cuestionario usado por Navarro Tomás en 1927. La

9.   Se parte sobre todo de textos literarios del siglo XIX, entre los más importantes el de Lydia Cabrera, *El Monte (Notas sobre las religiones, la magia, las supersticiones y el folclore de los negros criollos y del pueblo de Cuba)*, La Habana, 1954; 2.ª ed. revisada, Miami, 1975.

10.   La refutación más importante de esta hipótesis se debe a Humberto López Morales, que, además de aducir otros datos, distingue lingüísticamente «el negro africano de nacimiento, o *bozal*», y «el negro *ladino o criollo*, nacido en América» («Sobre la pretendida existencia y pervivencia del criollo cubano», *Anuario de Letras*, 5 [1980], 85-116). Sobre este punto véase también M. Vaquero, Reseña a J. Lipski, «Contactos hispano-africanos en el África ecuatorial y su importancia para la fonética del Caribe hispánico», en R. Hammond y M. Resnick, eds., *Studies in Caribbean Spanish Dialectology*, *Lingüística*, I (1990), 205-226.

11.   Para la vitalidad del español en otros territorios no hispánicos del Caribe insular, véase M. Vaquero, «La lengua española en Curação, Trinidad, St. Thomas y St. Croix», en José Moreno de Alba, ed., *Actas del II Congreso Internacional sobre el español de América*, México, D.F., Universidad Nacional Autónoma de México, 1986, pp. 228-233. Reproducido en *Español Actual*, 46 (1986), 11-19.

12.   María Vaquero, «Política y lengua: el español en Puerto Rico» (*Voz y Letra*, IV/1 [1993], 105-128). Reproducido en Dieter Koniecki, ed., *Política, Lengua y Nación*, Madrid, Fundación Friedich Ebert, 1994, pp. 229-254.

13.   Humberto López Morales, *Las Antillas. Cuadernos Bibliográficos*, Madrid, Arco/Libros, 1994.

14.   Río Piedras, Editorial de la Universidad de Puerto Rico, 1.ª ed., 1948, con materiales recogidos en 1927 y 1928.

15.   Humberto López Morales, «Un capítulo de la historia lingüística antillana: *El español en Puerto Rico*, de Navarro Tomás» (*Revista de Estudios Hispánicos*, 3 [1973], 5-21). Reproducido en *Dialectología y Sociolingüística. Temas puertorriqueños*, Madrid-Miami-Nueva York-San Juan, Hispanova de Ediciones, 1979, pp. 31-50.

16.   Estos estudios (tesis y tesinas) fueron dirigidos por Rubén del Rosario, desde el Departamento de Estudios Hispánicos de la Universidad de Puerto Rico; María Vaquero, «Algunos fenómenos fonéticos señalados por Navarro Tomás en el español de Puerto Rico, a la luz de las investigaciones posteriores» (*Revista de Estudios Hispánicos*, 2 [1972], 243-251). A partir de 1970, la dialectología puertorriqueña se inserta en la investigación moderna y se sitúa a la vanguardia de los estudios lingüísticos hispanoamericanos.

presencia del fonetista español en el Caribe motivó también la aparición del primer estudio sobre el español dominicano, de Pedro Henríquez Ureña,[17] única fuente, para el español de este país, hasta el libro de Max Jiménez Sabater,[18] o hasta los trabajos sociolingüísticos de Orlando Alba, más recientes.[19] Cuba, por su parte, se inicia en la dialectología moderna con los trabajos estructuralistas de H. López Morales[20] y de Cristina Isbasescu.[21]

En este momento, el español antillano cuenta con una serie de trabajos que permiten identificar los rasgos específicos de cada territorio insular, dentro de las tendencias caracterizadoras de la zona caribeña.[22] A pesar de que las tres modalidades hispánicas antillanas (cubana, dominicana y puertorriqueña) no se han estudiado con el mismo rigor o la misma intensidad, por diferentes razones, los estudios hechos permiten hacer comparaciones interdialectales y trazar tendencias. Muchos de los trabajos recientes están enmarcados en dos importantes proyectos generales:[23] el relativo al estudio del español culto en las principales ciudades del mundo hispánico,[24] y *El Atlas Lingüístico de Hispanoamérica*.[25] Los resultados obtenidos en estas investigaciones, y en otras particulares, serán el punto de partida para caracterizar el español de las Antillas en lo fonológico, lo morfosintáctico y lo léxico-semántico, así como para establecer las comparaciones posibles entre las tres modalidades de la zona.

Caracterización general del vocalismo[26]

El español antillano, con variedad de realizaciones, mantiene el sistema fonológico vocálico de cinco unidades /i/, /e/, /a/, /o/, /u/. Son fonéticamente *normales*, con labialización de las velares /o, u/, frente a las no labializadas /a, e, i/.

17. Pedro Henríquez Ureña, *El español en Santo Domingo*, Buenos Aires, Biblioteca de Dialectología Hispanoamericana, Anejo V, 1940 (edición facsimilar, Santo Domingo, Taller, 1975).
18. *Más datos sobre el español de la República Dominicana*, Santo Domingo, Ediciones INTEC, 1975.
19. *El español dominicano dentro del contexto antillano*, Santo Domingo, Soto Castillo, 1995.
20. En *Estudios sobre el español de Cuba*, Nueva York, Las Americas Publishing Company, 1971.
21. *El español de Cuba: observaciones fonéticas y fonológicas*, Bucarest, Sociedad Rumana de Lingüística Románica, 1968.
22. Humberto López Morales, *El español del Caribe*, pp. 32-38. El autor hace una exposición crítica de los intentos de delimitación dialectal de la zona caribeña, desde Ignacio de Armas (1882) y Henríquez Ureña (1921), hasta los intentos más recientes, basados en distintos criterios.
23. María Vaquero, «El español de América, el español de Puerto Rico y dos proyectos de estudio: el español culto de las capitales y el *Atlas Lingüístico de Hispanoamérica*» (*Asomante*, 1-2 [1989], 11-28).
24. Juan M. Lope Blanch, *El estudio del español hablado culto. Historia de un proyecto*, México, Universidad Nacional Autónoma de México, 1986.
25. Manuel Alvar, «Hacia una Geografía Lingüística de América», en *Perspectivas de la investigación lingüística en Hispanoamérica. Memoria*, México, Universidad Nacional Autónoma de México, 1980, pp. 79-92, y sus «Estudios introductorios» al *Cuestionario del Atlas Lingüístico de Hispanoamérica*, Madrid, ICI, 1984.
26. Las primeras descripciones serias del vocalismo antillano fueron las de Navarro Tomás para Puerto Rico, seguidas por los datos de Henríquez Ureña para Santo Domingo. Respecto a Cuba, las primeras observaciones vocálicas se deben a los maestros del siglo XIX: Esteban Pichardo,

Aunque la tendencia a la nasalización es característica de la modalidad caribeña, las vocales antillanas son fonológicamente orales, con la alofonía condicionada por el contexto y la variación propia de una región en extremo polimórfica.

La inestabilidad de las vocales átonas, hecho documentado desde antiguo en la lengua española, se manifiesta en las Antillas, como en el resto del mundo hispánico, en las hablas rústicas y vulgares, aunque todo parece indicar que no todos los fenómenos siguen el mismo camino. Mientras, en las mismas hablas rurales, se han ido retirando las vacilaciones del tipo [defúṇto] *difunto*, [hoṣtísja] *justicia*, [mēlitár] *militar*, [sémõs] *somos*, [máįs] *maíz*, se va extendiendo, por otro lado, la diptongación de vocales en hiato, en casos como [pasjár] *pasear* o [arjopwérto] *aeropuerto* así como la supresión de diptongos en los numerales [béṇte] *veinte*, [tréṇta] *treinta*, o en las formas verbales [aprétas] *aprietas*, [frégas] *friegas*, fenómenos, todos, presentes hoy en las hablas urbanas, populares y cultas, según las fuentes.[27]

El desdoblamiento fonológico

Tomás Navarro Tomás, con materiales de Puerto Rico recogidos en 1927, consignó el cero fonético de la -/s/ final ante pausa, sin que este fonema dejara «otra huella que la de la abertura de la vocal con que la palabra termina».[28] Navarro oyó en el Caribe los timbres vocálicos del andaluz oriental, interpretados por él mismo como indicios de reajuste morfofonológico en el sur de España,[29] y propuso para la isla antillana la misma interpretación.

Desaparecida la -/s/ final, las oposiciones morfológicas de número (*niño/niños*) y de persona verbal (tercera/segunda: *viene/vienes*) quedarían marcadas por la oposición de timbre cerrado/abierto de la vocal que quedara como final por pérdida de dicha -/s/.

La teoría del desdoblamiento fonológico se aceptó sin reservas en Puerto Rico, durante varios años, a partir de Rubén del Rosario, que pro-

---

Diccionario provincial de voces cubanas, 1.ª ed., Matanzas, 1836, y Bachiller y Morales, *Cuba primitiva. Origen, lenguas, tradiciones e historias de los indios de las Antillas Mayores y las Lucayas*, La Habana, 1883, muy influidos por las teorías del sustrato y punto de partida de una serie de trabajos subjetivos e impresionistas que llegaron hasta los años cincuenta. Entre éstos, el de Néstor Almendros, «Estudio fonético del español de Cuba» (*Boletín de la Academia de Ciencias y Letras*, VII [1958], 138-176). El fonetismo cubano no pasó por el rigor de la Geografía Lingüística y saltó, desde las nóminas subjetivas, a los métodos y principios estructuralistas de H. López Morales y Cristina Isbasescu.

27. Max Jiménez Sabater, *Más datos sobre el español de la República Dominicana*, Santo Domingo, INTEC, 1975, pp. 41-72; Tomás Navarro Tomás, *El español en Puerto Rico*, San Juan, 1948, pp. 41-58; Manuel Álvarez Nazario, *El habla campesina del país*, San Juan, Editorial de la Universidad de Puerto Rico, 1990, pp. 90-96. *Encuestas* hechas en los tres territorios para el *Atlas Lingüístico de las Antillas* (1983-1986).

28. *El español en Puerto Rico*, 2.ª ed., 1966, p. 73.

29. Tomás Navarro, «Desdoblamiento de fonemas vocálicos» (*RFE*, I [1939], 165-167).

puso para el español caribeño un sistema triangular de siete fonemas, con cuatro grados de abertura.[30] Más adelante, este mismo autor aceptó la convivencia, en las Antillas, de dos sistemas vocálicos, de cinco y siete vocales.[31]

Los estudiosos dominicanos fueron más cautelosos ante esta posibilidad. Ni Henríquez Ureña ni Jiménez Sabater hacen referencia al desdoblamiento fonológico en el español de la República Dominicana, reconociendo, en cambio, la redundancia de marcas de superficie de los morfemas subyacentes, como los siguientes:

a)   la -*e* del alomorfo -*es*, como en: [mũhére] por *mujeres*;

b)   el alomorfo -*se*, como en [kafése], [sofáse], por *cafés, sofás*;

c)   la oposición de número marcada en los determinantes, como en [el péro]/[lo pẽ́ro], por el *perro/los perros*;

d)   la presencia del pronombre sujeto, como en [tú kã̃ṇta]/[él kã̃ṇta] por *tú cantas/él canta*;

e)   los alomorfos iniciales *se-, he-*, en oposiciones del tipo [etuḍjáṇte]/[setuḍjáṇte, hetuḍjáṇte] por *estudiante/estudiantes*.

En cuanto al español de Cuba, Cristina Isbasescu[32] negó el desdoblamiento fonológico vocálico. Más tarde, Haden y Matluck[33] lo admitieron, sólo en el caso de la vocal /e/.

En época más reciente, la espectrografía dialectal aplicada al español antillano[34] ha puesto en duda la existencia del desdoblamiento fonológico en las Antillas y ha probado:

a)   que, en las muestras analizadas, la abertura de la vocal final por pérdida de -/s/ final no es sistemática;

b)   que no se distinguen singulares de plurales, en pares mínimos, por el timbre cerrado/abierto de la vocal final por pérdida de -/s/ final;

c)   que, por tanto, deben intervenir otros factores, sintácticos o semánticos, para mantener la oposición de número, y

d)   que la duración de la vocal interna parece ser, incluso, más importante que el timbre, en la oposición de pares mínimos del tipo *pastilla/patilla, pescado/pecado*.

30.   Rubén del Rosario, «La lengua de Puerto Rico», en *La lengua de Puerto Rico. Ensayos*, Río Piedras, Editorial Cultural, 1965, p. 8.

31.   *El español de América*, Sharon, Conn., Trouman Press, 1970, p. 83.

32.   *El español de Cuba*, 1968.

33.   «El habla culta de La Habana. Análisis fonológico preliminar» (*Anuario de Letras*, II [1973], 5-33).

34.   John Clegg, *Análisis espectrográfico de los fonemas /a e o/ en un idiolecto de La Habana*, tesis de Maestría, Austin, The University of Texas, 1967; Robert Hammond, «An experimental verification of the phonemic status of open and close vowels in Caribbean Spanish», en H. López Morales, ed., *Corrientes actuales en la dialectología del Caribe hispánico (Actas de un Simposio)*, Universidad de Puerto Rico, Editorial Universitaria, 1978, pp. 93-144; I. Alemán, *Análisis espectrográfico de vocales finales por pérdida de -/s/ final morfémica en Puerto Rico*, tesina inédita, Programa Graduado de Lingüística, Universidad de Puerto Rico, 1976.

Hoy, después de varias investigaciones sobre el español antillano, se sabe que los morfemas de número y persona se manifiestan de muy diferentes maneras en la superficie, haciendo redundante, cuando aparece, la variación del timbre vocálico en posición final por pérdida de -/s/ morfémica.

H. López Morales ha identificado en Puerto Rico,[35] además de lo anotado hace años por los estudiosos dominicanos, las siguientes marcas de pluralidad dentro de la frase nominal:

a) presencia de un modificador numeral, que obliga a interpretar pluralidad en: *hace un pal de año*; ... *habían como dieh casa*; ... *y tiene sei nieto*;

b) ausencia de determinantes singulares, como en: *uno se busca problema*; *parece que ahora va a hasel película*;

c) núcleo de frase nominal con valor semántico de pluralidad, como en: *un grupo de zángano*;

d) frase nominal cuya semántica exige complementación plural, como en: *una institución para anciano*.

Para resolver la polémica en torno al desdoblamiento fonológico en el Caribe hay que ampliar, por un lado, las muestras de análisis espectrográfico e incluir niveles socioculturales, y, por otro, contar con investigaciones que ofrezcan los valores fonológicos *normales* de las vocales de la zona. Conocer los timbres normales de las vocales permite interpretar adecuadamente las variaciones que puedan adoptar estas vocales en determinados contextos.

Sólo conocemos los valores normales de las vocales del español de Puerto Rico.[36] La comparación de este triángulo con el correspondiente de Madrid demuestra que las vocales puertorriqueñas se caracterizan por la abertura y longitud,[37] datos que habrá que tomar en cuenta a la hora de interpretar las realizaciones dialectales.

El alargamiento vocálico

En el español de Cuba, el alargamiento de las vocales tónicas es rasgo fonético esporádico, además de ser propio del habla popular en casos como [kãnsá:o̞] *cansado*.[38]

Jiménez Sabater[39] considera este fenómeno como el rasgo vocálico más sobresaliente del español dominicano, sobre todo en El Cibao, aunque sin aludir a repercusiones fonológicas.

---

35. *Estratificación social del español de San Juan*, México, UNAM, 1983.
36. María Vaquero y Lourdes Guerra, «Fonemas vocálicos de Puerto Rico (Análisis acústico realizado con los materiales grabados para el estudio de la norma culta de San Juan)» (*RFE*, LXXII [1992], 555-582).
37. Antonio Quilis, *Tratado*, p. 163.
38. Humberto López Morales, «Observaciones fonéticas sobre la lengua de la poesía afrocubana», en *Estudios*, p. 109.
39. *Más datos*, pp. 67-70.

Para Navarro Tomás, por su parte, el especial acento puertorriqueño dependía, en gran medida, de la oposición vocálica *débil-larga* y *fuerte-breve*, según la cual, donde la protónica se reduce, la acentuada inmediata se alarga, como en [nẽsəsá:rjo], y donde la protónica se alarga, la tónica se acorta y abrevia, como en [r̃epi:kér].[40] Rubén del Rosario, por su parte, anota el alargamiento vocálico en las vocales finales /a e o/ por pérdida de sibilante,[41] pero es Robert Hammond quien propone finalmente la hipótesis del *alargamiento vocálico conpensatorio* (AVC) como único rasgo capaz de oponer pares mínimos del tipo [bú:ke] *busque* / [búke] *buque*. Esta hipótesis necesita corroborarse con más experimentación.

La nasalización vocálica

Además de aparecer en los contextos esperados, la nasalización vocálica puede alcanzar en las Antillas a todas las vocales de una palabra con nasal, como en [sãŋhwã̃ŋ] *San Juan*, [sãlĩã̃mõ] *salíamos*, [ẽmpẽsá ɹ] *empezar*.

En el español dominicano, y en el de Puerto Rico, puede, incluso, llegar a desaparecer la nasal implosiva, quedando fuertemente nasalizada la vocal anterior, como en [tapṍ] *tapón*, [pelṍ] *pelón*.

CARACTERIZACIÓN GENERAL DEL CONSONANTISMO

El sistema consonántico del español antillano consta, como en todas las regiones seseantes, de 18 fonemas. Es un consonantismo extremadamente polimórfico, con muy pocos alófonos exclusivos de determinado territorio. Lo caracterizador está, por lo tanto, en el valor que adquieren estos alófonos en cada modalidad interna, de acuerdo con su frecuencia y aceptación.

Esta variación extrema se explica si tenemos en cuenta la cantidad de factores (históricos, geográficos, sociales) que han condicionado las hablas caribeñas desde el siglo XVI. Dentro del polimorfismo resultante, propio, a su vez, del español de América, el consonantismo antillano se caracteriza por el avance en los procesos evolutivos generales, lo cual hace de esta zona una de las más innovadoras del español.

Los fonemas oclusivos /p- t- k-, b- d- g-/

Los fonemas /p- t- k-, b- d- g-/ prenucleares siguen en las Antillas las tendencias generales del sistema. Como excepción, se pueden señalar, en el centro y Occidente de Cuba: 1) realizaciones sonoras de /p t k/ ([bisár̃a] *pi-*

---

40. *El español en Puerto Rico*, p. 47.
41. *El español de América*, p. 83.

zarra, [kãmbã́nã] *campana*, [páda] *pata*), y 2) oclusivas sonoras de /b d g/ en contextos como [álba] *alba*, [bárba] *barba*.[42]

Es mayoritario, por tanto, el debilitamiento de las oclusivas sonoras intervocálicas, con alófonos muy abiertos, o cuasifricativos,[43] que pueden llegar a la elisión en la dental, como prueban las palabras *melao* y *asopao*, o las formas vulgares [nĩu] *nido*, [déo] *dedo*. El fenómeno ha alcanzado grados extremos en el español dominicano vulgar, con elisiones del tipo [ló] *lodo*, [mãúro] *maduro*, documentadas desde 1975.[44] A pesar del avance de este proceso en algunas regiones y estilos, la elisión de [đ] intervocálica está fuertemente estigmatizada en las Antillas, lo cual explica las realizaciones generales en [-ađo] de las hablas cultas.

Los fonemas fricativos /f-, s-, y-, x-/ y el africado /s̬/

Es mayoritaria en las Antillas la realización labiodental fricativa sorda [f], en convivencia con la variante bilabial [φ], favorecida por el diptongo /ué/, como en [φwéra] *fuera*, [φwé] *fue*, [φwégo] *fuego*, [φwérsa] *fuerza*.

La antigua aspiración de la F- latina ha quedado en palabras propias del español de Puerto Rico, como las formadas sobre *humo* o *huir*, del tipo [ahũmárse] *ajumarse* 'emborracharse'; [hũmã] *juma* 'borrachera', [huírse/huyirse] *juirse/juyirse* 'desaparecer'.

Con la variación habitual, la /s-/ antillana presenta dos variantes mayoritarias: una *dental*, con el ápice de la lengua al nivel de los incisivos superiores y otra *predorsal convexa*.

Es frecuente en el español popular dominicano la aspiración de /s-/ prenuclear intervocálica, como en: [nõhótro] *nosotros*, [sĩŋko hẽ̩ntáβo] *cinco centavos*, [la hẽmã́nã paháđa] *la semana pasada*, [éhe] *ese*. Esta aspiración prenuclear es rara en Puerto Rico, y sólo en estilos de habla muy especiales.

Las Antillas son yeístas, sin que haya rastro alguno de la palatal /ļ/. La fricativa sonora [y], resultante del proceso de nivelación ļ/y, puede realizarse con diferentes grados de abertura.

Es general la realización aspirada faríngea de /x/, mientras que las realizaciones del fonema africado /s̬/ presentan gran variación: en Puerto Rico pueden organizarse en seis tipos, con marcada tendencia a la fricación.[45]

Los fonemas vibrantes /r-, r̄-/

Con excepción de las asibilaciones cubanas, recogidas en las encuestas para el *Atlas Lingüístico de Hispanoamérica*, lo característico de las vibran-

42. Antonio Quilis, *Tratado*, p. 221.
43. Humberto López Morales, *Estudios*, p. 126.
44. Max Jiménez Sabater, *Más datos*, p. 73.
45. Antonio Quilis y María Vaquero, «Realización de /s̬/ en el área metropolitana de San Juan de Puerto Rico» (*RFE*, 61 [1973], 1-52).

tes en las Antillas es su debilitamiento articulatorio general, con tendencia a la fricación, y, en el caso de la vibrante múltiple, hay que resaltar las múltiples realizaciones velares de Puerto Rico,[46] que, precedidas o seguidas de aspiración, [hR-] [Rh-], también se recogieron recientemente en el oriente de Cuba.[47] Las variantes velares son esporádicas en la República Dominicana, donde predomina la apicoalveolar.

Consonantes postnucleares[48]

El debilitamiento articulatorio de las consonantes finales de sílaba, propio de la lengua española, se manifiesta claramente en las zonas más innovadoras. Las hablas antillanas, junto a las andaluzas y canarias, comparten una serie de procesos de desgaste que afectan, de manera particular, a los fonemas /-s,-r/-l,-n/ en posición implosiva. Estamos ante una tendencia estructural de la lengua histórica,[49] puntualmente corroborada en la zona que nos ocupa.[50]

A partir de las etapas en que se encuentra el debilitamiento de la /-s/ final, las investigaciones modernas sobre los dialectos antillanos demuestran que Cuba y Puerto Rico, donde la norma es la aspiración, son modalidades conservadoras frente a la modalidad dominicana, con altísimos índices de elisión de -/s/ final.

Sin que haya exclusividad regional de variantes, la lateralización de /-r/ implosiva, [-l], es característica de Puerto Rico ([beḷdá] *verdad*, [amóḷ] *amor*), mientras que Cuba se caracteriza por la solución geminada, del tipo [kobbáta] *corbata*, [kã́nnẽ] *carne*, y el español dominicano presenta altos índices de vocalización en El Cibao, del tipo [kwéi̯po] *cuerpo*, [tái̯ɖe] *tarde*.

Por su parte, la nasal velar [ŋ] final de palabra es muy frecuente en el español de Puerto Rico.[51] Algo parecido sucede en Cuba, donde no es significativa la velarización nasal en interior de palabra y sólo en algunos puntos del oriente cubano se velariza en casos como [ẽŋ ã́gwas] *en aguas*. El proceso de desgaste de -/N/ ha avanzado en el español dominicano, donde es muy frecuente la elisión nasal, con fuerte nasalización de la vocal precedente ([pelṍ] *pelón*).

El debilitamiento articulatorio de las consonantes en posición implosiva afecta en el Caribe a todos los grupos consonánticos, sobre todo en los niveles populares. Junto a las neutralizaciones normativas de las oclusivas,

46.   María Vaquero y Antonio Quilis, «Datos acústicos de /r/ en el español de Puerto Rico», en *Actas del VII Congreso de la ALFAL* (Santo Domingo, 1984), Santo Domingo, ALFAL, II, 1990, pp. 115-142.
    47.   Antonio Quilis, *Tratado*, p. 351.
    48.   Para detalles, véase M. Vaquero, *El español de América. I Pronunciación*, Madrid, Cuadernos de Lengua Española, Arco/Libros, 1996.
    49.   Amado Alonso, «Una ley fonológica del español» (*Hispanic Review*, XIII [1945], 91-101).
    50.   Humberto López Morales, «Caracterización fonológica de los dialectos del Caribe hispánico», en Manuel Ariza *et al.*, eds., *Actas del I Congreso Internacional de Historia de la lengua española* (Cáceres, 1987), Madrid, Arco/Libros, pp. 1402-1415.
    51.   Humberto López Morales, «Velarización de -/N/ en el español de Puerto Rico» (*LEA*, 2 [1980], 203-217).

y a las elisiones vulgares del tipo [dotór] *doctor*, [ĩn̦dínõ] *indigno*, aparecen asimilaciones, aspiraciones y vocalizaciones.

El género

Como en todas las hablas hispánicas, el español antillano tiene vacilaciones de género en los nombres acabados en *-e* o en consonante, con la consiguiente variación de concordancia entre estos nombres y sus determinantes o modificadores. Así, junto al paulatino retiro de alternancias del tipo *el / la puente, el / la calor*, puede haber dudas entre *el / la hacha, el / la azúcar, el / la sartén*.

La variación de género en este tipo de sustantivos puede responder 1) a diferenciación geográfica, como en el caso de *el payama* (Cuba), *la piyama* (Puerto Rico y República Dominicana), o 2) a diferenciación semántica, como en *el radio* (aparato) / *la radio* (medio).

Son generales las creaciones populares femeninas en *-a* del tipo *parienta* o *tigra*, junto a *lora, testiga* o *yerna*, menos prestigiadas, en general, que conviven, a su vez, con formas masculinas en *-o*, del tipo *cabro* y *ovejo*.[52]

El número

En convivencia con las formas normativas y prestigiadas: *ajíes/ajís, cafés, papás, sofás, tés*, están ampliamente documentados, en las hablas populares de los tres territorios, los plurales en *-ses*, del tipo *ajises, cafeses, papases, pieses, sofases, teses*, plurales que acaban convirtiéndose en *ajise, cafese*, etc., por pérdida de la *-s* final. La oposición de número queda marcada, en estas palabras, mediante ∅/-se (*ají/ajise*), oposición que puede extenderse a los sustantivos terminados en vocal átona.

Esto es lo que ha ocurrido en el español vulgar dominicano, donde aparecen plurales femeninos del tipo *gallínase* por gallinas, *mucháchase* por muchachas, *cásase*, por casas, casos explicados por Jiménez Sabater:

> Resulta fácil distinguir entre el plural *lo perro*, opuesto al singular *el perro*, pero no así entre *la paila* (singular) y *la paila* (plural).[53]

Posesivos

Como en el resto del español de América, la posesión se expresa en las Antillas mediante estructuras pospuestas, que pueden ser:

52. María Vaquero, *Palabras de Puerto Rico (con materiales recogidos para el «Atlas Lingüístico de las Antillas»)*, San Juan, Academia Puertorriqueña de la Lengua Española, 1995.
53. Max Jiménez Sabater, *Más datos*, p. 151.

a) analíticas [de + pronombre], como en *la casa / la familia de nosotros*, y *b*) no analíticas, mediante la posposición de las formas plenas *mío / tuyo / suyo, -a, -os, -as*.

La posposición se ha interpretado como portadora de *fuerte relación* entre el poseedor y lo poseído, razón de que sea muy frecuente en contextos afectivos, como en *Salimos con el amigo mío*; *El deporte mío favorito es nadar*; *Esta es la hija de nosotros*.[54]

Las formas plenas aparecen, en las hablas populares, pospuestas a adverbios, como en *debajo mío, delante suyo*.

Es muy frecuente, sin embargo, el posesivo antepuesto en interpelaciones directas y exclamaciones lexicalizadas, como en *¡mijo!, ¡mija!* (< mi hijo, -a), *¡misijo!, ¡misija!* (< mis hijos, -as), o *¡mi hermano!, ¡mi hermana!*

Sujetos pronominales y tendencia al orden SVO

Uno de los rasgos morfosintácticos antillanos es la frecuencia aparentemente injustificada de sujetos pronominales, explicada por influencia inglesa, sobre todo en el caso de la primera persona, *yo*. Esta hipótesis tradicional, aceptada por varios estudiosos desde Gili Gaya,[55] ha sido revisada en los últimos años por Amparo Morales,[56] cuyos estudios empíricos (con muestras de hablantes bilingües y monolingües) han demostrado, por un lado, que la redundancia pronominal no está exclusivamente condicionada por la influencia del inglés y, por otro, que los resultados obtenidos en Puerto Rico (zona de fuerte influencia) coinciden con los de otros territorios del Caribe.

Después de estos trabajos, y sin descartar la influencia extraña, es necesario tener en cuenta el *factor expresividad* postulado por Morales, condicionante caribeño del orden SVO (sujeto + verbo + objeto), y de la abundante frecuencia del sujeto *yo*.

El *factor expresividad* también puede motivar la redundancia de *tú*, una vez comprobado que su presencia no se debe a causas desambiguadoras cuando se elide la -s, puesto que *tú* aparece, con o sin -s final, en: *¿Qué tú dice(s)?*; *¿Cómo tú está(s)?*; *¿Dónde tú vive(s)?* Este tipo de pregunta, con sujeto antepuesto, aparece también en Panamá, en alternancia con la forma pospuesta, y es fenómeno, al parecer, en expansión.[57]

La tendencia antillana a la expresión antepuesta de los sujetos pronominales se manifiesta una vez más en las construcciones de infinitivo: *al*

---

54. Luciana Steffano e Irma Chumaceiro, «Los posesivos de primera persona del singular y plural en el habla de Caracas», en *Scripta Philologica in Honorem Juan M. Lope Blanch*, II, México, UNAM, 1992, pp. 823-840.

55. *Nuestra lengua materna*, San Juan, Instituto de Cultura Puertorriqueña, 1965.

56. «Variación dialectal e influencia lingüística: el español de Puerto Rico», en César Hernández, ed., *Historia y presente del español de América*, Valladolid, Junta de Castilla y León, 1992, pp. 333-354.

57. Antonio Quilis y Matilde Graell, «La lengua española en Panamá» (*Rev. Filol. Española*, LXXII, 583-606).

yo venir, al tú decirme eso, sin ella saberlo. Son especialmente interesantes las construcciones de infinitivo en oración final con sujeto no coinciden-te; en estos casos, la oración de infinitivo con *para* sustituye a la forma normativa de subjuntivo. Ejemplos:[58] *Cuando me empezaron a dar trabajo para yo hacer maquinilla...; Ustedes necesitan una piscina donde estas niñas bañarse.*

No hay duda de que, al margen de la aparición de estas estructuras en otros territorios, la frecuencia que tienen en Puerto Rico está motivada por la situación de contacto directo con el inglés. Estamos ante un caso de transferencia, corroborado por la investigadora citada (véase más adelante).

De acuerdo con el español de América, el pronombre *vosotros* ha de-saparecido del español antillano, sustituido por *ustedes,* que, en el Caribe, como en todas las regiones no voseantes, es plural de *tú* y de *usted.*

Los clíticos

Ha empezado a extenderse el *leísmo* de persona. Comenzó a usarse en las despedidas de las cartas administrativas (*Le saluda...*) y hoy, considera-do más adecuado y cortés, ha llegado a ser la forma habitual en éste y otros contextos formales: *Tengo el gusto de invitarle...; Le saludaron...; Le vieron,* etcétera. Es de uso reciente, si tenemos en cuenta su ausencia en la lengua culta de San Juan, recogida de 1968 a 1975.[59]

Asimismo, ha ido ganando terreno la forma singular *le* de comple-mento indirecto, para singular y plural: *Le dije a los estudiantes...; Le di el aviso a los profesores,* etc. Esta discordancia de número está documenta-da, y en expansión, en otras regiones del español de América. En Puerto Rico aparece cuando no hay peligro de ambigüedad, esto es, cuando la frase nominal plural no está demasiado alejada, en el discurso, del clítico sustituto.[60]

La ausencia de marca de pluralidad en la forma *se* sustituta de *les* se compensa en el clítico contiguo complemento directo, dando como resul-tado construcciones del tipo *se los di,* por *se lo di* (el libro, a ellos); *se los entregué; se los enseñé,* etc. Esta construcción anómala es igualmente am-bigua, pues no permite identificar a cuál de los complementos correspon-de la marca de pluralidad expresada en la superficie. Este uso ha pasado a la lengua culta antillana.[61]

Están muy extendidas, en las hablas populares caribeñas, y en la expre-sión familiar culta, las formas *siéntesen, demen, delen, súbasen, cállesen,* etc.

---

58.   Amparo Morales, *Gramáticas en contacto,* Madrid, Playor, 1986, pp. 73-88.
59.   Amparo Morales y María Vaquero, *El habla culta de San Juan. Materiales para su estudio,* Río Piedras, Editorial de la Universidad de Puerto Rico, 1990.
60.   María Vaquero, «Clíticos en el habla culta de San Juan» (*Boletín de la Academia Puertorri-queña de la Lengua Española [BAPLE],* 6.1 [1977], 127-146).
61.   Aparece en otras muchas regiones y parece ser de origen americano antiguo. (Concepción Company, «Un cambio en proceso: *El libro, ¿quién se los prestó?*», en *Scripta Philologica,* pp 349-362.)

Diminutivos

Mientras Puerto Rico forma el diminutivo en *-it-o*, *-a*, Cuba y la República Dominicana, por disimilación usan el alomorfo *-ic-o*, *-a*, en palabras cuya última sílaba comienza por *t-*: *carta > cartica*, *gato > gatico*, *galleta > galletica*, pero *cabeza > cabecita*, *carro > carrito*.

El diminutivo de *(la) mano* puede ser *la(s) manito(s)*, con discordancia de género, sobre todo en el español cubano.

En los últimos tiempos se ha extendido considerablemente el uso del diminutivo afectivo en nombres y adjetivos.

Formas verbales

De acuerdo con las tendencias generales del español moderno, el antillano ha ido olvidando el pretérito anterior y los futuros de subjuntivo. Asimismo, prefiere las perífrasis a las formas sintéticas *(voy a ir)* y la concordancia refleja *(se venden aguacates)*. Con el español de América comparte la tendencia a los verbos pronominales *(demorarse, enfermarse, amanecerse)*.

Es general el uso conjugado de los unipersonales (*habemos, habían, habrán, harán, hacen*; menos aceptados, *hubieron, hain*). Se extienden formas del tipo *dijistes, vinistes*, y la frase [estar + gerundio] desplaza presentes y futuros (*está saliendo*, por 'sale'; *estará presentándose* por 'se presentará'). En Puerto Rico es frecuente esta frase en pasiva: *está siendo buscado*, por *se busca*.

Es alta la frecuencia del pretérito simple perfecto *(salió)* frente al compuesto *(ha salido)*, motivada por varios factores discursivos y por el tipo de acción expresada.[62]

La alta frecuencia que alcanzan en Puerto Rico determinadas estructuras, posibles o latentes en la lengua española, están sin duda motivadas por influencia del inglés, que actúa, en estos casos, como factor condicionante. El anglicismo consiste en el alto índice de uso alcanzado, en perjuicio de otras construcciones, como el abuso de la voz pasiva o de la frase [estar + gerundio]. Junto a estos casos de *convergencia*, la *interferencia sintáctica* propiamente dicha produce usos de gerundio como los siguientes: *Lo que hace es comparando muestras*; *Quería saber cuáles eran las compañeras enseñando español*, además de los infinitivos con sujeto propio en subordinaciones finales con *para*, ya explicados.

Otros fenómenos en expansión

Está muy extendido en el español antillano el llamado *queísmo* u omisión de las preposiciones *de, a, en, con*, etc., ante el subordinante *que*, con

---

62.   Julia Cardona, «Pretérito simple y pretérito compuesto; presencia del tiempo-aspecto en el habla culta de San Juan» (*BAPLE*, 7.1 [1979], 91-108).

la gramaticalización del elemento relativo, como en: *Es el muchacho [al] que le regalaron el carro*; *Me di cuenta [de] que...*

Está empezando a extenderse en la zona el fenómeno contrario, o *dequeísmo,* con adición superflua de la preposición *de,* aunque no tenemos estudios sobre su vitalidad.

Existen muchas vacilaciones en el uso de la preposición *a* con el complemento directo de persona, con tendencia a la elisión, como en *Contrató un abogado.*

En Puerto Rico se ha generalizado la preposición *en* por *de (Los sucesos más interesantes en la Biblia...)* y *sobre* con el sentido de *después de, más de (Llegaron sobre las cinco; Perdió sobre veinte libras).*

Caracterización general del léxico

El léxico antillano consta de tres componentes: 1) el *patrimonial,* adaptado a las nuevas realidades y fuente de las creaciones; 2) el *autóctono,* procedente en su gran mayoría de las lenguas indígenas arahuaco-caribes y de las lenguas generales del continente (nahuatl y quechua), y 3) el *africano,* presente en estos territorios desde la llegada de los esclavos.

El léxico de las tres modalidades antillanas descansa en el componente patrimonial, como se demuestra en las investigaciones léxicas recientes, tanto de carácter abarcador,[63] como particular, sobre Puerto Rico,[64] la República Dominicana[65] y Cuba.[66]

El componente patrimonial

El proceso de adaptación se refleja muy pronto en nuevas acepciones adquiridas por muchas voces patrimoniales que, de esta manera, pueden nombrar seres y cosas nuevas, además de servir de punto de partida para creaciones de todo tipo, como las siguientes, entre otras muchas de uso actual cotidiano: *cachete* 'mejilla', *cocotazo* 'coscorrón', *espejuelos* 'lentes o gafas', *esperanza* 'saltamontes verde', *guapo* 'valiente o bravucón', *pantallas*

63. Humberto López Morales, «Léxico», en *El español del Caribe,* pp. 175-226, e *Investigaciones léxicas sobre el español antillano,* Santiago de los Caballeros, Pontificia Universidad Católica Madre y Maestra (PUCMM), 1991.

64. Amparo Morales, *Léxico básico del español de Puerto Rico,* San Juan, Academia Puertorriqueña de la Lengua Española (APLE), 1986; Humberto López Morales, ed., *Léxico del habla culta de San Juan de Puerto Rico,* San Juan, APLE, 1986; María Vaquero, *Léxico marinero de Puerto Rico y otros estudios,* Madrid, Playor, 1986; «Léxico agrícola del español de Puerto Rico» (*Lingüística Española Actual,* X [1988], 255-268); «Presencia lingüística del Oriente peninsular en el Caribe hispánico», en *Príncipe de Viana,* Anejo 13, LIII (1991), 223-242; *Palabras de Puerto Rico. (Con materiales recogidos para el Atlas Lingüístico de Hispanoamérica),* APLE, 1995; «Léxico actual de Puerto Rico» (*Encuentro* [APUE-PR], IX/18-19 [1994-1995], 5-46).

65. A. Cabanes *et al., Léxico de la lengua escrita en la República Dominicana,* Santo Domingo, Universidad Nacional Pedro Henríquez Ureña, 1982; Orlando Alba, *El léxico disponible de la República Dominicana,* Santiago de los Caballeros, PUCMM, 1995.

66. Humberto López Morales, «Tres calas léxicas en el español de La Habana (indigenismos, afronegrismos, anglicismos)», en *Estudios,* pp. 72-87.

'aretes o pendientes', *presenta(d)o* 'atrevido', *yuntas* 'gemelos, juego de dos botones iguales', etc., etc.[67]

En los procesos de adaptación está vivo en el Caribe, como en el resto de América, el léxico marinero. Así: *flete*, 'pago de cualquier transporte'; *aparejo* 'conjunto de cosas', *guindar* 'colgar' amarrar 'atar', *botar* 'tirar', *trinquete* 'fuerte', *maroma* y *maromero* 'acrobacia y acróbata', *embarcarse* 'viajar', y muchas más.

El léxico indígena

Muchos de los indigenismos panhispánicos son antillanos, adoptados por el español en los primeros años de contacto con las culturas arahuaco-caribes, entre ellos: *barbacoa, cacique, caimán, canoa, caoba, carey, hamaca, maíz, piragua* o *sabana*. Junto a éstos viven en las Antillas los indigenismos generales procedentes de otras lenguas, como *aguacate, cacao, cancha, chicle* o *choclate*, además de los términos regionales, como: *ají, areito, batata, cazabe, fotuto, guayo, jején, macana* o *yuca*.

A pesar de la gran cantidad de indigenismos que recogen los diccionarios, sólo una mínima parte pertenece al léxico activo, incluso en territorios de fuerte presencia indígena, como México, donde este vocabulario alcanzó menos del 1 %, en un *corpus* de cuatro millones y medio de palabras.[68]

En las Antillas, los estudios hechos sobre la vitalidad de los indigenismos dieron los siguientes resultados: 97 unidades integran la nómina de indigenismos activos en Cuba,[69] 107 integran el inventario dominicano[70] y 79 el de Puerto Rico.[71]

A pesar de su discreta presencia en regiones, como la antillana, donde las lenguas autóctonas han desaparecido, el léxico indígena es testimonio vivo de la raíz y memoria americanas.

El léxico africano

Los estudios léxicos actuales, orientados a identificar la vitalidad de las palabras, van identificando con precisión las diferencias entre conocimiento y uso de las unidades, lo cual permite conocer la realidad sincrónica.

---

67.   Una reciente investigación sobre Puerto Rico demuestra una vez más el carácter patrimonial de las creaciones léxicas. (Concepción Hernández, *La derivación léxica en el habla culta de San Juan*, tesis doctoral inédita, Universidad de Salamanca, 1996.)

68.   Juan M. Lope Blanch, *El léxico indígena en el español de México*, México, El Colegio de México, 1969.

69.   Humberto López Morales, «Indigenismos en el español de Cuba», en *Estudios*, pp. 50-61.

70.   Orlando Alba, «Indigenismos en el español hablado en Santiago» (*Anuario de Letras* [1976], 71-100).

71.   María Vaquero, «Indigenismos en el español hablado de Puerto Rico», en *Philologica Hispaniensia in Honorem Manuel Alvar*, I, Madrid, Gredos, 1984, pp. 621-640. En el *Léxico básico de Puerto Rico*, los indigenismos representan el 0,17 %; en el *Léxico culto de San Juan*, el 0,73 % y en el léxico recogido para el moderno *Atlas Lingüístico de Puerto Rico*, 1,40 % (M. Vaquero, «Léxico actual»).

Parece haber una retirada irreversible de afronegrismos en nuestra zona, a juzgar por los resultados obtenidos en una reciente investigación sobre Puerto Rico, país caribeño de fuerte mestizaje. Los datos son los siguientes: sólo el 26,7 % de los 131 afronegrismos estudiados[72] tienen uso en el país; el resto se halla en proceso de mortandad o ha llegado ya a la etapa final.

El léxico antillano ha fundido todas las sangres en la savia del tronco patrimonial. Su originalidad responde al mestizaje de una voz robusta que sabe hacer suyos todos los ecos.

---

72.   Son los recogidos por M. Álvarez Nazario, *El elemento afronegroide en el español de Puerto Rico*, 2.ª ed., San Juan, Instituto de Cultura Puertorriqueña, 1974.

PAPIAMENTO

por Dan Munteanu

El papiamento, único idioma criollo de base española con estatus de lengua de cultura y literaria, se habla en la actualidad en las islas Curazao, Aruba y Bonaire (islas ABC), que, junto con las islas Saba, San Eustaquio y San Martín, integran las Antillas Neerlandesas (antes Indias Occidentales Holandesas)[1] con una superficie de 1.011 km^2 y una población de 256.000 habitantes, según el censo de 1992. La distribución demográfica por islas es: Curazao 144.000 habitantes, Aruba 67.000, San Martín 32.000, Bonaire 10.000, San Eustaquio 1.800 y Saba 1.100 habitantes. La población está compuesta por europeos, africanos y, en Aruba y Bonaire, también por indígenas de origen arahuaco-caribe.

La lengua oficial de las Antillas Neerlandesas es el holandés, pero el 79,8 % de la población es papiamentohablante (el 10,6 % habla inglés; el 6,1 %, holandés; y el 3,5 %, otras lenguas, entre ellas el español), según el censo de 1981. «Prácticamente, todas las categorías sociales, desde la gente de la calle hasta los escritores, artistas o científicos hablan el papiamento, que es también la lengua de los medios de comunicación, prensa escrita y audiovisual e instrumento literario, avalado por una rica y valiosa creación literaria oral y culta.»[2] El papiamento es, en la actualidad, una lengua unitaria, en pleno florecimiento, portadora de un nivel de cultura elevado, resultado de una conciencia nacional cada vez más poderosa.

El papiamento presenta modalidades diatópicas y diastráticas que se diferencian exclusivamente en cuanto al léxico. Así, podemos identificar una modalidad curazoleña, con mayor influencia del holandés, y una arubano-bonairense, con mayor influencia del español. La modalidad arubana está fuertemente influida también por el inglés. Estas diferencias se deben a factores extralingüísticos: mayor presencia holandesa en Curazao, donde se halla también la capital, Willemstad; o la poderosa industria petrolera en manos de ingleses en Aruba, entre otros. Así, para 'cerilla', se utiliza *lusafè* (< hol. *lucifer*) en Curazao, *fofo* (< esp. *fósforo*) en Bo-

---

1. Con Holanda, constituyen el Reino de los Países Bajos, dentro del cual, Aruba, por un lado, y las otras cinco islas, por el otro, son autonomías.
2. Dan Munteanu, *El papiamento, lengua criolla hispánica*, Gredos, Madrid, 1996 (en prensa).

naire;[3] o para 'tijeras', *skèr* (< hol. *schaar*) en Curazao, *tiera* (< esp. *tijeras*) en Aruba,[4] etc. En cuanto a las diferencias diastráticas, se puede identificar una modalidad hispanizada, hablada por los descendientes de los sefardíes establecidos en Curazao; una modalidad con influencias holandesas, hablada por el núcleo poblacional de origen holandés; y una modalidad intermedia, el papiamento común, hablado en Curazao por la población de color, numéricamente superior a la blanca.[5] Ilustran esta situación las parejas de sinónimos de origen español y holandés distribuidos por grupos etno-sociales: *ekonomisá/spar* 'ahorrar', *imprimí/drùk* 'imprimir', *pusha/stot* 'empujar', etc.

La isla de Curazao fue descubierta en 1499 por Alonso de Hojeda. En 1527, Juan de Ampíes declara las islas ABC territorios de la Corona española e inicia la acción colonizadora y evangelizadora. En 1634, Johan de Walbeeck y Pierre le Grand conquistan las islas para la Compañía de las Indias Occidentales, interesada por las riquezas y la posición estratégica de las mismas. En 1647, Peter Stuyvesant las convierte en un verdadero centro del tráfico negrero de la zona (entre 1700 y 1715, a Curazao llegan entre 3.500 y 4.000 esclavos al año). La mayor parte de éstos eran destinados a la venta en el continente, pero un número relativamente reducido de cada transporte se quedaba en las islas, para trabajar como criados o en las plantaciones. La mayoría de ellos era originaria del golfo de Benín, Angola y Congo. Hacia 1659, en Curazao se establecen las primeras olas de sefardíes, procedentes de Amsterdam y Brasil, que, en el siglo siguiente, llegan a representar entre un 30 y un 50 % de la población blanca de la islas. Los sefardíes hablaban español, portugués o las dos lenguas.[6] En 1795, Curazao pasa por un breve período de dominación francesa y, en 1800, se convierte en protectorado británico (lo que explica la presencia de galicismos y anglicismos en el léxico). En 1802, por la Paz de Amiens, refrendada por los tratados de París de 1815, vuelve a pertenecer definitivamente a la Corona holandesa.

El papiamento se originó, probablemente, en la segunda mitad del siglo XVII, en Curazao, de donde fue llevado a Bonaire, alrededor de 1700, y

---

3. Manuel Álvarez Nazario, «El papiamento: ojeada a su pasado histórico y visión de su problemática del presente», *Atenea*, IX (1972), 1-2, p. 16.

4. H. L. A. van Wijk, «Orígenes y evolución del papiamento», *Neophilologus*, XLII (1958), p. 179.

5. H. L. A. van Wijk, *op. cit.*, p. 179. Philippe Maurer («El origen del papiamento desde el punto de vista de sus tiempos gramaticales», *Neue Romania*, 4/1986, pp. 132-133) cree posible la existencia de dos o más modalidades del papiamento curazoleño desde el mismo período de su formación: una urbana, más influida por las lenguas europeas, y otra, rural. El primer documento en papiamento conocido hasta la fecha (una carta privada escrita por un judío sefardí), publicado parcialmente en facsímil por Isaac S. Emmanuel y Suzane A. Emmanuel, *History of the Jews of the Netherlands Antilles*, Cincinatti, 1970, reproducido y estudiado por Antoine Maduro, *Bon papiamentu (i un appendix interesante)*, Kòrsou, 1971; Orlando Ferrol, *La cuestión del origen y de la formación del papiamento*, La Haya, 1982; H. P. Salomon, «The Earlist Known Document in Papiamentu Contextuality Reconsidered», *Neophilologus*, LXIV (1982), pp. 367-376, es una prueba a favor de la existencia de sociolectos en esta lengua. Cfr. también los trabajos de May Henríquez, *Ta asina? o ta asana? Abla, uzu i kustumber sefardí*, Kòrsou, 1988; id., *Loke a keda pa simia*, Kòrsou, 1991.

6. Según los datos del primer censo de Curazao, de 1790, la población de la isla era de 19.544 habitantes, de los cuales, 12.804 africanos esclavos, 2.469 holandeses, 1.495 sefardíes y 1.776 libertos (Philippe Maurer, *op. cit.*, pp. 131-132).

a Aruba, hacia finales del siglo XVIII.[7] Se sabe que hacia 1750, los sacerdotes católicos curazoleños utilizaban desde hacía muchos años el papiamento tanto en el servicio religioso como en el trato cotidiano con la población negra, que no hablaba otra lengua.[8]

Uno de los aspectos más estudiados del papiamento es su génesis, que se enmarca en la polémica más general sobre el origen de las lenguas criollas. Tanto los partidarios de la monogénesis (a partir de un protocriollo afro-portugués),[9] como los partidarios de la poligénesis (a partir de una lengua europea base en contacto con lenguas africanas), creyeron encontrar en las estructuras lingüísticas del papiamento argumentos y contraargumentos para una teoría u otra. Esquemáticamente, los escenarios que se han propuesto hasta ahora con respecto al origen del papiamento son los siguientes: *a*) pidgin o protocriollo afroportugués estabilizado antes de ser relexificado por el castellano; *b*) pidgin o protocriollo afroportugués relexificado por el castellano antes de llegar a estabilizarse; *c*) pidgin amerindio-castellano, que se desarrolló durante la dominación española en las islas; *d*) protopidgin antillano de base léxica española; *e*) castellano criollizado directa e inmediatamente; *f*) portugués hablado por los sefardíes criollizado directa e inmediatamente.[10]

Para explicar de manera rigurosamente científica la génesis del papiamento se debe tener en cuenta qué lenguas se hablaban en las islas ABC en el período de formación del criollo, qué posición ocupaba cada una y qué correlación de fuerzas había entre las mismas. Las lenguas que se hablaban en las islas eran: el español, el holandés, el portugués, posiblemente otras modalidades ibéricas,[11] lenguas africanas y, probablemente, una variante del *reconnaissance language* o *foreigner talk* portugués.[12] Entre éstas, el español tuvo siempre una posición privilegiada, porque estuvo presente en las islas ABC desde su descubrimiento hasta hoy y porque tenía un estatus alto, sus hablantes ocupaban en el momento que nos interesa, concretamente los siglos XVI-XVII, un escalón superior en la escala jerárquica de las culturas del mundo.[13] El holandés ocupó también una posición superior,

7.   Philippe Maurer, *op. cit.*, p. 130; Carel de Haseth, «Een bijdrage in de discussie over het ontstaan van het Papiaments», *De Gids* (Amsterdam), 7-8 (1990), pp. 548-557.

8.   Carlos González Batista, *Antillas y tierra firme*, Curazao, 1990, p. 39.

9.   Rodolfo Lenz (*El Papiamento, la lengua criolla de Curazao. La gramática más sencilla*, Santiago de Chile, 1928, p. 80) es el primero en afirmar que el papiamento nació de un pidgin afroportugués, esbozando, de esta manera, *avant la lettre*, la teoría de la monogénesis de los criollos, sugerida ya por Hugo Schuchardt («Kreolische Studien», I-IX, en *Sitzungsberichte der philosophisch-historischen Klasse der kaiserlichen Akademie der Wissenschaften*, Wien, 1882-1891).

10.   Para más detalles sobre las teorías del origen del papiamento, *vid.* Dan Munteanu, *op. cit.*, cap. «Teorías con respecto al origen del papiamento».

11.   Antoine Maduro, *Procedencia di palabranan papiamentu i otro anotacionnan*, 2 tomos, Curazao, 1966.

12.   Philippe Maurer, «Le papiamento de Curaçao: un cas de créolisation atypique?», *Études créoles*, IX (1986), pp. 100 y ss.; *id.*, «La comparaison des morphèmes tempores du papiamento et du palenquero: arguments contre la théorie monogénétique de la genèse des langues créoles», pp. 67-68, en Philippe Maurer y Thomas Stolz, eds., *Varia creolica*, Bochum, 1987, pp. 27-70.

13.   Cfr. Mervyn C. Alleyne, «Acculturation and the Cultural Matrix of Creolization», p. 183, en Dell Hymes, ed., *Pidginization and Creolization of Languages*, Proceedings of a Conference held at the University of the West Indies, Mona, Jamaica, abril 1968, Cambridge, 1971, pp. 169-186.

por su condición de lengua conquistadora. Por esta razón, en la cristaliza-
ción del papiamento se debe tener en cuenta principalmente el proceso
evolutivo de las estructuras lingüísticas del español y, en segundo término,
del holandés, en las condiciones específicas generadas por el contacto lingüístico múltiple y prolongado, que conduce a la aparición de una nueva
lengua. Porque los fenómenos de interferencia y transferencia característicos de todo contacto de este tipo no se producen caóticamente, sino todo
lo contrario: se desarrollan de acuerdo con la dirección que imprime(n)
la(s) lengua(s) con una posición privilegiada, con estatus alto, principalmente la lengua base o madre.[14] En Curazao, en las condiciones generadas
por el contacto múltiple entre lenguas, en una situación periférica,[15] se producen diferentes simplificaciones de los sistemas lingüísticos: desaparecen
las oposiciones sutiles y se consolidan los componentes fuertes, reforzados,
a veces, por elementos de otros sistemas, de manera que las tendencias internas de evolución de las lenguas en contacto se manifiestan con más vigor y pueden llegar a consecuencias últimas; se simplifica el sistema de la
lengua base (el español), debido al conocimiento imperfecto de la misma
por los hablantes africanos que le aplican una serie de estrategias como:
simplificación de las categorías gramaticales, sobregeneralización de una
opción entre las distintas permitidas por la variabilidad del sistema, regu-
larización de paradigmas, intercambio de códigos, etc. Simultáneamente,
elementos y/o (sub)sistemas con una fuerte realidad psicológica en las lenguas africanas se transfieren al naciente criollo, porque no pueden ser sustituidos por la lengua base.[16] El resultado de este complejo proceso es la
aparición de una nueva lengua, en determinadas condiciones sociolingüísticas bien definidas. Resumiendo: el español, lengua base, evoluciona según sus propias tendencias internas, estimuladas por la situación periférica; acepta interferencias y transferencias externas, de otras lenguas, debido a la permeabilidad de los sistemas lingüísticos; y se convierte en una
nueva lengua, el papiamento, con forma propia, estabilidad, autonomía de
norma y funciones múltiples (lengua materna, literaria, de cultura).

El aspecto más característico del papiamento es el acento tonal con papel fonológico, heredado de las lenguas africanas, independiente del acento dinámico. Así, existen parejas como: *sinta* 'sentarse' ~ *sintá* 'sentado';
kura 'curar' ~ *kurá* 'corral; jardín', que se distinguen por el acento dinámico. Y parejas como: *tapa* _´ - 'tapar(se)' ~ *tapa* -´ _ 'tapa'; *para* _´ -
'parar(se)' ~ *para* -´ _ 'pájaro', que se distinguen por el acento tonal.[17] El sistema tonal papiamento está constituido por dos fonemas: uno alto o agu-

    14.   Dan Munteanu, *El papiamento. Origen, evolución y estructura*, Bochum, 1991, pp. 55-62; *id.*,
El papiamento, lengua criolla hispánica, ya citada, cap. «Contacto lingüístico y criollización».
    15.   Cfr. Bertil Malmberg, «L'extension du castillan et le problème des substrats», p. 250, en *Ac-
tes du Colloque International de Civilisations, Littératures et Langue Romanes (Bucarest, 1959)*, Bucarest, 1962, pp. 249-260.
    16.   Manuel J. Gutiérrez y Carmen Silva-Corvalán, «Clíticos del español en una situación de
contacto», *Revista Española de Lingüística*, 23/2 (1993), pp. 207-220.
    17.   Sidney M. Joubert (*Dikshonario papiamentu-hulandes*, Curazao, 1991, pp. 323-330) presen-
ta un listado de 251 parejas de palabras cuyo significado cambia cuando cambia el tono.

do y otro bajo o grave. Maduro[18] indica 23 combinaciones diferentes de tonos, mientras, según Römer,[19] las combinaciones posibles serían 29. Existen sílabas de tono fijo (alto o bajo) y sílabas sin tono fijo. En este último caso, el acento tonal se rige por la ley de la polarización o disimilación tonal, según la cual, a la sílaba sin tono fijo se le asigna un tono que polariza con el tono (fijo o no) de la sílaba inmediatamente siguiente: *e kaminda largu* - _ - _ - _ 'el camino largo', pero *e kaminda kòrtiku* - _ - - _ - _ . En la oración, el patrón tonal varía según ésta es enunciativa, interrogativa, afirmativa o negativa: *outo grandi riba kaya* - _ - _ - _ - _ '(un) automóvil grande en la calle', pero *outo grandi riba kaya?* - - - - - _ - - .[20]

El sistema fonético-fonológico del papiamento es el resultado de evoluciones fonéticas del español que, en gran parte, se observan también en variedades diacrónicas y diatópicas peninsulares y, particularmente, americanas. Existen también casos resultados de evoluciones internas propias del criollo, independientes del español,[21] o del contacto lingüístico en el período de su formación.

El sistema vocálico, triangular, está constituido por diez fonemas, con cinco grados de abertura, distribuidos de la siguiente manera: *a*) serie anterior: /i/, palatal, cerrada: *iglesia, inventivo, nir, firkant*; /e/, palatal, mediocerrada: *efisiensia, pechu, sker, nechi*; /è/, palatal medio-abierta: *èrko, etikèt, skèr, nèchi*; *b*) serie central: /a/, central, abierta: *akabado, aliniá, tapa, para*; /ə/, central, medio-cerrada: *tiger, pober, nòmber, liber*; /ù/, central, medio-cerrada, labializada: *bùs, brùg, mùf, kontrolùr*; *c*) serie posterior: /u/, velar, cerrada: *urgensha, uzu, mundu, tuma*; /o/, velar, medio-cerrada: *ofisina, bonchi, kome, loko*; /ò/, velar, medio-abierta: *òmelet, bònchi, kòl, djòki*. El décimo fonema es /ü/, palatal cerrada, labializada: *hür, püs, minüt, partitür*.[22]

Se observa que, en comparación con el español, el vocalismo papiamento se enriquece con los fonemas /ə/, /è/, /ò/, /ù/, /ü/, que proceden del holandés (y/o inglés o francés, lenguas de superestrato en el período tardío del desarrollo del papiamento). En la etapa de formación del papiamento, estos fonemas tenían una distribución limitada a las palabras holandesas, pero debido a las evoluciones fonéticas que se operaron durante la génesis del criollo, palabras de diferentes orígenes llegaron a formar parejas mínimas, basadas en nuevas correlaciones de abertura, localización y labiali-

18. Antoine Maduro, *Ensayo pa yega na un representashon gráfiko di entonashon di palabranan papiamentu*, Curazao, 1973.

19. Raúl G. Römer, *Studies in Papiamentu Tonology (Carribean Culture Studies 5)*, Amsterdam y Kingston, 1991, pp. 29-96.

20. Para detalles sobre el sistema tonal papiamento, *vid.* Sidney M. Joubert, «Asentuashon na Papiamentu», *Kristòf* (Kòrsou) III (1967), 3, pp. 127-138; *id.*, «El papiamento, lengua criolla tonal», en *Actas del VIII Congreso Internacional de la Asociación de Lingüística y Filología de la América Latina*, San Miguel de Tucumán, 7-11 de septiembre de 1987 (en prensa).

21. Cfr. José Pedro Rona, «Elementos españoles, portugueses y africanos en el papiamento», *Watapana* (Kòrsou) III (1971), 3, pp. 7-23; *id.*, «Réhispanisation de langues créoles aux Antilles. Étude sur la divergence et la convergence», en *Actes du XIIIè Congrès International de Linguistique et Philologie Romanes tenu à l'Université Laval (Québec, Canadá), 29 août-5 septembre 1971*, t. II, Québec, 1976, pp. 1015-1025.

22. Sekshon Informativo di Schooladviesdienst pa promoshon di bon uzo di papiamento den enseñansa i komunidat, *Ortografia di papiamentu*, Kòrsou, 1983, p. 3; Raúl G. Römer, *op. cit.*, p. 42.

dad: *sker* 'romper, rasgar, desgarrar' ~ *skèr* 'tijeras', *bonchi* 'judías' ~ *bònchi* 'paquete'.

Entre los fenómenos característicos del vocalismo, particularmente átono, se registran modificaciones que caracterizan las variedades diatópicas, diacrónicas y diastráticas del español, especialmente americano, así como otras, que se deben al contacto del español con otras lenguas, principalmente africanas y holandés: *a*) el cierre de las vocales medias: posición protónica: *pecado > piká, semana > simán; costilla > kustía, dormir > drumi*; posición postónica: *llave > yabi; amigo > amigu, padrino > padrinu; b*) asimilaciones: *destino > distinu, responder > rospondé, tortuga > turtuka, perseguir > pursuguí; comprender > komprondé, confirmar > konformá; cebolla > siboyo, año > aña, calle > kaya, viaje > biaha; c*) disimilaciones: *leche > lechi, revés > robés; d*) desaparición de vocales: en posición protónica, desaparecen, por lo general, [a], [e], [i], fenómeno relacionado con la tendencia del criollo a reducir las palabras a dos sílabas: *arriba > riba, desparramar > plama, engañar > gaña, caminar > kamna, kana; escribir > skirbi, estrella > strea, exclamar > sklama*;[23] en posición postónica: *cosa > kos, clase,* hol. *klas > klas, pájaro > para, muchacho > mucha; e*) aparición de vocales: *delgado > delegá, colgar > kologá,* hol. *knopen > konopá* 'anudar'; *sal > salu, red > reda, ayer > ayera,* hol. *trap > trapi* 'escalera', hol. *vork > fòrki* 'tenedor'.[24]

El sistema consonántico está integrado por 21 fonemas: serie oclusiva: /p/, /b/, /t/, /d/, /k/, /g/; serie fricativa: /f/, /v/, /s/, /z/, /š/, /ž/, /x/, /h/; serie africada: /š/, /ĝ/; laterales: /l/; vibrantes /r/; nasales: /m/, /n/, /ṇ/.[25]

En comparación con el consonantismo español, se enriquece la serie de las fricativas con las palatales /š/, /ž/, con la labiodental /v/, la dental /z/, parejas sonoras de /f/ y /s/, respectivamente, y la glotal sorda /h/. En la serie de las africadas se restablece la correlación de sonoridad: /š/ ~ /ĝ/. Casi todos estos sonidos existieron en el español del siglo XVI y comienzos del XVII como fonemas o realizaciones fonéticas y algunos siguen existiendo en variedades dialectales peninsulares, americanas y en el judeoespañol. Su presencia en el papiamento se debe al contacto lingüístico entre el español, el holandés y el portugués sefardí, cuando, con los préstamos léxicos a gran escala de los últimos dos al español, se refuerza la posición de unos fonemas o se fonologizan alófonos. También debemos tener en cuenta el papel de las leyes fonéticas propias del papiamento, como la palatalización de la [s] + yod o [i]: *siete > shete; oficio > ofishi, cocina > kushina*; y la palatalización de [d] + yod: *día lunes > djaluna, día martes > djamars*. En cambio, de-

---

23. La aféresis de la *e-* protética es un fenómeno muy llamativo, explicado por R. Lenz (*op. cit.,* p. 183) y John C. Birmingham Jr. (*The Papiamentu Language of Curaçao,* Ann Arbor, 1971, p. 23) por la influencia africana. Sin rechazar esta opinión, consideramos que debemos tener en cuenta también la tendencia propia del papiamento de reducir el cuerpo fónico de las palabras a dos sílabas (Alonso Zamora Vicente, *Dialectología española,* 2.ª ed. muy aumentada, Madrid, 1967, p. 443), la tendencia general románica, especialmente occidental, hacia las formas sincopadas y la influencia de los préstamos masivos del holandés que empiezan con *s* + consonante.

24. Según la mayoría de los especialistas, la aparición de la *-i* final paragógica en los monosílabos de origen holandés se produce por influencia de los sufijos holandeses *-je, -tje* que, en distintas modalidades dialectales de Holanda, se pronuncian con una *i* muy fuerte.

25. *Ortografia di papiamentu,* ya citada, pp. 9-10.

saparecen los fonemas españoles /θ/: *cabeza > kabes, medicina > medisina*; /ʎ/: *costilla > kustia, caballo > kabai*, manifestaciones evidentes del seseo y del yeísmo; así como la vibrante múltiple: *cimarrón > shimaron, carrera > kareda*, fenómeno difundido en variedades diatópicas del español, especialmente americano, y general en el español de Guinea, Filipinas, el judeoespañol y los criollos de base hispánica.

Los fenómenos más llamativos que se producen en el consonantismo son: *a)* modificaciones por influencia de las nasales, debido a las lenguas africanas: *camarón > kabaron; camino > kaminda*; epéntesis: *jugar > hunga, negar > nenga*; asimilaciones: *la mar > laman; b)* diferentes evoluciones de /d/: *todo > tur; candado > kandal; pescado > piská*, como en varias modalidades del español americano y en variedades diacrónicas del español peninsular, reforzadas, en este caso, por tendencias similares en las lenguas africanas; *c)* metátesis de /r/, /l/ o alternancia: *probar > purba; olvidar > lubidá; pulga > purga; arrastrar > lastra; d)* pérdida de /r/: *peor > pió, pescador > piskadó; sombrero > sombré, tortolica > totolica*, como en distintas variedades diacrónicas y diatópicas del español y, por lo general, en el habla popular;[26] *e)* pérdida de /x/ en posición intervocálica: *abajo > abou, oreja > orea; f)* reducción de los grupos consonante + /w/: *aguantar > wanta, guapo > wapu*; los últimos dos fenómenos son también bastante difundidos en distintas variedades del español, sobre todo americanas.

En el dominio de la morfosintaxis, los aspectos más importantes son los siguientes: desaparece la categoría del género, debido a la influencia africana y, en parte, a la situación vacilante del español americano como en los casos: *el costumbre ~ la costumbre*. En la clase de los animados se marca la distinción masculino/femenino mediante diversos procedimientos que siguen modelos españoles: palabras con raíces distintas: *hòmber/muhé, toro/baka*; formas masculinas y femeninas diferentes: *aktor/aktris, gai/galiña*; la desinencia *-a: señor/señora, amigu/amiga*; determinantes: *ruman hòmber* 'hermano' / *ruman muhé* 'hermana', *buriku machu* 'burro' / *buriku muhé* 'burra', *palomba* 'paloma' / *palomba gai* 'palomo'.

El marcador del plural es la desinencia *-nan*, que es también el pronombre personal de sexta persona, de origen africano: *kas* 'casa' / *kasnan* 'casas, *buki* 'libro' / *bukinan* 'libros'. Cuando la frase nominal incluye uno o más modificadores, la pluralidad la puede aportar el modificador, sin que el núcleo reciba la desinencia: *tur stul* 'todas las sillas'. Si los modificadores son varios y antepuestos, el sustantivo recibe la marca de plural: *tur mi bukinan ta na kas* 'todos mis libros están en casa'. Si el modificador es un adjetivo calificativo, el plural está marcado también por *-nan: e kasnan bunita* o *e kas bunitanan* 'las casas bonitas'.

El artículo definido tiene una sola forma *e*, con la salvedad de algunos conservados en palabras o sintagmas españoles petrificados: *lareina (< la*

---

26.   El hecho de que algunos de estos fenómenos afectan también a los préstamos del holandés penetrados tempranamente en el naciente criollo (hol. *schouder* > pap. *skouru*; hol. *schuier* > pap. *skeiru*; hol. *metsselaar* > pap. *mèslá*; hol. *kakkerlak* > pap. *kakalaka*) es un argumento a favor del papel director del español en el contacto lingüístico generador del criollo, ya que las transformaciones que se operaron en los distintos sistemas siguieron sus tendencias internas de evolución.

reina), alavez (< a la vez), Labirgui (< la Virgen). Cuando está precedido por una palabra que termina en vocal se produce la apócope de ésta y, a veces, una fusión: *pa e hòmber > p'e hòmber; di e > dje*. Se utiliza, básicamente, para reforzar otros determinantes. El artículo indefinido tiene la forma *un*, para singular y *algun*, para plural.

Los adjetivos calificativos se han fijado con forma única de masculino o femenino, sin obedecer a regla alguna: *duru (< duro), haltu (< alto)*, al lado de *bunita (< bonito, -a), marga (< amargo, -a)*. Generalmente se posponen al sustantivo; unos pocos, de origen español como *grandi (< grande), pober (< pobre), mal, malu (< mal, malo), dushi (< dulce)*, cambian su significado de acuerdo con la posición respecto del sustantivo: *un mucha pober* 'un niño pobre' ~ *un pober mucha* 'un pobre niño'.

La comparación hereda del español el sistema y parcialmente las modalidades lingüísticas. El comparativo se construye con los adverbios *mas, menos* y *mes (< esp. ant., pg. mesmo)* y el elemento introductorio del término de comparación *ku (< esp. que)*, con los valores del esp. *que* y esp. *como*. El superlativo relativo se construye con *di mas* y *di: su kas ta esun di mas grandi di tur kas* 'su casa es la más grande de todas (las casas)'. El superlativo elativo se construye con *mashá (< esp. demasiado)*, sustituido frecuentemente por *hopi (< hol. hoop 'mucho')*. Los dos adverbios son intercambiables en muchos contextos: *Maria ta mashá/hopi bunita* 'María es muy guapa'.

El pronombre personal tiene las siguientes formas absolutas: *mi, ami; bo, abo; e (el, ele); nos, anos; boso (bosonan), aboso; nan, anan*. Las formas para las primeras cinco personas son de origen ibérico (español y posiblemente portugués). La forma para la sexta es africana. Es muy probable que la presencia de esta forma en el paradigma se deba a las posibles confusiones con la tercera persona, debido a las evoluciones fonéticas habituales en papiamento[27] pero sobre todo a su función enfatizadora en las lenguas africanas y de marcador del plural en papiamento.[28] La posesión se expresa con la ayuda de las mismas formas (excepto la tercera persona que sustituye a *e* por *dje*) precedidas de la preposición *di: (e) di mi* '(el) mío, (la) mía', *(e) di bo, (e) di dje*, etc. Cuando funcionan como adjetivos posesivos antepuestos al determinado, para la tercera persona se emplea *su*. El sistema de los demostrativos es bidimensional. Las formas son el resultado de una combinación entre un demostrativo y un adverbio de lugar que marca la oposición proximidad ~ lejanía: *esaki* 'éste, ésta'; *esei* 'ese, esa'; *esaya* 'aquel, aquella'. Los relativos, interrogativos e indefinidos son continuadores de pronombres españoles.

El numeral cardinal continúa el sistema español. El ordinal se construye con las formas del cardinal precedidas de la preposición *di: di dos, di tres*, etc., además de unos pocos heredados del español: *promé, segundo, terser*.

27. R. Lenz, *op. cit.*, p. 186.
28. France Mugler, *A Comparative Study of the Pronominal System of Romance-based Creoles*, Michigan, 1983, pp. 148 y ss.; John C. Birmingham Jr., *op. cit.*, p. 64.

El verbo es, quizás, la categoría más influida por las lenguas africanas, porque éstas poseían un sistema muy disinto, basado en oposiciones aspectuales, que tenía una fuerte realidad psicológica y no pudo ser sustituido totalmente por el español. El paradigma completo de la conjugación es la siguiente: *(mi) ta kanta* '(yo) canto'; *(mi) a kanta* 'canté / he cantado'; *(mi) ta'a (tabata) kanta* 'cantaba'; *lo (mi) kanta* 'cantaré'; *lo (mi) ta kanta / kantando* 'estaré cantando'; *lo (mi) tabata kanta / kantando* 'estaría cantando'; *lo (mi) a kanta* 'habré cantado'; *(si mi) kanta* 'si canto'; *(pa mi) kanta* '[(para) que] cante'; *kanta* 'canta', cantad'; *kanta* 'cantar'. Se observa que: *a)* el verbo con función predicativa tiene forma única, invariable, que procede, muy probablemente, de una de las formas más utilizadas por los europeos: presente del indicativo y/o el imperativo; o el infinitivo (con la intención de simplificar el mensaje); *b)* el participio perfecto (construido según modelo español y holandés) se utiliza sólo con valor adjetival o para formar la voz pasiva: *mi ta kansá* 'estoy cansado', en oposición a *mi a kansa* 'me cansé'; *c)* para expresar diversos valores temporales y modales se emplean las partículas: *ta* (< esp., pg. *estar*, en las perífrasis con el gerundio); *a* (< esp. *haber*; pg. *haver*); *tabata* (< *taba* + *ta* <*estar*_{imperfecto} + gerundio); *lo* (< pg. *lôgo*, esp. *luego*); *d)* la presencia de perífrasis *ta* + gerundio demuestra que la construcción de tipo *ta kanta* no expresa el valor continuativo que tenía *estar* + gerundio cuando fue identificada, probablemente, por los africanos con construcciones aspectuales parecidas de sus propias lenguas: *mi ta huma djes sigaria pa dia* 'fumo diez cigarrillos al día' y *awor mi ta humando un sigaria* 'ahora estoy fumando un cigarrillo'.

Varios especialistas[29] aprecian que las partículas del paradigma papiamento son de origen africano y pertenecen a un sistema basado en categorías aspectuales binarias (perfectivo ~ imperfectivo, continuo ~ no continuo). Consideramos que el problema es más complejo: el sistema africano se fundió, en realidad, con el español, en la medida en que los elementos de ambos no eran irreconciliables. Se llegó así a una simplificación del sistema español en cuanto a tiempos y modos, que asimilaron también valores aspectuales; y a un enriquecimiento del sistema aspectual africano que, mediante la combinación de varias partículas, podía expresar también valores modales y temporales semejantes a los del español. El resultado fue un sistema verbal formalmente más simple que el español, analítico, capaz de expresar tanto los valores del sistema base como los de las lenguas africanas, sin necesidad de recurrir a perífrasis.

La voz pasiva se construye con los verbos auxiliares *ser, keda* (de origen español) y *wòrdu* (de origen holandés): *e kas ta ser / keda / wòrdu kumprá pa mi tata* 'la casa es comprada por mi padre'. Cuando se contruye sólo con *ta* + participio perfecto, expresa una acción terminada: *e kas ta pintá*

29.   Mencionamos entre otros a José Pedro Rona, «Elementos españoles, portugueses y africanos en el papiamento», citado anteriormente; Germán de Granda, *Lingüística e historia: temas afrohispánicos*, Valladolid, 1988, pp. 21-30; Carmen Valeriano Salazar, «A Comparison of the Papiamento and Jamaican Creole Verbal Systems», Montreal, McGill University, 1974, tesis doctoral.

'la casa está pintada' equivale a *e kas a wòrdu / ser / keda pintá* 'la casa fue / ha sido pintada'.

La voz reflexiva se expresa mediante tres modalidades: *a*) con el pronombre personal con valor reflexivo pospuesto al verbo: *mi ta sinti mi malu* 'me siento mal'; *b*) con el pronombre posesivo + *mes* 'mismo': *e ta puntra su mes* '(él) se pregunta (a sí mismo)'; *c*) con el sustantivo *kurpa* (< esp. *cuerpo*) precedido o no por el pronombre posesivo: *el a laba su kurpa* 'se lava'.

Un aspecto peculiar del verbo papiamento es el de los llamados verbos seriales, que pueden yuxtaponerse, pero conservan su cualidad de verbo independiente: *el a para mira e barkonan* 'se detuvo a mirar los barcos = mira los barcos'; *el a bula bisa* '*habló volando = habló de repente'. La cuestión de estas construcciones no está aclarada todavía. Muchos consideran que se trata de una irrefutable influencia africana (lenguas occidentales del grupo kwa, que presentan construcciones similares).[30]

Los sufijos más productivos y característicos son *-mentu, -shon* y *-dó (-dor): navegamentu, negamentu, eskalashon, desertashon, kapdó, trahadó*.

El léxico es principalmente de origen español y holandés. Según Maduro,[31] de 2.426 palabras, que podrían constituir el vocabulario básico del criollo, el 66 % es de origen ibérico e hispanoamericano, el 28 % de origen holandés y el 6 %, de otros orígenes, datos que confirman los de Lenz[32] de hace más de sesenta años. El análisis del lexicón actual pone de manifiesto que los lexemas papiamentos correspondientes al «núcleo del vocabulario representativo del español» (210 unidades) son casi todos de origen español.[33]

El papiamento sufre una fuerte influencia del español, del inglés (sobre todo a través de los medios audiovisuales) y la presión oficial del holandés. La influencia del español hizo que varios especialistas hablaran de descriollización y (re)hispanización.[34] Sin embargo, si bien se pueden registrar ciertos procesos fonológicos de descriollización bajo la influencia del español, la (re)hispanización es, de hecho, una ampliación del vocabulario mediante préstamos hispánicos,[35] expansión interna natural determinada por la necesidad de desarrollar áreas léxicas y complejidades sintác-

30. El procedimiento puede responder a la necesidad de expresar una serie de relaciones sintagmáticas en las lenguas que no tienen flexión nominal y un sistema preposicional rico. Philippe Maurer [*Les modifications temporelles et modales du verbe dans le papiamento de Curaçao (Antilles Néerlandaises). Avec una anthologie et un vocabulaire papiamento-français*, Hamburgo, 1988 p. 255] opina que se trata de una estrategia de las lenguas que poseen sólo dos argumentos (uno sujeto y otro objeto) para llegar a construcciones con tres argumentos. Para más detalles sobre el tema, *vid.* Carmen Valeriano Salazar, *op. cit.*, pp. 70-98. Cfr. también Antonio Quilis, «La lengua española en Filipinas y en Guinea Ecuatorial», *Boletín Informativo de la Fundación Juan March*, 226 (1993), pp. 3-16, para construcciones perifrásticas semejantes en el español guineano.

31. A. J. Maduro, *Ensayo pa yega na un ortografia uniforme pa nos papiamentu*, Curaçao, 1953, pp. 43-134.

32. Rodolfo Lenz, *op. cit.*, pp. 207-260.

33. Dan Munteanu, *op. cit.*, cap. «Léxico». Para detalles sobre el concepto de «vocabulario representativo», *vid.* Marius Sala, coord., *Vocabularul reprezentativ al limbilor romanice*, Bucarest, 1988.

34. Alonso Zamora Vicente, *op. cit.*, p. 446; H. L. A. van Wijk, *op. cit.*, p. 176.

35. Josephine Clemesha, *Hispanización y desacriollamiento* [sic] *en papiamento* [*Trayecto*, Anejo III (1981)], Utrecht, pp. 51-52.

ticas.[36] La preferencia por el español como fuente de préstamos léxicos se explica por factores históricos y socioculturales (posición privilegiada y continua del español en las islas, contactos permanentes con el entorno hispanohablante, matrimonios mixtos con hispanos, afinidades culturales, espirituales, religiosas, y, no en último lugar, el hecho de que el español nunca fue la lengua del colonizador, como el holandés). Además, tal preferencia puede ser una reacción natural o consciente ante la presión de la lengua oficial y el peligro de «holandización» del criollo. A pesar de esta difícil situación, el papiamento, «este tierno retoño lingüístico del milenario tronco castellano, nacido, nutrido y desarrollado en tres ínsulas-cunas de la hispanidad americana»[37] es, en la actualidad, la lengua de una comunidad orgullosa de hablarla, con ricas tradiciones culturales y una interesante literatura oral y culta.

---

36.   Cfr. Humberto López Morales, *Sociolingüística*, Madrid, 1989, p. 149.
37.   Manuel Álvarez Nazario, *op. cit.*, p. 20.

CONTINENTE

MÉXICO

por Juan M. Lope Blanch

Características generales

La modalidad de la lengua española que cuenta en la actualidad con el mayor número de hablantes es la mexicana: alrededor de 80 millones de personas. Por otra parte, la lengua española es el único idioma oficial del país, su lengua nacional.

El español de México podría caracterizarse en su conjunto y en líneas generales por los mismos rasgos con que Max L. Wagner caracterizó al español de toda América: «*variedad* dentro de la *unidad* fundamental» del sistema lingüístico.[1] La lengua española es, en efecto, la misma en todo el territorio mexicano, sin dejar por ello de presentar —como después veremos— diferencias más o menos acusadas en sus diversas regiones geográficas.

En el sector fonético, el español de México —como el de prácticamente toda América— realiza un total *seseo* y —como el de gran parte de América— un generalizado *yeísmo*, sin que exista zona alguna distinguidora de /ʎ/ frente a /y/. Contra lo que sucede en otras hablas hispánicas, la mexicana culta posee un consonantismo firme, que se manifiesta en la sistemática conservación de las sonoras intervocálicas /b, d, g/ y en la plena articulación de los fonemas integrantes de los llamados grupos cultos. Así, el español de México mantiene la dental de la terminación -*ado*, así como todos los fonemas consonánticos de las secuencias /kst/ (*extraordinario, texto*), /ksk/ (*exquisito*), /nst/ (*construir*) /bst/ (*abstracto*), /ks/ (*examen, satisfacción*), /kt/ (*acto*), /tl/ (*atlas*), etc., y rechaza, como vulgares, las realizaciones del tipo *cansao, estremo, escusar, costruir, testo, satisfación, adlas* [áθlas], (áθto), etc. En la mayor parte del país, la sibilante /s/ se mantiene firmemente en toda posición silábica, y sólo en zonas costeras —no en todas— se aspira o llega a elidirse: [móhka], [dóníño]. El firme mantenimiento de la /s/ en el altiplano mexicano ha sido uno de los rasgos fonéticos que más

---

1. «La caratteristica dello spagnolo d'America si può riassumere in questa definizione: varietà nell'unità e unità nella differenziazione» (M. L. Wagner, *Lingua e dialetti dell'America spagnola*, Florencia, 1949, p. 147).

han llamado la atención de los filólogos.[2] El *tempo* de elocución del habla mexicana es lento, y el tono, moderado. Los mexicanos, por lo general, prestan cuidadosa atención a su expresión hablada y se esmeran por mantener la propiedad de la lengua.

La norma lingüística mexicana presenta una notable proximidad a la norma hispánica ideal, al ideal de lengua que los hablantes cultos de cualquier región hispánica tratan de practicar. Ello podría ser fruto del alto nivel cultural que alcanzó, desde fecha muy temprana, el Virreinato de la Nueva España, y que Menéndez Pidal ha recordado en un estudio luminoso: «La ciudad de Méjico fue, naturalmente, guía soberana en la formación del lenguaje colonial más distinguido. Prodigio de asimilación cultural, único en la historia de las naciones coloniales, ostentó muy pronto un nivel de vida espiritual y material comparable al de las mayores ciudades de la metrópoli. Conquistada en 1521, a los ocho años tenía sede catedral; en 1535 comienza a ser corte de virreyes; se hace cabeza de arzobispado en 1547; en 1530 empieza a tener imprenta, la primera del Nuevo Mundo; inaugura pomposamente su universidad en 1553, y el ambiente literario a que ella sirve de centro atraía a su seno... a los más ilustres escritores sevillanos.»[3]

Raras son las ocasiones en que el español de México se aparta de esa norma hispánica ideal. En el terreno fonético, un solo caso relativamente común, y algunos más de carácter esporádico. Frecuente, en efecto, es en el habla mexicana, inclusive en su nivel culto, la diptongación de los hiatos /ea/, /eo/, /oa/, /oe/, en formas como /tjátro/, /pjór/, /twáya/ o /pwéta/, que en otras normas hispánicas se rechazan como vulgares.[4] Una de las peculiaridades del habla mexicana que más ha atraído el interés de los estudiosos ha sido la debilitación y aun pérdida de las vocales, especialmente en contacto con /s/, en casos como *ant's, pés's, noch's* o, inclusive, *ch'ste*, y muy particularmente ante pausa. Sin embargo, el fenómeno es sólo ocasional en la mayor parte de los mexicanos y, por otro lado, se ha recogido también en boca de hablantes de diversos países americanos, como el Perú, Bolivia, El Salvador, el Ecuador, Colombia y aun la Argentina.[5]

También es minoritaria —aún más que el fenómeno anterior— la asibilación de la vibrante /r/ en posición final de palabra, pero no en comienzo de sílaba ni precedida de /t/, como sí sucede en otras hablas hispánicas. En la mexicana, la asibilación —con sonoridad o ensordecida— se produ-

2. Particularmente de P. Henríquez Ureña y de A. Alonso: «Es bien conocida la *s* mejicana, dental, apoyada en los incisivos inferiores, de timbre agudo, singular por su longitud entre todas las del mundo hispánico» («Mutaciones articulatorias en el habla popular», en *Biblioteca de Dialectología Hispanoamericana*, IV, 1938, p. 336).

3. Cfr. su artículo «Sevilla frente a Madrid. Algunas precisiones sobre el español de América», en *Miscelánea Homenaje a André Martinet*, vol. III (edit. por D. Catalán), Universidad de La Laguna, 1962, p. 158.

4. Sobre su relativa vitalidad, cfr. G. Perissinotto, *Fonología del español hablado en la ciudad de México*, El Colegio de México, 1925, pp. 84-90.

5. Cfr. mi artículo «En torno a las vocales caedizas del español mexicano», en *NRFH*, XVII (1963-1964), pp. 1-19. También en mi libro *Estudios sobre el español de México*, México, UNAM, 2.ª ed. 1983, pp. 57-77.

ce casi exclusivamente ante pausa: [salíř/], [koméř/], [atář/]. Es asimismo ocasional el rehilamiento de /y/, si bien en posición inicial absoluta el fenómeno va en aumento, a favor de su realización africada /ẑ/.

En el dominio gramatical, las desviaciones mexicanas respecto de la norma hispánica ideal son también muy reducidas en número. La anomalía más generalizada en todos los niveles socioculturales es la errónea concordancia de los pronombres átonos de tercera persona *lo, la* con antecedente singular pero construidos en plural por hacérseles portadores de la pluralidad correspondiente al pronombre invariable *se* precedente. Es decir que cuando, en los sintagmas *se lo* y *se la*, el antecedente de *se* es plural, el morfema *-s* de pluralidad que correspondería a ese pronombre invariable *se* se traspasa a *lo* o a *la*: «Di el libro a tus padres» → «Se *los* di»; «Di la noticia a tus padres» → «Se *las* di». Esta errónea construcción —prácticamente general en México— es común en otras muchas hablas hispanoamericanas.[6] En cambio, la norma lingüística mexicana no practica el leísmo ni, mucho menos, el laísmo.

Peculiar del español mexicano es el uso de las preposiciones *desde* y *hasta* para indicar no sólo el límite inicial y final respectivamente de una acción imperfectiva o durativa, sino también el momento en que se realiza una acción cualquiera, aunque sea perfectiva y aun momentánea: «Regresé *desde* el sábado» o «Se casó *hasta* los 40 años» y, en uso conjuntivo, «*Hasta que* me casé supe lo que era comer bien». Tales nexos poseen un valor intensivo, enfático, de manera que estos ejemplos significan '*Ya el sábado regresé*' (cuando se me esperaba para el lunes), y '*Se casó cuando tenía ya* 40 años'.[7]

Anomalía también muy común en el habla mexicana —inclusive en su nivel culto, coincidiendo en ello con otras muchas hablas hispanoamericanas— es la personalización del verbo *haber* convirtiendo en su sujeto lo que es el objeto en el adecuado uso impersonal: «*Hubieron* muchas fiestas», «*Habemos* muchos inconformes», etc. El fenómeno se extiende a los verbos que funcionan como auxiliares de *haber*: «*Van* a haber muchas protestas», «*Debían* haber más de cien personas».

Como en el resto de Hispanoamérica, las formas de la segunda persona del plural, tanto pronominales como verbales, han caído en total desuso,[8] y han sido sustituidas por las correspondientes de tercera persona: «¡Ay, niños! ¡Qué traviesos *son* ustedes!» La eliminación alcanza, naturalmente, a las formas posesivas: *vuestro* cede su lugar a *suyo* o *de ustedes*.

Los fenómenos de *dequeísmo* y de *queísmo* se han extendido rápida y violentamente durante los últimos lustros por todos los niveles del español

6. Cfr. Ch. E. Kany, *American-Spanish Syntax*, 2.ª ed., Chicago-Londres, 1951, pp. 109-112.

7. Sobre éstas y otras desviaciones del habla culta mexicana algo más he dicho en mi ponencia «Anomalías en la norma lingüística mexicana», en *Actas* del X Congreso de la AIH, Barcelona, Universidad, 1992, vol. IV, pp. 1221-1226, y sobre los usos de *hasta*, en particular, en mi artículo de «Precisiones sobre el uso mexicano de la preposición *hasta*», *Anuario de Lingüística Hispánica*, VI (1990), pp. 293-321 (todo ello recogido en mi libro de *Ensayos sobre el español de América*, México, UNAM, 1993).

8. Sólo llegan a aparecer, muy esporádicamente, en fórmulas o usos de discursos muy especializados, como en la oratoria política: «¿Juráis defender vuestra bandera...?»

mexicano, de manera similar a lo que está sucediendo en todo el mundo hispanohablante. La inseguridad lingüística se ha implantado, a este respecto, en el habla de la mayor parte de los mexicanos: «Me dijo *de que* lo haría», «No permitirán *de que* te salgas» o «Así es *de que*...», pero en cambio «Estoy seguro [-] que lo hará», «Me alegro [-] que haya venido», etc.[9] El fenómeno particular debe relacionarse con el mucho más amplio que consiste en el torpe empleo de las preposiciones en general, que se observa en un elevado número de hispanohablantes de cualquier región del mundo hispánico.

No como desviación de la norma hispánica ideal, sino como simple evolución autónoma a partir de la norma castellana del siglo XVI, debe interpretarse la oposición funcional existente entre las formas verbales del pretérito *canté* y *he cantado*, perfectiva y puntual la primera e imperfectiva o reiterativa la segunda, sin que la distancia temporal respecto del *ahora* del hablante tenga verdadera relevancia, como sí sucede en la norma castellana. Así, «¿Qué te pasa? ¿Te *golpeaste*?» o «Lo *discutí* con mi abogado» frente «Sí, *ha llovido mucho*» [y sigue lloviendo], o «Lo *he discutido* con mi abogado» [en varias ocasiones], frente a «Este año *llovió* mucho» (dicho cuando la temporada de lluvias se da por terminada).[10] Como en la mayor parte de Hispanoamérica, la forma sintética del futuro de indicativo —*cantaré*— ha caído en relativo desuso en su función temporal, en beneficio de la construcción perifrástica —*voy a cantar*—, si bien conserva mayor vitalidad en sus valores modales: «No ha venido. *Estará* enfermo», «¡Si *serás* mentiroso!» ('¡qué mentiroso eres!').[11]

Influencia de las lenguas indoamericanas

A colorear el español mexicano con algunos matices propios y diferenciadores del resto de las hablas hispánicas han contribuido, en diferente medida, las lenguas indígenas de las diversas regiones del país, de manera muy especial el náhuatl. La cuestión relativa al grado de influencia de las lenguas americanas sobre la española ha sido uno de los temas más acaloradamente debatidos desde que Rodolfo Lenz sostuvo que «el español de Chile es, principalmente, español con sonidos araucanos».[12] De que tal influencia existe no cabe dudar; pero tampoco debe exagerarse su importancia. Conviene distinguir nítidamente entre la influencia de las lenguas amerindias sobre el español general, y su interferencia en las hablas his-

9. Para México, cfr. M. Arjona, «Anomalías en el uso de la preposición *de* en el español de México» y «...en el habla popular mexicana» (*Anuario de Letras*, XVI [1978], pp. 67-90 y XVII [1979], pp. 167-184).

10. Cfr. mi estudio «Sobre el uso del pretérito en el español de México» (*Studia Philologica: Homenaje a Dámaso Alonso*, Madrid [1961], vol. II, pp. 373-385).

11. Cfr. José G. Moreno de Alba, «Vitalidad del futuro de indicativo en la norma culta del español hablado en México» (*Anuario de Letras*, VIII [1970], 81-102).

12. R. Lenz, «Beiträge zur Kenntnis des Amerikanospanischen» (*ZRPh*, XVII [1893], pp. 188-214), trad. española de A. Alonso y R. Lida, «Para el conocimiento del español de América» (*BDH*, VI [1940], p. 249).

panoamericanas regionales de cada país. En el caso de México, la lengua americana que más ha influido en la española ha sido, sin duda, el náhuatl, la lengua del pueblo azteca. Pero su influencia se ha dejado sentir en el nivel más superficial del sistema lingüístico: el del léxico.

En la lengua española general se han introducido unas cuantas voces nahuas, como *cacao, cacahuate, tocayo, petaca, nopal, tomate, coyote, chicle, aguacate, hule, tiza, petate, tequila* y algunas más.[13] Pero la influencia del náhuatl —o de las otras lenguas mexicanas— en los dominios de la fonología o de la gramática ha sido prácticamente nula.

La situación cambia cuando se atiende a la posible interferencia de esos idiomas en el español usado en México. En él puede advertirse ya alguna influencia fonética y aun gramatical del náhuatl. Así, aunque solamente en un número reducido de voces de origen precisamente nahua, hace presencia el fonema prepalatal fricativo sordo /š/, representado gráficamente con *x*: *mixiote, nixtamal, xocoyote*. Valor fonológico posee sólo en un número muy reducido de oposiciones con /s/ o con /č/: *xixi* [šíši] 'especie de jabón vegetal' frente a *chichi* 'pecho, ubre'; *xales* 'zurrapas de las frituras de cerdo' frente a *chales* y a *sales*. También hace acto de aparición en el habla mexicana general la articulación dentoalveolar africada sorda /ŝ/, que los misioneros gramáticos de las lenguas amerindias representaron desde un comienzo con *tz*. Su vitalidad es también muy reducida: algún sustantivo genérico, como *quetzal*, y diversos topónimos, como *Tepotzotlán* o *Janitzio*, y antropónimos como *Quetzalcóatl*. Por último, un tercer caso: el de la secuencia -*tl*-, de origen mexicano, por cuanto que procede del fonema nahua lateral africado sordo, inexistente en las lenguas romances, que los mexicanos articulan en una sola sílaba, con *l* licuante de *t*, lo mismo que hacen en voces de procedencia hispánica: *hui-tla-co-che, cen-zon-tle, ix-tle, O-co-tlán*, lo mismo que *a-tle-ta* o *a-tlas*.

Procedente de otras lenguas mesoamericanas, el fenómeno fónico más notorio corresponde al español regional de Yucatán, en el que son muy frecuentes los cortes glóticos —más que las consonantes verdaderamente glotalizados, que aparecen muy rara vez—, en casos como [mi'íxo], [no'sábe], [yá'bámos].[14]

Aún más limitada es la influencia amerindia en el dominio morfosintáctico. Creo que se reduce al sufijo -*eco*, de origen nahua *(-ecatl)*, formador de algunos gentilicios, como *guatemalteco, yucateco* o *tolteca*, pero no al sufijo homófono designador de defectos, cuyo origen es hispánico: *patuleco, chueco, burreco*, etc. En el caso del sufijo -*i(n)che* —en voces como *metiche, pedi(n)che, caguiche*—, no creo que deba pensarse en un origen nahua *(-tzín)*, sino en un sufijo hispánico, cuyo empleo acaso haya sido favorecido en México por la presencia del morfema indígena, evidente en el caso de *Malintzin > Malinche*.

---

13. Cfr. Tomás Buesa Oliver, *Indoamericanismos léxicos en español*, Madrid, CSIC, 1965.
14. Cfr. mi artículo sobre «La influencia del sustrato en la fonética del español de México», *RFE*, L (1967), 145-161, y la ponencia de «Consideraciones sobre la influencia de las lenguas amerindias en las iberorrománicas», en mi libro de *Estudios de lingüística hispanoamericana*, México, UNAM, 1989, pp. 105-119.

Mucho aumenta la influencia amerindia en el sector léxico del español mexicano general, y aún más en cada una de las hablas regionales. Pero sin llegar a los límites catastróficos que han imaginado algunos estudiosos.[15] En la norma lingüística general de México, el número total de indigenismos apenas rebasa los tres centenares, correspondientes a menos de 250 lexemas, los más empleados de los cuales son *aguacate, chile, cacahuate, camote, comal, chamaco, cuate, chapulín, chicle, chichi, chocolate, ejote, guajolote, escuincle, pulque, mezcal, tequila, mole, nopal, petate, tocayo, zacate, chilaquiles, ocote, tianguis* y alrededor de un centener más. La nómina aumenta, naturalmente, en el habla de los diversos dialectos regionales. Así, en el español de Yucatán se emplean voces de origen maya que son prácticamente desconocidas en el resto del país, como *balac, chich* 'abuela', *holoch, pibinal, tuch, xic*.[16]

La influencia de las lenguas indoamericanas, en conclusión, si bien no ha dejado de colorear al habla mexicana, especialmente en el sector léxico, no ha afectado la estructura fonológica ni morfosintáctica de la lengua española, por lo que no parece aceptable la tesis de Ángel Rosenblat sobre la decisiva y determinante influencia de los idiomas amerindios en la distribución del español americano, firmemente castellanista en las tierras bajas, pero radicalmente americanizado en las tierras altas de América.[17]

En las hablas hispánicas regionales y locales es mayor la interferencia de esos idiomas amerindios. En México, además del náhuatl, han dejado sentir su influencia el maya —más que ningún otro— el zapoteco, el tarasco, el mixteco y el otomí.

Otros factores diversificadores

En la diversificación dialectal del español mexicano han intervenido otros factores, internos, de no poco peso. La castellanización del país ha sido un proceso largo y complejo, todavía no totalmente consumado. Amplios territorios fueron castellanizados en el siglo XVI, pero en otros muchos la lengua española se implantó en época reciente, y en otros —reducidos— no ha logrado imponerse con plenitud todavía. Frente a lo que sucede en la mayor parte del país, donde el único idioma usado es el español, en otros —como Yucatán sobre todo— existe un amplio bilingüismo.

Por otra parte, el castellano llevado a las distintas regiones del país no

---

15.   Como Darío Rubio, quien creía que sin el concurso de las voces nahuas en México «se produciría un caos verdaderamente horrible» que casi impediría la comunicación entre los mexicanos. (Cfr. su libro *Refranes, proverbios y dichos y dicharachos mexicanos*, 2.ª ed., Méjico, 1990, t. I, pp. XXII-XXXIII.)

16.   Cfr. V. M. Suárez, *El español que se habla en Yucatán*, 2.ª ed., Mérida, 1979.

17.   Á. Rosenblat, «Contactos interlingüísticos en el mundo hispánico: el español y las lenguas indígenas de América», *Actas del Segundo Congreso Internacional de Hispanistas*, Nimega, 1965, pp. 109-154. Y mi réplica «La originalidad del español americano y las lenguas amerindias», en el libro citado en la n. 7, pp. 37-93: creo que las hablas de las zonas altas —en las cuales se establecieron los principales centros culturales de América— son de raigambre castellana, mientras que las hablas de las costas tienen mayor influencia de las andaluzas.

ha sido siempre el mismo, lo cual se debe no sólo a la distinta época de colonización, sino también al diverso origen dialectal de los pobladores hispánicos y a su diferente nivel cultural: el español cortesano de la metrópoli virreinal y de otras ciudades de alto nivel cultural, como Puebla de los Ángeles por ejemplo, contrastaba con el español rural implantado en zonas interiores del virreinato. Todo ello, unido a la inevitable evolución de toda lengua en territorios extensos como es el mexicano, determina que una de las características del español hablado en México sea, dentro de la homogeneidad fundamental del sistema, su acusado polimorfismo, es decir, la frecuente convivencia de formas lingüísticas diferentes para desempeñar una misma función. Los tres primeros volúmenes del *Atlas Lingüístico de México* muestran cómo los fenómenos fonéticos suelen repetirse en la mayor parte del territorio mexicano, si bien en muy diferente proporción según las zonas geográficas. Y es esta diversidad porcentual lo que permite caracterizar a unos dialectos frente a otros. Así, en el caso de las realizaciones del fonema /s/ en posición final de palabra, aunque ejemplos de aspiración y aun de pérdida pueden encontrarse esporádicamente en gran parte del territorio mexicano, sólo en ciertas zonas —por lo general, las costeras, aunque no en todas— tales soluciones son mayoritarias y, por ende, definitorias: Veracruz, Tabasco y parte de Campeche en el Golfo de México; costa de Chiapas, Oaxaca y Guerrero, así como de Sinaloa y Sonora en el Pacífico. De semejante manera, aunque testimonios de fricatización de la palatal africada sorda /č/ pueden rastrearse en elevado número de dialectos mexicanos, sólo en el noroeste del país —Baja California, Sonora, Chihuahua y Sinaloa— el fenómeno es tan frecuente que puede considerarse definitorio de esas hablas. Y si bien la velar fricativa sorda /x/ mexicana es menos tensa que la española, no por ello deja de ser verdaderamente fricativa, y sólo en las tierras bajas de Yucatán a Veracruz y de Chiapas a Guerrero llega a convertirse en una aspirada muy abierta [h] como realización normal, cosa que también sucede, aunque en menor medida, en todas las costas del noroeste mexicano y de la Baja California, en casos como /léhos/, /méhiko/, /lihéro/.

División dialectal

Debido a que aún no se han estudiado y descrito todas las modalidades regionales del español mexicano, resulta difícil y peligroso tratar de establecer cuáles son las zonas dialectales del país. Hace muchos años, en 1921, Henríquez Ureña se animó a proponer, intuitivamente, una división en cinco regiones: 1) el norte del país; 2) el altiplano central, con la ciudad de México como centro rector; 3) las *tierras calientes* de la costa oriental; 4) la península de Yucatán, y 5) Chiapas.[18] Con el progreso de nuestros conocimientos sobre el español mexicano, creo que puede aumentarse el nú-

18. Cfr. «Observaciones sobre el español de América» (*RFE*, VIII [1921], pp. 357-390, en especial, p. 361).

mero de sus dialectos. De manera muy provisional, imprecisa y aun insegura, y corriendo riesgo similar al que no arredró a Henríquez Ureña, me atre-
vo a plantear la relativa personalidad lingüística de las diez regiones siguientes, algunas de ellas mejor conocidas —y por ende mejor delimitadas— que
otras: 1) La península de Yucatán, en la fonética de cuyas hablas se advierte —como antes señalaba— una clara interferencia de la lengua de ads-
trato, que no de *sustrato*, indígena: el maya. Presenta además rasgos propios que las separan de los dialectos del Caribe, como el mantenimiento de
un consonantismo fuerte, sin aspiración de /s/. 2) El estado de Chiapas, que
históricamente no formó parte de la Nueva España, sino de la Capitanía
General de Guatemala, y cuyas hablas coinciden en buena medida con las
centroamericanas, en el empleo del *voseo*, por ejemplo, desconocido en el
resto de México, y en su carácter más conservador y rural. 3) Las hablas de
Tabasco, que parecen integrar un dialecto de transición entre el yucateco y
el veracruzano. 4) Las hablas veracruzanas de tierras bajas, de corte caribeño. 5) El habla del altiplano oaxaqueño, próxima ya a la del centro.
6) Todo el altiplano central con la ciudad de México a la cabeza. 7) Hablas
de la costa de Oaxaca y Guerrero, que se prolongan hacia el norte del Pacífico. 8) Dialectos del noroeste, desde Sinaloa a Chihuahua, Sonora y Baja
California, uno de cuyos rasgos fonéticos, más peculiares, como ya vimos,
es la fricatización de /č/. 9) Hablas del altiplano septentrional. 10) Hablas
del noreste: Tamaulipas y Nuevo León. Es muy posible que dentro de estas
zonas —algunas de ellas sumamente extensas y complejas— pueden establecerse subdivisiones complementarias, como podrían ser la de las hablas
michoacanas y la de las jaliscienses. Pero hacen falta aún muchos estudios
geolingüísticos para que se pueda llegar a una delimitación precisa de los
dialectos mexicanos.[19]

19. En 1971 aventuré una propuesta de división dialectal, también imprecisa e insegura, y hecha con base en las movedizas tierras de la lexicología: «El léxico de la zona maya en el marco de la
dialectología mexicana» (*NRFH*, XX [1971], pp. 1-63). Recogido también en el libro de *Investigacio-*
nes sobre dialectología mexicana, México, UNAM, 2.ª ed., 1990, p. 122.

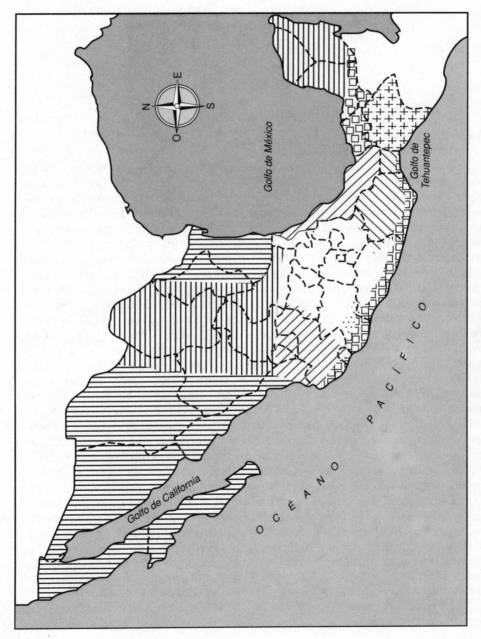

Zonas dialectales. (Mapa provisional.)

LOS ESTADOS UNIDOS

por Manuel Alvar

Sincronía y diacronía

Los conceptos saussureanos de diacronía y sincronía están claros y se han convertido en lugar común cuando se trata de caracterizar el pasado y el presente de cualquier lengua. Pero es necesario matizar mucho cuando intentamos estudiar la situación histórica del español en Estados Unidos o la vida actual que en el gran país tiene nuestra lengua. Evidentemente, la concepción de procesos evolutivos o de estatismo no ofrecen dudas; sin embargo, situados ante una realidad empírica, se nos manifiesta la necesidad de precisar. Porque podemos encontrarnos en un momento B, como resultado de una serie de procesos que marcan la evolución de un determinado sistema; es decir, la diacronía de una serie de sincronías, pero podemos encontrar en ese mismo momento un estado de lengua C, generado por otras causas muy distintas y que, emplazado en un punto geográficamente muy preciso, pueda ser ajeno en su sincronía al estado actual. Digamos un ejemplo muy claro y tomémoslo, sólo, como ejemplo. Un día se establecen en Tejas unos hablantes de español; han traído su lengua formada y con una estructura rigurosamente establecida. Digamos que estamos ante la realidad B. En aquel lugar, San Antonio, han pasado más de doscientos años y los herederos de aquella tradición lingüística la mantienen viva. Ha evolucionado de acuerdo con lo que el dinamismo de la lengua ha exigido, con los factores que inciden en aquella reacomodación y con las influencias externas que nunca hubieran actuado en su patria de origen. Digámoslo, el español de aquellas gentes es el español patrimonial de esa comarca, con cuantas modificaciones queramos, pero español con un cuño primario. En otro momento, otras gentes llegan a establecerse en esa misma zona. Pero traen variedades distintas, digamos que son las que se hablan en las comarcas mejicanas de donde proceden los nuevos emigrantes. Ya no es una lengua que sea un español de esta banda del Atlántico trasplantado hace doscientos años, sino una variedad mucho más antigua y más desvinculada de lo que fue la realidad de la vieja metrópoli.

Aclararé: los emigrantes del siglo XVIII han mantenido una coherencia lingüística firmemente arraigada; aislados de su origen, tienen un español cuya modalidad participa de los avatares que, en ese territorio, le impusieron unas condiciones del carácter que sean, pero sigue siendo un español motivado en el siglo XVIII, fiel a una geografía en la que se asentó. Pero la variante A es un español trasplantado a Méjico en el siglo XVI, evolucionado según las condiciones lingüísticas del período virreinal y de las nacidas en la emancipación y en los casi dos siglos de independencia. Es, pues, modalidad mejicana con las peculiaridades de Méjico y las que el español de la República adoptó en Chihuahua y Coahuila, pongo por caso: investigar el español de los inmigrantes mejicanos en Tejas no es en líneas generales estudiar español de Tejas, sino de las regiones de Méjico de donde proceden las olas de emigración. Pero en las tierras que hoy son de Estados Unidos se encuentran gentes que proceden de varios, o muy varios, estados de Méjico. La inmigración es tardía y depende de las circunstancias de cada región mejicana: unas veces son grandes aluviones de gentes las que vienen, otras, restringidos; algunas, discontinuas. Estos emigrantes pueden afincarse o no, pueden dar continuidad o no a su presencia sobre aquellas tierras y, en todo momento, se ponen en relación con las variedades del español tradicionalmente existentes que allí se encuentran. Difícilmente nos servirán los informes que entre ellos obtengamos para hacer geografía lingüística, puesto que la geografía lingüística no será de California, de Tejas o de Nuevo Méjico, sino de las regiones mejicanas que han enviado esas camadas de emigrantes muy bien diferenciadas en cada momento; por el contrario, permitirán el estudio de las variedades que produce el contacto de dialectos de una misma lengua con variedades muy diferenciadas (por ejemplo, español patrimonial de Tejas y español regional de Méjico) o con variadades poco diferenciadas (regionalismo de Chihuahua y regionalismo de Sinaloa), amén de las interferencias que se pueden producir con el inglés. Es decir, la variedad C, resultado de la integración de B y A y otros factores ajenos al español.

El español de California

California es uno de esos mundos hispánicos que viven dentro de la gran Unión, pero, para lo que aquí interesa, California nos es ajena. Basta con fijarnos en la desnudez de las cifras: en 1850, la población del estado era de 93.000 habitantes; en 1985, 25.857.500.[1] El comentario es fácil: el trasfondo hispánico se ha eliminado. Moreno de Alba y Perisinotto dan informes que, obtenidos de diversas fuentes, tienen un elocuente valor: todavía en 1824 los españoles o descendientes de españoles eran unos 4.080, por 360 estadounidenses y 90 colonos mejicanos. Evidentemente, el cuño de

---

1. José G. Moreno de Alba y Giorgio Perisinotto, «Observaciones sobre el español de Santa Bárbara, California» (*Nueva Rev. de Filol. Hispánica*, XXXVI [1988], pp. 171-201). De este artículo tomo la información del texto. Véase también el trabajo de Tomás Calvo Buezas incluido en el n.º 3, 1990, de la *Revista Española de Estudios Norteamericanos*, de la Universidad de Alcalá de Henares, y, como intento más ambicioso, el volumen XXXIII, 1982, de la revista *Word*, editado por Eugenio Chang-Rodríguez.

aquel español era de la banda europea y no de la americana. Pero la fiebre del oro hizo que desde 1842 llegaran oleada tras oleada de norteamericanos; por 1880 la cultura anglosajona se había impuesto y el hispanismo establecido en el siglo XVIII desapareció y sólo a comienzos del siglo XX llegaron de nuevo los mejicanos y su penetración no se ha interrumpido. Ante estos datos no podemos pensar en un español patrimonial de California, sino un español importado reciente, o muy recientemente, sometido al flujo de unas gentes venidas del otro lado de la frontera y que determinan la creación, si es que se crea, de un dialecto que prolonga el hablado en las diversas tierras mejicanas que dan los contingentes de emigración.[2]

El español de Nuevo Méjico

En 1909, Aurelio Macedonio Espinosa publicó en inglés unos *Estudios sobre el español en Nuevo Méjico*, que fueron traducidos al español en 1930 y 1946.[3] Estos y otros de menos porte permitieron conocer una realidad lingüística como acaso no teníamos —ni tenemos— de ninguna región hispánica. *El español de Nuevo Méjico* mereció los más acendrados elogios de Amado Alonso y, por si no bastara, él y Ángel Rosanblat enriquecieron el libro hasta límites insospechados. Tenemos, pues, una realidad lingüística estudiada con una precisión rigurosísima y avalada con el saber de los mejores lingüistas. Pero la obra es una obra histórica. Nuestros métodos son otros y nuestros saberes, acaso, se han acrecentado. Había que volver a Nuevo Méjico para saber qué ha pasado en los más de ochenta años transcurridos desde que Espinosa llevó a cabo sus encuestas, pues la emigración mejicana, los reajustes a que han obligado los contactos de diversas modalidades y la presencia del inglés, exigen ver las cosas de muy otra manera. O, al menos, estudiarlas con nuevas perspectivas. Porque Espinosa dice que el nuevo mejicano tiene sus antecedentes en el siglo XVI, lo que es cierto, pero hace falta saber otras cosas: cómo se han fosilizado los arcaísmos, hasta qué punto están vivos esos dialectalismos que llevaron los primeros colonizadores, de qué manera se ha producido una nivelación desde Méjico y cómo se siente la influencia del inglés.

Por eso llevé a cabo mis primeras encuestas en el norte del estado, donde el aislamiento permitiría un conservadurismo que en otros sitios falta y, sobre todo, podría obviar la presencia de gentes mejicanas que obligarían a un reajuste del sistema con lo que es la realidad importada. Sin pretender otra cosa que dar unas muestras de lo que yo he transcrito frente a lo

---

2. *Vid.* Giorgio Perisinotto, «La lengua española en los Estados Unidos de América», en *Lexicon der romanistischen Linguistik*, edit. Günter Holtus, Michael Metzeltin y Christian Schmitt; Alan Hudson-Edwads y Garland D. Bills, «Intergenerational Language Shift in a Alburquerque Barrio», en J. Amastae y Elías Olivares (edits.), *Spanish in the United States. Sociolinguistics Aspects*, Nueva York, 1982, p. 139. Más reciente es el libro coordinado por Edna Acosta-Belén y Barbara R. Sjostrom, *The Hispanic Experience in the United States*, Nueva York, 1988.

3. *Biblioteca de Dialectología Hispanoamericana*, t. I-II, Buenos Aires, traducción y reelaboración por Amado Alonso y Ángel Rosenblat. Ahora pueden usarse nuevos datos de Juan M. Lope Blanch, *El español hablado en el suroeste de los Estados Unidos*, México, 1990.

que señaló Espinosa, nunca he encontrado la vocalización del wau en el diptongo *au*; así *jabla* no fue sino *haula*, y *bable* por *baul* era totalmente desconocida: uno solo de mis informantes, mujer de 76 años, supo que podía ser el *baúl* y aun me explicó que era como un cajón de madera, mientras que la *petaquía* 'petaquilla' tenía también tiras de lata. Y *petaquía* fue el término universal. Esta palabra nos lleva al tratamiento de la *-ll-* intervocálica que precedida de vocal desaparece siempre (*cabeo* 'cabello', *colmío* 'colmillo', *resueo* 'resuello', *anío* 'anillo') tal y como apuntó Espinosa y se da en el español de Tejas. En los otros casos, el yeísmo tiene una *y* extraordinariamente abierta, como he encontrado en tantos sitios de América, como por otra parte señaló Canfield.[4]

Mis observaciones sobre la articulación de *φ* o la pérdida de *-d-* intervocálica coinciden con lo ya sabido; sin embargo anoté una *v* labiodental, una *r* retroflexa y *pʰ*- aspirada en hablantes que, sin duda, estuvieron influidos por el inglés, mientras que tratamiento tan generalizado como el paso de *-d-* a *-z-*, documentado por Espinosa, nunca lo transcribí, ni *-sb-* > *φ* o *-sg-* > *h*. Y, en otros casos, mis informes —bajo el amparo del polimorfismo— fueron de una complejidad nunca señalada. Tal es el tratamiento de *-sl-* en el interior de palabra (p. ej., *isla*) o en fonética sintáctica *(los labios)*: transcribí *-sl-* en un hombre viejo de Taos, en una profesora universitaria procedente del Valle de Bueyeros, en una maestra de Santa Fe (76 años); *-zl-* en un hombre de Albuquerque (36 años), alternancia de soluciones (incluyendo *-hl-* en hablantes de Peñascal, Gallup y Albuquerque) y la evolución hasta *-ll-*, tan sabida en el mundo hispánico, en una mujer (82 años) de Taos. Es decir, mis encuestas apuntan hacia una complejidad mayor de la que conocíamos, pero conforme con lo que pasa en los dialectos de esta banda del Atlántico (Murcia, Andalucía, Canarias, etc.). Como parece que la edad no condiciona los hechos y la presencia de *-sl-* se da en gentes de menos edad y bilingües, podremos pensar que los diversos grados de sonorización, aspiración o asimilación son hispánicos, mientras que el mantenimiento de una *s* sorda será influencia del inglés.

Comparando los informes obtenidos en Taos de una mujer de 82 años con los de otra de Albuquerque, de 36, podemos señalar algunas particularidades: coinciden ambas en la conservación de dialectalismos (*párparo, lagaña, molacho* 'desdentado', *caliyero / calihero* 'dedo índice'), otras, la mujer más joven, e instruida, tenía un léxico más libresco (*castaño* por *acafetao, piel* por *cuero, sienes* por *sentido, mejilla* por *cachete, gacho* por *turnio* 'bizco', *paladare* por *palagare, erutar* por *regoldar, corcova* por *joroba, orine* por *miaus, tobillo* por *hueso sabroso*), menos preciso (*chopito* por *popote*; *mocho* por *manco*) o, simplemente, diferente (*chapo*, voz azteca, por *bajito*). Esta cala sirve para hacernos ver el arraigo dialectal del español nuevomejicano, la erosión que producen unos conocimientos librescos y el resultado de unas interferencias. Acaso lo que debamos estudiar con una proyec-

---

4.   Delos L. Canfield, *Spanish Pronunciation in the American*, Chicago, 1981, y, por su mucho saber, el espléndido estudio de Amado Alonso, «La *ll* y sus alteraciones en España y América», en *Estudios dedicados a Menéndez Pidal*, t. II, Madrid, 1951, pp. 71-76.

ción mayor, pero que de momento sirve para ir apuntando procesos que tienen un carácter general y que en Nuevo Méjico se manifiestan con no pocas precisiones. En el fondo, insisto, queda un poso dialectal denunciado por unos rasgos que se conservan en variados niveles, por más que se tienda a un tipo de normalización. No digamos con qué rapidez se producirá, pues la lengua, aunque herida, manifiesta su propia vitalidad. En 1909, Espinosa decía que la -*e* paragógica no se confirmaba en Nuevo Méjico «excepto en algunos casos muy raros, que no merecen especial consideración» (§ 199), sin embargo anoté su presencia en Valle de Bueyeros con cierta frecuencia tras -*r* y menos tras -*l* y -*s* en modo alguno como motivo portugués.

La lengua es aquí arcaizante, como lo son los Cristos de palo con sus brazos articulados o los santos vestidos de remotos soldados españoles, o la emoción medieval de los romances religiosos[5] o las misiones —ya— en ruinas o tantas cosas como evocan el occidente leonés o las tierras luminosas de Andalucía. Todo supervivencias de un pasado que se hermana en la lengua o en la fe. Pero no hay que olvidarlo: el español está herido, desde que muchas cosas cambiaron en muy pocos años: España se fue en 1821; vinieron —o siguieron— los mejicanos y sólo duraron un cuarto de siglo, pero aquel español era de cuño mejicano, tanto en los hispanismos propios (*cachetazo* 'bofetada', *chueco* 'patiestevado', *mancuernilla* 'gemelo', *mollejón* 'piedra de afilar', *halar* 'arrastrar', etc.) como en los indigenismos (*coyote* 'cruce de español y americana', *guaraches* 'sandalias', *metate*, *milpa* 'maizal', etc.).

En 1912, Nuevo Méjico pasó a ser el 47 estado de la Unión y las cosas cobraron un sesgo distinto y acelerado. La enseñanza se impartió sólo en inglés y el español quedó como lengua familiar, se anquilosó y aceptó no pocos anglicismos (*overol* 'buzo, mono de vestir', *payama* 'pijama', *sinc* 'fregadero', *dostiare* 'quitar el polvo' [< inglés *dust*], *beibe* 'recién nacido', *grampa* 'abuelo', *guaino* 'borracho' [< inglés *wein*], *choque* 'tiza' [< inglés *shalk*], *escuela alta* 'escuela secundaria', etc.). Ante este inglés los viejos se aferraron a su lengua, pero sus hijos fueron a una escuela en la que ya no se hablaba español. Esa segunda generación posterior a 1912 ya era bilingüe; los hijos de ella sólo se sentían cómodos hablando en inglés. Ahora aún pueden coincidir tres generaciones: bilingües con preferencia del español, arrinconado como lengua familiar; bilingües para quienes el español patrimonial va siendo sustituido por un español normativo aprendido en los centros académicos; monolingües de inglés. He aquí cómo y por qué el español tiene debilitadas sus posibilidades.

A pesar de cuanto se ha dicho, encontrar hablantes de (sólo) español no es fácil: de inmediato tropezamos con el inglés. En todas partes el español está siendo eliminado. El español no goza de ninguna protección oficial, a pesar de las protestas que se reiteran en las constituciones del estado. La de 1994 repite palabra por palabra a la de 1910, y la ineficacia de sus resultados es manifiesta. Así, por ejemplo: el *Census of Population and*

5.   Aurelio M. Espinosa, *Romancero de Nuevo Méjico*, Madrid, 1953.

Housing (1990) da estas cifras: los nativos del estado hablan inglés 74.266; español, 41.433; son bilingües 349.796. Evidentemente, la penetración del inglés es abrumadora, y esa aplastante mayoría de bilingües muestra bien a las claras el grado de erosión al que se ha llegado. Ya no hay periódicos en español, y los hubo; la entrada de los hispanohablantes en la política los fragmentó y su lengua se resintió y el «mal» español accede hasta a los profesores universitarios. Ocupado el territorio en 1846, convertido estado el 6 de enero de 1912 y suprimida la enseñanza de la lengua patrimonial en 1969,[6] no cabe hacerse demasiadas ilusiones. Añadamos conceptos como la deslealtad lingüística, los temores reiterados y la persecución escolar del español, para que todo coadyuve en el mismo sentido. Añadamos a esto la función de la iglesia que, en otras partes, ha sido aglutinante y conservadora, pero aquí, con la presión de los clérigos franceses, y, luego, con la incapacidad lingüística de los polacos, ha venido a ser un factor de desunión. El testimonio de los hablantes es el que he transcrito y todo me ha llevado a un final de empobrecimiento.[7]

El español de Tejas

Por todas las razones que he expuesto anteriormente, la investigación en éste, como en otros estados de la Unión, está condicionada por olas de emigración mejicana. Es imposible encontrar gentes afincadas desde hace varias generaciones; lo normal es que de las regiones próximas vengan emigrantes cuyo establecimiento no es siempre duradero, que continúen manteniendo constante relación con su patria de origen y que reflejen el español mejicano de su procedencia. Es decir, más que el español *de* Tejas lo que puede obtenerse es un español *en* Tejas. Vuelvo a lo ya dicho: la sociolingüística podrá ejercer aquí muy variados ejercicios, pero la geografía lingüística, no. Me decidí a buscar los herederos de aquellos canarios que, en el siglo XVIII, oyeron la voz del rey de España y se vinieron a poblar. Página ésta emocionante y bellísima de una colonización.[8]

Hubo un primer asentamiento en 1691, en 1722 se mejoró el presidio; en 1781 llegan quince familias canarias. Sabemos sus nombres y sabemos infinidad de cosas: la media filiación de los pobladores y sus penalidades. Sabemos que el 19 de julio de 1793 el capitán don Juan Antonio de Almazán convocó a los canarios en el patio de armas del presidio: el rey les concedía ejecutoria de hidalgos porque habían sido colonizadores.[9] Cuando en

6. Rosaura Sánchez, *Chicano Discourse. Socio-historic perspectives*, Rowlay, 1983, p. 17.

7. Manuel y Elena Alvar, «La situación del español en Nuevo México» (*Hom. al Prof. Ricardo Senabre*, Cáceres); de ambos autores, «Comentario a un cuento novomexicano de tradición oral» (*Rev. de Filol. Española*, LXXV, 1995, pp. 233-253). Hemos estudiado otros ámbitos lingüísticos relacionados con Nuevo Méjico: Colorado («Discrepancias léxicas en los hablantes de San Luis, Colorado [Estados Unidos]», en prensa en la *Revista Portuguesa de Filología*), «Consideraciones sobre el español de una india navajo» (en prensa en el *Hom. a Amado Alonso*, Lima).

8. *Vid.* Herbert E. Bolton, *Texas in the Middle Fighteenth Century. Studies in Spanish Colonies History and Administration*, Austin, 1970. Desde el punto de vista lingüístico, *vid.* Giorgio Perisinotto, «Hacia una fonética del español hablado en San Antonio, Texas» (*Anuario de Letras*, XIV [1976], pp. 59-70).

9. *Vid.* María Esther Domínguez, *San Antonio, Tejas, en la época colonial (1718-1821)*.

1846 se libró la batalla del Álamo, los canarios empezaron a contar muy poco y hoy su lengua se empapó de los usos de Coahuila o de Tamaulipas. El español tradicional sería el de esos descendientes de las Islas, los que escucharon la palabra del rey de España («porque ésta es la primera población política que de esta colonia se ha de formar en la provincia de Tejas, declaro que ésta debe ser y sea ciudad») y hoy se dicen «descendientes de los canarios, hidalgos de Tejas, ganaderos de Gálvez e hijos de la república de Tejas».

No encontré arcaísmos comparables a los de Nuevo Méjico (*tráiba* o *cáiba* por 'traía', 'caía'), ni polimorfismo en el tratamiento del grupo *-sl-*, pero sí otras cosas: hablantes con [x] poco tensa, en vez de [h], polimorfismo verbal (*vinites*, forma vulgar; *vinistes*, forma habitual; *viniste*, forma libresca) y, en fonética, algún caso de *v* labiodental al responder en las preguntas, no en conversación, o ř claramente asibilada. Los nahuatlismos léxicos son muy abundantes (*popote*, *molcajete*, *coyote*, *elote* 'mazorca tierna', *sopilote*, *huojolote* 'pavo', *sacate* 'hiedra', etc.), lo mismo que los mejicanismos nacidos en el español (*huero* 'rubio', *blanquillo* 'huevo'). Y, por último, como siempre, no faltan los anglicismos (*sut* 'traje', *payama*, *panti* 'bragas', *pin* 'aguja del pelo', *escuela alta*, *choc* 'tiza', *octopus* 'pulpo'). No es éste el momento de estudiar cómo el inglés ha ido penetrando y señalar su cronología, las disponibilidades léxicas que ofrece o los campos léxicos a los que afecta. Queden apuntadas todas estas posibilidades.

Todo esto suscita otras cuestiones: el arcaísmo regional. Quiero ejemplificar con un campo léxico en el que su obligada modernidad nos permite sorprender curiosísimos arcaísmos. Me refiero al campo léxico del automóvil. En el cotejo sacaré a colación el español de Puerto Rico, tan asediado por el inglés y, para Méjico, unas encuestas que hice en Tamaulipas, al norte del país. Al comparar vamos a ver cómo el español de Tejas mantiene el carácter rural de su lengua. He aquí unos cuantos testimonios:

	PUERTO RICO	MÉJICO	TEJAS
automóvil	carro	carro	mueble
rueda	goma	llanta	rueda
conducir	guiar	manejar	arrear
freno	freno	freno	manea
frenar	frenar	frenar	manear
volante	guía	manijera	rueda
portaequipajes	baúl	cajuela	petaca

Se ha trasplantado el léxico campesino a la nueva realidad, pero sólo en aquello que podía tener una correspondencia (*rueda, arrear, frenar*), pero, cuando el léxico afectaba a cosas que no existían en las carretas de bueyes, la penetración del inglés es ostensible y el español de Tejas se presenta totalmente anglicado:

	PUERTO RICO	MÉJICO	TEJAS
parabrisas	cristal	parabrisas	windshield
escobilla	wiper	limpiaparabrisas	wiper
cinturón de seguridad	cinturón	cinturón	seatbelt
amortiguadores	resortes	amortiguadores	springs

Los ejemplos muestran cómo en un país donde la instrucción se hace en español, es un español generalizado el que se emplea, incluso en unos tecnicismos muy modernos, mientras que en otra región, donde no hay instrucción en lengua vernácula, se traslada de campo léxico el significado de las palabras mediante un proceso muy sencillo de comparación, o se adapta directamente del inglés aquello que no tenía correlación en el viejo mundo rural.

El español de Luisiana

Una vez más, los canarios escucharon la llamada del rey y vinieron a poblar. Han pasado más de doscientos años y ahí siguen. La Luisiana fue descubierta por Álvarez de Pineda en 1519, pero sólo en 1762 se puede hablar de un asentamiento español: duró poco, hasta 1803, año en que la provincia no sólo volvió a Francia, sino que Napoleón la vendió a Estados Unidos.[10] España no hispanizó a la Luisiana, pero los emigrantes canarios que trajo el gobernador don Bernardo de Gálvez han continuado con sus fidelidades. En 1778 llegó el navío *Santísimo Sacramento* y a él siguieron *La Victoria*, el *San Ignacio de Loyola*, el *San Juan Nepomuceno*, el *Santa Faz* y el *Sagrado Corazón de Jesús*, 2.010 canarios que se asentaron por tierras de Nueva Orléans. El reclutamiento de estas gentes se hizo en Tenerife (un 45 %), Gran Canaria (40 %), Lanzarote, la Gomera y La Palma (el 15 % restante), lo que deberá tenerse en cuenta cuando se estudie con rigor el origen del léxico canario en la Luisiana. Gilbert C. Din ha escrito el mejor tratado que conozco sobre esta cuestión[11] y a él me remito para conocer los asentamientos y primeras vicisitudes. Los herederos de esa emigración se encuentran hoy en la parroquia de San Bernardo, distribuidos en las pequeñas ciudades que la constituyen.

Raymond McCurdy publicó en 1950 un trabajo que es el punto de partida para los estudios del español en Luisiana,[12] John M. Lipski imprimió en 1990 un libro que no podemos llamar afortunado.[13] En 1991 hice dos

---

10. John P. Moore, *Revolt in Louisiana: The Spanish Occupation, 1766-1770*, Baton Rouge, 1976.

11. *The Canary Islanders of Louisiana*, Baton Rouge, 1988. Otros títulos: José Montero de Pedro, *Españoles en Nueva Orléans y Luisiana*, Madrid, 1979; Samuel G. Armistead, *The Spanish Tradition in Louisiana*, Newark, 1992.

12. *The Spanish Dialect in St. Bernard Parish, Louisiana*, Alburquerque, 1990. En el *Anuario de Estudios Arlánticos*, XXI, 1975, pp. 471-591, «Los isleños de la Luisiana: supervivencia de la lengua y folklore canarios». Tengo acabado un libro extenso: *El dialecto canario hablado en Luisiana*.

13. *The Language of the Isleños: Vestigial Spanish in Louisiana*, Baton Rouge, 1990.

campañas que me permitieron recoger una infinidad de materiales, según paso a describir. Busqué isleños en San Bernardo, en Poyrás, en Violet, en Delacroix, en Meareux y en Belle Rose, pero mis datos más importantes proceden de los tres primeros puntos donde tuve informantes de 68 a 86 años. Por tanto representan una modalidad arcaizante, pero es la única que nos lleva a las generaciones que tenían como propio el español, por más que fuera una lengua familiar, pues la enseñanza todos la recibieron en inglés. Así, pues, no pocos de mis colaboradores sabían escribir en la lengua nacional, pero no en español. Y, al rellenar mis cuadernos, empezaron a surgir las sorpresas: aquellas gentes tenían un español en el que cerraban la *o* final, tenían *n* velar en la terminación, su *ch* era más retrasada que la castellana o adherente semiensordecida; ante aspirada, la nasal desaparecía (*naraha, sahita* 'zanjita'), el género de ciertos sustantivos (*el sartén, el costumbre, la chincha, la ingla*), la sufijación directa sin infijos (*piesito, dulsito, lechita*), la terminación *-nos* por *-mos* en la conjugación (*estábano*) y la traslación acentual (*véngano*), todo, todo canarismos. Y no digamos el vocabulario: con los lusismos de las Islas (*andoriña* 'golondrina', *enchumbarse* 'empaparse', *fecha* 'cerrojo', *frangoyo* 'muchas cosas juntas', *gago* 'tartamudo', *taramela* 'aldaba', etc.), con los indigenismos (*beletén* 'calostro', *guirre* 'aura, zopilote', *gofio*), con los dialectalismos (*botarate* 'manirroto', *crup* 'difteria', *despechar* 'destetar', *machango* 'rechoncho', *mancar* 'herir', *mes de San Juan* 'junio', *nombrete* 'apodo', *quejá* 'mandíbula', *santiguar* 'rezar para que desaparezca una dolencia', *virar* 'girar', *vuelta carnero* 'voltereta'). ¿Para qué seguir? Volví a la Luisiana, pero ahora para interrogar el cuestionario que utilicé en el atlas lingüístico de las Islas. La cosecha se acrecentó con mil coincidencias fonéticas gramaticales y con otras tantas de vocabulario (*calzones* 'pantalones', *cambao* 'curvado', *camisilla* 'camisa de mujer', *cascarón* 'corteza del pan', *concha* 'cascarón', *enamorar* 'cortejar', *encucriyao* 'acuclillado', *entumío* 'entumecido', *herver* 'hervir', *hurgunero* 'barredor del horno', *nío* 'ponedero', *parel* 'remos emparejados', *picar* 'guiñar el ojo', *quebrá* 'hernia', *quemar* 'escocer', *troha* 'desván', *tupir* 'obturar', *[el más] viejo* 'el hijo mayor'). Quien tenga oídos para oír no podrá decir que éste sea un español residual, ni acriollado, ni cualquier otra ocurrencia tan poco afortunada como éstas. El español que transcribí en la Luisiana es un espléndido español, vivo, riquísimo y expresivo. Español que prodigiosamente manifiesta lo que era cuando se trasplantó y que sigue siéndolo ahora. He dado unas muestras muy pobres, pero creo que espectaculares: se conservan prehispanismos o lusismos de las islas, incrustados en un español de noble ejecutoria en el que se han cumplido aquellos procesos de adopción, adaptación y creación que he estudiado en otro lugar de este libro. Y no quiero repetir hasta el hastío, pero no sólo rellené el cuestionario del atlas de América con tres informantes, y el de Canarias con otros cuatro, sino que además pregunté íntegramente el que me permitió publicar los cuatro grandes volúmenes del léxico marinero y todos los motivos que aparecen en la *Nort American Wildlife* de Reade's Digest (1982).

Pero este español es un cuerpo vivo, y que ha vivido. El inglés poco ha influido sobre él y ese poco creo que es bastante reciente. Por ejemplo, *pa-*

yama, siper 'cremallera', *snäp* 'broche', *spring* 'colchón', *marqueta* 'mercado', *escuela alta* 'centro de segunda enseñanza'; pienso que dada la escasez de anglicismos y su evidente modernidad, también serán recientes *chitín* 'apuntación fraudulenta para un examen' (inglés *cheating*) o las designaciones del tirachinas: *matanegros* o *nicašura*, que no son sino traducción o adaptación del *nigger shooter*. Creo que esta penuria de anglicismos se debe al aislamiento en que se encerraron los isleños; sólo cuando las adversidades les obligaron a abrirse es cuando el contacto con el inglés se convirtió en realidad; antes, fue el francés la lengua con la que estos canarios se relacionaban y lógicamente el trato con los braceros de color en los trabajos más penosos o el contacto con una sociedad más desarrollada hizo que los galicismos sean abundantes en el español trasplantado a la Luisiana.[14] Creo que se pueden ordenar sin mucha dificultad los préstamos que pertenecen al francés común o los que se han transmitido a través de esa lengua evolucionada que es el *cajún*.[15] Para facilitar la ordenación, recordaré —siguiendo a Mons. Jules O. Daigle—[16] que *crèole* (en español *criollo*) sería la lengua hablada por los descendientes de los colonos franceses y que hoy apenas se conoce; *nègre* (español *negro*) es la corrupción del criollo en boca de los esclavos traídos de África, que aún se habla en la parroquia de San Martín y en Opelousas; por último, *cajún* es el francés propio de la Luisiana, única lengua original de la región, que evolucionó en tierras que pertenecieron a Francia y cuyos pobladores fueron sometidos a mil vejaciones y persecuciones por los norteamericanos dominantes. De acuerdo con todo esto podríamos pensar en términos que pudieran ser del francés común, si es que acaso no se han adquirido de una generalización que tales voces han tenido en muy amplias zonas del español; las dificultades inherentes me hacen pensar en que son galicismos *brasié* 'sostén del pecho' (fr. *brassière*, que ya en el siglo XVIII era 'jubón de mujer, almilla'), *colié* 'collar' (fr. *collier*), mientras que en cajún emplean el hispanismo *collar*, *gardefur* 'balaustrada' (fr. *garde-fou* con el mismo significado), *garmansé* 'aparador para poner la loza' (fr. *garde-manger*), *pañé* 'cesto' (fr. *panière*), *papel sablé* 'lija' (fr. *sablé* 'cubierto de arena'), *pití lorié* 'laurel' (fr. *petit laurier*, pues *grand laurier* es 'magnolia' en cajún), *pusá* 'halar el bote con la percha' (fr. *pousser*, pues en cajún utilizan *push*), *robiné* 'grifo' (fr. *robinet*), *sosa* 'salsa' (fr. *sauce*), *sosón* 'calcetín' (fr. *chausson*), *surito* 'el ratón más pequeño' (fr. *souris*), *tablié* 'delantal' (fr. *tablier*), etc.

Por el contrario, si nos atenemos a la guía, para mí mucho menos que infalible, de Jules Daigle, pertenecerían al cajún *(ar)ranchá* 'preparar' (< *arranger*), *bayul-bayules* 'brazo(s) del río' (< *bayou*), *creón* 'tiza' (< *crayon*), *politisián* 'político' (la misma forma en cajún, derivada del fr. *politicien*), *prería* 'prado' (cajún *prairie*, como en la lengua literaria).

14. Samuel Armistead y Hiram Gregory, «French Loan Words in the Spanish Dialect of Sabine and Natchitoches Parisches» (*Louisiana Folklore*, X [1986], pp. 21-30).
15. Gleen R. Conrad (edit.), *The Cajuns: Essays on Their History and Culture*, Lafayette, La., 1978; William F. Rushton, *The Cajuns: From Acadia to Louisiana*, Nueva York, 1979; Patrick Griolet, *Cadjins et créoles en Louisiana: histoire et survivance d'une francophonie*, París, 1986.
16. *A Dictionary of the Cajun Language*, Ann Arbor, 1984.

Conclusiones

Hablar de diacronía y sincronía en el español de Estados Unidos es enfrentarnos con una enmarañada serie de problemas. Me he decidido a seleccionar los que tienen que ver con la geografía lingüística porque permiten comparaciones coherentes y muy precisas. Estar sobre la tierra durante siglos nos permite hablar del español *de*, mientras que establecimientos transitorios, válidos para los estudios de sociolingüística, valdrán para estudios sobre el español *en*, que son otra cosa. Lo que he querido señalar no es una presencia ocasional o tan reciente que no nos permite enfrentarnos con una situación estable sino más bien movediza y muchísimas veces insegura. El español en Estados Unidos obedece a dos motivaciones distintas: hubo zonas en las que era la lengua patrimonial de casi toda la población y ahora ha sido desplazada por otra, el inglés, que no entraba en los planteamientos iniciales. Los datos que facilita Yolanda Russinovich Solé[17] son harto expresivos: en 1980, los hispánicos eran el 37 % de la población de Nuevo Méjico, el 21 % de Tejas, el 19 % en California, el 6 % en Arizona y el 12 % en Colorado. Esto quiere decir que la población que teóricamente habla un español patrimonial ha decrecido mucho. No cuento la situación en Nueva York, Florida e Illinois, porque pertenece a inmigraciones tardías. Tenemos, pues, un español invadido por el inglés en territorios que pertenecieron a la Corona y, tras la independencia, a Méjico; tenemos un inglés invadido por el español por causas de ciudadanía, trabajo o exilio político. Son, pues, dos situaciones totalmente distintas y que requieren tratamientos diferentes.

17.   «Bilingualism: Stable or Transitional? The Case of Spanish in the United States» (*International Journal of the Sociology of Language*, 84, 1990, pp. 35-80).

EL ESPAÑOL DE AMÉRICA CENTRAL

por Miguel Ángel Quesada Pacheco

Introducción

El estudio del español hablado en América Central tiene su historia, que se puede dividir, a grandes rasgos, en dos etapas cronológica y teóricamente bien definidas.

La primera etapa se remonta a fines del siglo XIX. Como en otras partes del Nuevo Mundo, los primeros estudiosos de las diferentes hablas centroamericanas estaban fuertemente influidos por la corriente prohispánica según la cual había que aunar esfuerzos para que las hablas americanas no terminaran dividéndose en lenguas autónomas, como sucedió con el latín. De ahí su preocupación por la «pureza» de la lengua y por desterrar de los países cualquier forma que, según ellos, afectara a la unidad. Su base era la Real Academia Española, y para ellos no procedían, o no tenían carta de valor, conceptos como «dialecto» o «variedad regional», cuyos rasgos eran catalogados como «barbarismos», «provincialismos» o simplemente «vicios». Entre los primeros autores de esta época están C. Gagini[1] en Costa Rica, M. Barreto[2] en Nicaragua, A. Batres[3] en Guatemala, A. Membreño[4] en Honduras y S. Salazar García en El Salvador.[5]

La segunda etapa se inicia hacia la segunda mitad del siglo XX, y en ella se aprecia un cambio en los marcos teórico y conceptual de los autores —por lo general extranjeros—, los cuales, libres de prejuicios academicistas, están interesados en describir objetivamente la variedad de lengua por investigar, valiéndose de métodos propios de la ciencia lingüística actual, tales como la dialectología, la lingüística descriptiva y, en décadas recientes, la sociolingüística y la gramática generativo-transformacional. Los pri-

---

1. *Diccionario de barbarismos y provincialismos de Costa Rica*, San José, Tipografía Nacional, 1892.
2. *Vicios de nuestro lenguaje*, León (Nicaragua), Tipografía de L. Hernández, 1893.
3. *Vicios del lenguaje y provincialismos de Guatemala*, Guatemala, Encuadernación y Tipografía Nacional, 1892.
4. *Hondureñismos*, Tegucigalpa, Tipografía Nacional, 1895.
5. *Diccionario de provincialismos y barbarismos centro-americanos, y ejercicios de ortología clásica*, San Salvador, Tipografía La Unión, 1910.

meros estudios de esta época son los de K. Lentzner,[6] R. Predmore[7] y D. L. Canfield[8] en Guatemala; D. L. Canfield[9] en El Salvador; H. Lacayo[10] en Nicaragua; M. Cantillano Vives[11] en Costa Rica, y S. Robe[12] en Panamá. El alto número de investigadores extranjeros pioneros en el área se explica, a mi juicio, por el hecho de que éstos llegaban de escuelas lingüísticas de tradición antiacadémica, mientras que los nacionales seguían sumidos en marcos teóricos no lingüísticos y con pocos visos de ser renovados, publicando gramáticas y folletos de corte correctivo.

Dentro de estas dos tendencias se podría señalar una tercera, tan vieja como la primera, pero que ha sobrevivido hasta la fecha. Se trata de estudios, más que todo léxicos, que centran su atención en el elemento indígena, a través de los cuales muchas veces se proyecta una idea algo tergiversada de la realidad lingüística centroamericana. Se retrata, pues, adrede o inconscientemente, un panorama lleno de elementos indígenas entre un puñado de elementos hispánicos. Ejemplos de esta tendencia se ven en los trabajos de J. Fernández Ferraz[13] en Costa Rica; S. Barberena[14] y P. Geoffroy[15] en El Salvador, y C. Mántica[16] en Nicaragua.

No obstante, todos estos autores y cada uno, según la época en que le tocó vivir, han contribuido a conformar una idea de los rasgos fonéticos, morfosintácticos y léxicos de esta parte del continente americano, los cuales se pueden apreciar, mostrados a grandes rasgos y en conjunto, en el siguiente esbozo.

Características del español centroamericano

Vocalismos. Como en otras regiones hispanohablantes, el español centroamericano, particularmente en el habla rural, participa de las variaciones de timbre de las vocales átonas: *dispertar, sepoltura, escrebir, dicir, escuro, menistro, fechuría.*

En cuanto a las vocales finales, en El Salvador y en Costa Rica se dan casos de ensordecimiento: *noch, puent.* Y en las zonas rurales de la parte

6.   «Observaciones sobre el español de Guatemala», *Biblioteca de Dialectología Hispanoamericana*, 4 (1938); 227-234.
7.   «Pronunciación de varias consonantes en el español de Guatemala», *Revista de Filología Hispánica*, 7 (1947); pp. 277-280.
8.   «Guatemalan *rr* and *s*: a recapitulation of Old Spanish sibilant graduation», *Florida State University Studies in Modern Languages and Literatures*, 3 (1951); pp. 49-51.
9.   «Andalucismos en la pronunciación salvadoreña», *Hispania*, 36 (1953); pp. 32-33. Posteriormente, Manuel Alvar publicó sus «Encuestas fonéticas en el suroccidente de Guatemala», recogidas ahora en el libro *Norma Lingüística sevillana y español de América*, Sevilla, 1990, pp. 179-221.
10.   «Apuntes sobre la pronunciación del español en Nicaragua», *Hispania*, 37 (1954); pp. 267-268.
11.   «Costumbres lingüísticas en el valle de Orosi», inédito, redactado en 1956, y «El lenguaje coloquial en Costa Rica», tesis doctoral, Universidad Central de Madrid, 1959.
12.   «Algunos aspectos históricos del habla panameña», *Nueva Revista de Filología Hispánica*, 7 (1953), pp. 209-220 y *The Spanish of rural Panama*, University of California Press, Berkeley, 1960.
13.   *Nahuatlismos de Costa Rica*, San José, Tipografía Nacional, 1892.
14.   *Quicheísmos*, San Salvador, Tipografía La Luz, 1892/1920.
15.   *El español que hablamos en El Salvador*, San Salvador, Ministerio de Educación, 1975.
16.   *El habla nicaragüense y otros ensayos*, San José, Ed. Libro Libre, 1989.

central de Costa Rica se realizan /e, o/ finales como [i, u]: *deme esto → demi estu*, *palo → palu*, *parque → parqui*.[17] Por otra parte, en Panamá, Costa Rica y El Salvador se nasaliza la vocal que precede a la nasal /n/: ['entrã, bas'tõ] *entran, bastón*.[18] Este fenómeno va unido a la realización de la consonante nasal alveolar /n/ como velar implosiva y en posición final, como se verá más adelante.

Respecto de los grupos vocálicos, hay una tendencia general a eliminar los hiatos, la cual se manifiesta a través de dos procesos de cambio según la posición del acento principal: la diptongación y la epéntesis. En cuanto a la diptongación, sufren de este proceso los hiatos cuyo acento va en la segunda vocal: *patear → patiar*, *peor → pior*, *cohete → cuete*, y el fenómeno se registra en todas las regiones centroamericanas. Por su parte, la epéntesis se da cuando el acento va en la primera vocal; en este caso, se agrega un sonido semivocálico [j] en medio de las vocales: *batea → [ba'teja]*, *sandía → [san'dija]*, *pío → ['pijo]*. Este fenómeno se registra en Guatemala, El Salvador, Honduras, Nicaragua y zona noroeste de Costa Rica; pero en esta región del país, por influencia de la capital San José, su práctica está estigmatizada y se evita.

Consonantismo. Oclusivas. Se registran en todos los países centroamericanos cambios de la oclusiva sorda implosiva en grupos consonánticos, los cuales pueden ser de tres tipos:

a) vocalización: [per'fei̯to] ~ [per'feto] *perfecto*, [direi̯to] *directo*, ['tai̯si] *taxi*, ['kau̯sula] *cápsula*. Este tipo de cambio se escucha más que todo en las zonas rurales.

b) alteración: [a'sektaɾ] *aceptar*, [akso'luto] *absoluto*, [kon'sekto] *concepto* (e hipercorrecciones como [in'septo] *insecto*, [op'tubre] *octubre*), ['ridmo] *ritmo*, ['edniko] *étnico*, ['iŋno] *himno*.

c) omisión: [es'traɲo] *extraño*, [espo'neɾ] *exponer*, [kon'seto] *concepto*. De los tres tipos de cambio expuestos, la vocalización se registra más que todo en zonas rurales, y los dos siguientes en todas las clases sociales.

En lo pertinente a las oclusivas sonoras, se registra la realización fricativa de /b, d, g/ sólo en posición intervocálica; en los demás entornos pueden alternar, con mayor o menor grado de frecuencia según las zonas, entre realizaciones oclusivas y fricativas, de modo que se puede oír [kalbo - kalƀo], [kurba - kurƀa], [deu̯da - deu̯ða], {alba - alƀa}.

Fricativas. La fricativa labiodental sorda /f/ se realiza generalmente como bilabial fricativa sorda [ɸ]: [ɸwe] *fue*, [kaɸe] *café*. En las zonas rurales también se realiza como [h]: [dihunto] *difunto*, [hwerte] *fuerte*, [helipe] *Felipe*.

---

17. M. Quesada Pacheco, «Pequeño atlas lingüístico de Costa Rica», *Revista de Filología y Lingüística de la Universidad de Costa Rica*, 18, 2, 1992, p. 90.
18. D. Canfield, «Andalucismos en la pronunciación salvadoreña», *Hispania*, 36, 1953, p. 32; A. Agüero, «El español de Costa Rica y su atlas lingüístico», *Presente y Futuro de la Lengua Española*, t. I, Cultura Hispánica, Madrid, 1964, p. 141; E. Alvarado, *El español de Panamá*, Panamá, Editorial Universitaria, 1971, p. 100.

La fricativa alveolar sorda /s/ manifiesta distintas realizaciones según su posición, si es prenuclear o posnuclear. Se retiene como alveolar predorsal en todas sus posiciones en las partes centrales de Guatemala y de Costa Rica: [kapas] *capas*, [señora] *señora*; sin embargo, en posición prenuclear figura como aspirada en El Salvador y Honduras: [hanta] *santa*, [heñora] *señora*. Asimismo, en el habla rápida y poco esmerada de la región central de Costa Rica se dan ciertos casos de aspiración, particularmente por efecto de la disimilación, cuando hay dos eses dentro de la misma palabra: [nehesaɾjo] *necesario*, [nohotɹos] *nosotros*. En posición posnuclear se aspira en las partes costeras de Guatemala, en El Salvador, Honduras, Nicaragua, las partes noroeste y sur de Costa Rica, y en Panamá. En la parte noroeste de Costa Rica (provincia de Guanacaste) se produce un corte glotal cuando la /s/ final precede a una palabra cuya vocal inicial es tónica [loʔ'indjoh] *los indios*, [lafi'oŋse] *las once*, pero [lohani'maleh] *los animales*.[19] Un corte glotal se produce también en Nicaragua, pero su entorno es diferente, pues ocurre ante consonante sonora: ['miʔmo] *mismo*.[20]

Respecto de los índices de aspiración, J. Lipski[21] observa que los nicaragüenses aspiran más que sus vecinos hondureños y salvadoreños; en Honduras, el mismo investigador[22] hace notar que dicho país es una zona de transición, donde las partes costeras tienden más a la aspiración que las interiores. Y en la parte noroeste de Costa Rica, X. Jaén[23] observa que los jóvenes tienden a aspirar menos que los mayores, por influjo del Valle Central.

La fricativa velar /x/ se realiza en toda el área centroamericana como faríngea o laríngea [h], muy débil, menos en la parte central de Costa Rica, donde figura como fricativa velar lenis. Pero, debido a su realización tan débil, en todos los países tiende a veces a perderse: *trabajo* → [tra'ƀao].

Africadas.   La consonante africada palatal /s̑/ se realiza como africada en toda Centroamérica menos en Panamá, donde alterna con una realización fricativa [š]. Según H. Cedergren,[24] la fricativización de /f̑/ surgió en la ciudad de Panamá a mediados del siglo XX. La autora nota que el fenómeno se está expandiendo desde dicha ciudad al resto del país. De acuerdo con Graell y Quilis,[25] la variante fricativa se da en la ciudad de Panamá, mientras que en las demás regiones del país alternan la africada con la fricativa.

Pero también se han registrado casos —aunque pocos— de fricatiza-

    19.   Cfr. M. A. Quesada Pacheco, *El español de Guanacaste*, Editorial de la Universidad de Costa Rica, San José, p. 74.

    20.   Cfr. J. Lipski, «/S/ in the Spanish of Nicaragua», *Orbis*, 33, 1-2 (1984/1989); pp. 171-181.

    21.   *Latin American Spanish, op. cit.*, p. 291.

    22.   *Fonética y fonología del español de Honduras*, Tegucigalpa, Ed. Guaymuras, 1987, p. 114 y ss.

    23.   «Cambio en la variación de /s/ en Guanacaste», *Comunicación [Instituto Tecnológico de Costa Rica]*, 4, 1 (1989); p. 39.

    24.   «Consideraciones sociolingüísticas sobre la microevolución lingüística», *Actas del I Congreso Internacional sobre el español de América* [San Juan, Puerto Rico, del 4 al 9 de octubre de 1982], Academia Puertorriqueña de la Lengua Española (1987); pp. 55 y 57.

    25.   «Datos sobre la lengua española en Panamá», en C. Hernández *et al.*, *El español de América*, Junta de Castilla y León, Salamanca, t. 2, p. 999.

ción de /ŝ/ en jóvenes del noroeste de Costa Rica,[26] de modo que se trata, como en Panamá, de un cambio en marcha en dicha región.

Nasales. La consonante bilabial /m/ se realiza en todo el istmo como [ŋ] cuando precede a /n/ o /g/: [ˈiŋno] *himno*, [koˈluŋna] *columna*.

Respecto de la consonante alveolar /n/, se realiza como nasal velar en posición final en todos los países de Centroamérica: [paŋ] *pan*, [korasoŋ] *corazón*. En Costa Rica y en Panamá se dan oposiciones del tipo [eˈnagwas] *enaguas* y [eŋˈagwas] *en aguas*, [unasisˈtente] *una asistente* y [uŋasisˈtente] *un asistente*.[27] Graell y Quilis[28] se refieren a este fenómeno en Panamá y afirman que, aunque no lo registran en el *Cuestionario* para el atlas lingüístico de Hispanoamérica, sí lo detectaron en grabaciones espontáneas o en otras partes del *Cuestionario*. Además lo registra E. Alvarado en todas las hablas panameñas.[29]

Líquidas. Respecto de las vibrantes, en la región central de Guatemala se realiza la vibrante simple como asibilada sorda en posición posnuclear: [ˈpaɾke] *parque*. Según Lipski,[30] esta pronunciación no es tan frecuente entre las generaciones jóvenes de dicho país. En Costa Rica la vibrante simple también se asibila en posición final y absoluta, pero no en posición implosiva; en este caso la realización vibrante alterna con una variante retrofleja: [komeɻ] *comer*, pero [bjeɽnes] *viernes*, [paɽke] *parque*. La asibilación de /r/ está documentada en Costa Rica desde principios del siglo XX.[31] No obstante, se ha estigmatizado en los últimos años, y las generaciones jóvenes de las ciudades evitan su uso, favoreciendo así la realización retrofleja. En el resto de América Central mantiene su carácter de vibrante simple, en todas las posiciones. Por otra parte, en Honduras hay una preferencia por la variante múltiple en posición final: [koˈmer] *comer*.

El grupo /tr/ se asibila hasta llegar a un sonido africado alveolar sordo en la parte central de Costa Rica y, en menor cuantía, en la parte central de Guatemala: [tɹes] *tres*, [ˈotɹo] *otro*. En Costa Rica sucede lo mismo con el grupo /dr/ después de consonante, de donde surge un sonido africado alveolar sonoro: [aldɹededoɹ] *alrededor* [bendɹa] *vendrá*. Sin embargo, en Costa Rica, al igual que con la realización asibilada sorda de la vibrante simple,

---

26. Cfr. A. Rodríguez R., «Análisis fonético y fonológico, nivel segmental, del español de la ciudad de Puntarenas», tesis de Maestría, Universidad de Costa Rica, 1992. Yo, por mi parte, he registrado el fenómeno en hablantes jóvenes de la provincia de Guanacaste, también en el noroeste.

27. Por esa razón, O. Chavarría («The Phonemes of Costa Rican Spanish», *Language*, 27, 1951, p. 251) llega incluso a proponer la nasal velar como un fonema más en el español de Costa Rica, pero considero que es muy apresurada su tesis, ya que no se encuentran pares mínimos fuera de los en linde de palabra. Creo que, en última instancia, se podría hablar de un proceso de fonologización o de escisión fonológica en marcha.

28. «Datos sobre la lengua española en Panamá», *op. cit.*, p. 999.

29. E. Alvarado de Ricord, *El español de Panamá*, *op. cit.*, pp. 102-103.

30. J. Lipski, *Latin American Spanish*, Londres y Nueva York, Longman, p. 265.

31. Cfr. A. Mangels, «Sondererscheinungen des Spanischen in Amerika», tesis doctoral, Universidad de Hamburgo, 1926, p. 33. Según la autora, de todos los informantes hispanoamericanos de donde obtuvo los datos sólo la escuchó en un informante costarricense.

las variantes [tɾ] y [dɾ], documentadas desde fines del siglo XIX,[32] se han estigmatizado en los últimos años, de modo que las generaciones más jóvenes de las ciudades evitan su pronunciación y las realizan como oclusiva + vibrante simple, al igual que en el resto de Centroamérica.

En cuanto a la vibrante múltiple, en Guatemala y en la parte central de Costa Rica se asibila hasta llegar a un sonido que varía entre alveolar fricativo sonoro y retroflejo sonoro: ['kaɹo] *carro*, ['peʈo] *perro*. En Costa Rica figura como africada después de pausa: [dɹe'saɹ] *rezar*. En las demás regiones del istmo se mantiene como vibrante múltiple, y en Nicaragua se realiza como fuertemente vibrante.

La consonante lateral sonora /l/ no presenta variaciones especiales, aunque en posición posnuclear tiende, en las zonas rurales del istmo, a alternar con /ɾ/: [aɾki'laɾ] *alquilar*, [delan'taɾ] *delantal*, [es'pelma] *esperma*. No obstante, en ningún país se da una neutralización sistemática, de manera que más bien se podría hablar de retenciones o de fosilizaciones. La neutralización de líquidas es un fenómeno muy bien documentado en toda América desde la Colonia;[33] sin embargo, al igual que en otras zonas del continente, en Centroamérica se trata de un fenómeno que va en retroceso.[34]

En ninguna región de América Central se registra la consonante palatal lateral /ʎ/, aunque hay indicios de que se empleó, al menos en algunas regiones, en la época colonial.[35]

Las semiconsonantes.   Al igual que en otras partes del mundo hispanohablante, /y/ y /w/ se ven reforzadas, en ciertos entornos, por un segmento palatal y uno velar, respectivamente, particularmente en posición inicial y después de consonante: ['dͮyerba] *hierba*, [indͮyek'sjoŋ] *inyección*, ['gweso] *hueso*. En el caso de /y/, en casi toda Centroamérica, menos en la zona central de Costa Rica y en Panamá, dicha semiconsonante tiene una articulación muy débil, lo cual favorece su pérdida: *capilla* → [kapia] *silla* → [sia], *cuchillo* → [kutšio] y la aparición de hipercorrecciones: [bateya] *batea*, [feyo] *feo*.

Rasgos morfosintácticos

Pronombres y formas de tratamiento.   Uno de los rasgos más sobresalientes del español centroamericano es el paradigma de las formas de tratamiento. Por una parte se encuentra el uso de *usted* como marcador de distanciamiento, respeto o cortesía, cuyo empleo no difiere del resto del

    32.   Cfr. F. Ulloa, *Elementos de gramática de la lengua castellana, escritos expresamente para la enseñanza de la juventud en Costa Rica*, Tipografía Nacional, San José, 1872, p. 224-238; L. Dobles Segreda, «Apuntes, IV», *Páginas Ilustradas*, 235 (1910); pp. 4282-4285.
    33.   Cfr. P. Boyd-Bowman, «A Sample of sixteenth Century 'Caribbean' Spanish Phonology», *1974 Coloquium on Spanish and Portuguese Linguistics*, Georgetown University, 1975, p. 9; M. B. Fontanella de Weinberg, *El español de América*, Madrid, MAPFRE, 1992, p. 60; M. A. Quesada Pacheco, *El español colonial de Costa Rica, op. cit.*, pp. 46-49.
    34.   Cfr. M. B. Fontanella, *El español de América, op. cit.*, pp. 138-139.
    35.   Cfr. M. A. Quesada Pacheco, *El español colonial de Costa Rica, op. cit.*, p. 45.

mundo hispanohablante. Por otra, para denotar solidaridad, afecto o familiaridad, el panorama se complica, ya que existen tres modos de manifes-
tarlo, distribuidos según países o situaciones sociales: el uso de *vos*, *tú* y
usted, fenómenos respectivamente conocidos como *voseo*, *tuteo* y *ustedeo*.

El *voseo* consiste en el empleo de la forma *vos* como tratamiento de
confianza, más las formas del paradigma de *tú* para el acusativo y el posesivo (por ejemplo, *te vi a vos, esto es tuyo*) y se extiende desde Guatemala
hasta la parte oeste de Panamá, en la zona fronteriza con Costa Rica. Las
formas verbales que acompañan el pronombre *vos* son las monoptongadas
-*ás*, -*és*, -*ís*: *vos tomás, vos comés, vos partís*. Pero en Panamá se dan las formas diptongadas: *vos tomáis, vos coméis*. El paradigma del voseo se aplica
también al subjuntivo: *que vos tomés, comás, durmás, que vos hayás tomado*, etc. En Guatemala y El Salvador se emplea el pronombre *vos* con valor
expresivo: *¡qué bueno, vos!*

A pesar del arraigo que tiene el voseo en casi toda América Central, el
sistema normativo escolar lo desconoce y lo reprueba, lo cual ha contribuido a su poca aceptación en la lengua escrita y en la oral de los medios
de difusión. Esto ha contribuido, en cierta medida, a su estigmatización a
favor del tuteo.

El pronombre *tú* se emplea en casi toda Panamá; pero en la zona fronteriza con Costa Rica, al oeste, alternan los pronombres *tú* y *vos*. Además,
en Guatemala y El Salvador se registra el uso de *tú* como marcador de solidaridad pero no de familiaridad, de donde se obtiene un sistema tridimensional de tratamiento: *usted, vos, tú*, según el grado de confianza.[36]
Aquí se hace necesario mencionar el caso de Costa Rica, donde se ha registrado un aumento en el empleo de *tú* en los últimos años, en sustitución
del tradicional *vos*.[37] Este sistema tridimensional se registra en el oeste de
Panamá pero de manera más compleja, ya que, según Graell y Quilis,[38] los
padres tratan de *vos* o de *tú* a los hijos, y éstos les responden con el pronombre *usted*; los esposos se tratan de *usted* o de *vos*, pero entre hermanos
y amigos se intercambian los tres pronombres.

El uso de *usted* como marcador de familiaridad, conocido como *ustedeo*, se emplea en Costa Rica y en las zonas rurales de Panamá para dirigirse a hermanos, hijos, amigos, compañeros y conocidos.[39] A diferencia de
los demás países, en Costa Rica la elección entre *usted* y *vos* no está marcada por condicionamientos sociales (con excepción, quizás, del uso de *usted* como marcador de cortesía de los jóvenes para con las personas mayores) sino más bien pragmáticos; así, es la situación conversacional y el estado de ánimo los que deciden uno u otro pronombre, de manera que se

---

36. Cfr. A. Pinkerton, «Observations on the *tú/vos* option in Guatemalan *ladino* Spanish», *Hispania*, 69 (1986); pp. 690-698.
37. Cfr. T. Leraand, «Formas de tratamiento en estudiantes universitarios de San José, Costa
Rica», tesis de Maestría, Universidad de Bergen, Noruega, 1995.
38. «Datos sobre la lengua española en Panamá», *op. cit.*, p. 1003.
39. Este fenómeno ha sido prolijamente estudiado por C. Vargas, «El uso de los pronombres
"vos" y "usted" en Costa Rica», *Revista de Ciencias Sociales*, 8 (1975); pp. 8-30.

puede pasar de *usted* a *vos* hasta en la misma conversación. Esto es, empero, materia para un estudio no realizado todavía.

Respecto de los posesivos, en Guatemala y El Salvador se emplea el artículo indefinido en construcciones posesivas: *una mi hermana, un mi amigo*, y en toda América Central se hace uso de las perífrasis *de nosotros, de ellos, de él, de ella* por *nuestro, suyo*.

Toda América Central emplea los pronombre de acusativo *lo, los / la, las* y de dativo *le / les* según la norma etimológica: *las vio, le dijo, lo miraron*. Pero también se da el leísmo de persona en ciertas situaciones donde se requiere un habla más formal, por ejemplo cuando se atiende a un cliente en una oficina o por teléfono: *¿ya le atienden?, le llamamos después*, etc. También se emplea el leísmo en oraciones con *se: se le nota, se le vino, me le fui*, etcétera, y es común hacer concordar el acusativo *lo / la* con el dativo cuando éste es plural: *les dio la carta a los muchachos → él se las dio*.

Uso de las preposiciones.   En lo pertinente a usos preposicionales destacan la omisión de *a* en la perífrasis *ir + a + infinitivo*, particularmente en el habla rural: *voy ir a misa; vamos ir*, y se sustituye la preposición *a* por *en* en verbos de movimiento: *entró a la casa, cayó al río, se mete al horno*. Por otra parte, es común el empleo de *hasta* y *desde* con sentido temporal puntual, donde *hasta* indica posterioridad y *desde* anterioridad a la referencia temporal expresada por el verbo: *el negocio abre hasta las 8 a.m.* (o bien: *dijo que abriría el negocio hasta las 8 a.m.*), *Juan vino desde el viernes*. Asimismo, es muy frecuente la sustitución de *entre* por la perífrasis *dentro de*: *lo tiene entre un cajón, está entre un saco*.

La derivación.   Los sufijos más frecuentes empleados para la derivación en el español centroamericano son los siguientes:

-*ada*   denota *a*) acciones a partir de verbos de la primera conjugación: *cortada, afeitada, sudada*; *b*) comportamiento o conducta: *chanchada* 'trastada, mala acción'; *gatada* (Honduras) 'acción solapada', *güevonada* (Costa Rica) 'estupidez'; *c*) conjunto: *chapulinada* (Costa Rica) 'grupo de niños', *fanaticada* (Honduras) 'grupo de aficionados al deporte'; *d*) 'fiesta donde se sirve el plato denotado': *atolada, chichada, tamalada*;

-*al*   significa 'terreno cubierto o sembrado de': *bananal* 'terreno sembrado de bananos (plátanos), *chiverral* 'campo sembrado de una cucurbitácea llamada *chiverre*', *talquezal* 'campo sembrado de cierta gramínea conocida como *talqueza*'; *ñangal* (Panamá) 'terreno pantanoso';

-*azo*   para formar sustantivos que indican golpe: *jalonazo* 'tirón', *planazo* 'cintarazo';

-*azón*   para formar sustantivos que denotan frecuencia o intensidad: *agüevazón* 'aburrimiento', *guindazón* (Costa Rica) 'acto de estar colgado', *apretazón* 'apretujamiento';

-*dera*   denota acciones reiterativas: *obradera* 'diarrea', *habladera, comedera*;

-ear   (pronunciado -*iar*) para formar verbos, en particular los que denotan una acción reiterativa: *bostecear* 'bostezar', *chutear* 'chutar, lanzar el balón', *ñarrear* (Panamá) 'maullar';

-eco   se emplea *a*) para denotar defectos físicos y morales: *tontoneco* 'bobo, simplón', *cacreco* 'viejo, tieso, achacoso', *patuleco* 'patituerto'; *b*) para formar gentilicios: *guanacasteco, guatemalteco, santaneco*;

-enco   para formar adjetivos que denotan defectos físicos y morales: *mudenco* 'taratamudo', *tulenco* 'enclenque', *flaquenco* 'flaco';

-eño   para formar gentilicios: *hondureño, salvadoreño*. Según Van Dijk,[40] es el sufijo más frecuente en Honduras para dicho fin.

-ense   forma gentilicios: *alajuelense* 'natural de Alajuela' (Costa Rica), *comayagüelense* 'oriundo de Comayagua' (Honduras), *costarricense*;

-era,   -ero: denota *a*) oficio o profesión: *papero* 'vendedor de patatas', *orero* (Costa Rica) 'buscador de oro', *chichero* 'vendedor de chicha'; *b*) abundancia: *culebrero, cucarachero, zopilotera*; *c*) recipiente u objeto para guardar: *chilera* 'vaso donde se guarda el chile o ají', *trastero* (Costa Rica) 'armario para la vajilla', *tilichera* (Honduras) 'armario para guardar cachivaches o *tiliches*'; *c*) plantas: *ayotera, chayotera, patastera*;

-illo   forma diminutivos, con la particularidad de que se emplea con nombres propios para denotar afectividad o cariño: *Arturillo, Martilla, Josecillo*. En Honduras también se emplea con matiz aumentativo o ponderativo: *bonitillo, cerquitilla, apenitillas*;

-ito   que se emplea en toda la región para formar diminutivos, no está, como es la norma en otras regiones hispanohablantes, en distribución complementaria con -*cito* (después de raíces diptongadas): *puertita, pueblito, fiestita*, y se aplica también a adjetivos y adverbios, al igual que su variante reduplicada -*itito*, en cuyo caso denota intensidad o ponderación: *ahorita* (*ahoritita*), *nomasito, nadita* (*naditita*). En Costa Rica -*ito* sufre disimilación en -*ico* cuando el radical termina en [t]: *gatico, cartica, matica*. Por consiguiente, al reduplicarse en -*itito*, también sufre disimilación: *mojaditico, dormiditico, cerquitica, apeniticas, ahoritica*;

-ote   forma aumentativos con matiz de cariño: *malote, dichosote, desvergonzadote*;

-uco   para formar *a*) aumentativos o ponderativos: *anticuco* 'muy antiguo', *macuco* (Costa Rica) 'fornido', *timbuco* 'barrigón';

-udo   para formar adjetivos con matiz peyorativo: *cuerudo* 'testarudo', *manganzudo* 'holgazán'.

40. «Los gentilicios hondureños», en Atanasio Herranz (comp.), *El español hablado en Honduras*, Tegucigalpa, Ed. Guaymuras, 1990, p. 209.

El verbo

Respecto de los tiempos y modos verbales, el español de Centroamérica emplea el pretérito perfecto simple para denotar cualquier tipo de acción pasada: *ya vine, se fue, hoy comí tortilla*; por su parte, el pretérito perfecto compuesto se emplea para (*a*) indicar una acción pasada que se proyecta hasta el presente: *he estado enfermo desde el lunes, María no ha comido mucho en estos días, Juan se ha pasado el día sin hacer nada*; (*b*) para enfatizar o topicalizar una acción pasada: *venía distraído por el camino y me he tropezado con un caballo*.

El futuro sintético queda relegado para denotar duda (*¿qué le pasará a Juan?*) y se sustituye por el presente o por la perífrasis *ir + a + infinitivo*: *mañana cierran la iglesia, ¿qué vas a hacer el sábado?*

Asimismo, se nota un proceso de debilitamiento del pretérito pluscuamperfecto en favor del pretérito perfecto simple (*vinieron a llevarse lo que ellos dejaron*) y del futuro perfecto en favor del pretérito perfecto compuesto (*cuando ella venga yo ya me he ido*). Respecto del pluscuamperfecto, empero, en zonas rurales de Costa Rica tiende a sustituir al pretérito perfecto simple en oraciones interrogativas temporales: *¿cuándo había venido usted?*

Respecto del subjuntivo, se emplea la forma *-ra* del imperfecto en detrimento de *-se*; a la vez, se usa este tiempo para marcar pródosis y apódosis en oraciones condicionales: *si tuviera plata me comprara un carro* 'si tuviese dinero me compraría un coche'. Pero también se emplea el imperfecto de indicativo en la apódosis: *si tuviera plata se compraba un carro*.

El futuro de subjuntivo ha caído en desuso.

Otras particularidades verbales que se pueden señalar son las retenciones, en las áreas rurales, de formas verbales como *vide* 'vi', *vía* 'veía', *haiga* 'haya' y los imperfectos *traiba, caiba, creiba*, el frecuente empleo de la forma pronominal en verbos intransitivos: *devolverse, enfermarse, dilatarse, tardarse, llegarse*, etc., y la personalización del verbo *haber*: *hubieron muchas personas*.

En cuanto a otros aspectos sintácticos, cabe apuntar el empleo de adverbios temporales en sustitución de *hacer* en oraciones que indican el tiempo: *ya tiempo, ya rato, ora noches*,[41] etc.; el uso de los verbos *pegar, echar + -ada*, o bien del verbo *ponerse + adjetivo* para formar perífrasis verbales con valor incoativo: *dar una paleada, echarse una dormida, ponerse flaco, ponerse bravo* 'enfurecerse'; el empleo del verbo *volar* más un sustantivo para formar locuciones verbales con valor iterativo: *volar pala* 'trabajar con la pala', *volar ojo* 'vigilar', *volar diente* 'comer', *volar lengua* 'conversar', etc.; el orden *ya + pronombre + verbo* en oraciones pretéritas: *ya yo vine*; el uso frecuente de la perífrasis *decir + a + infinitivo* con valor incoativo: *dijo a llorar*; la perífrasis *ir + gerundio* con valor de futuro inmediato y para topicalizar: *me voy yendo; el perro entró en la cocina y me va co-*

---

41.   Cfr. Henri van Wijk, «Algunos aspectos morfológicos y sintácticos del habla hondureña», en A. Herranz (comp.), *El español hablado en Honduras*, Guaymuras, Tegucigalpa, 1990, p. 120.

miendo lo que estaba en la mesa; la estructura *verbo* + *y* [que] + *verbo* para marcar intensidad: *está busque y busque, jale que jale, dele y dele*;[42] en Panamá, el orden invertido en la oración que inicia por una palabra interrogativa: *¿qué tú quieres?*, en Panamá y Costa Rica, el empleo del verbo *ser* como topicalizador: *lo vi fue en la tienda, me pegó fue en la mano*.

Rasgos léxico-semánticos

Obviamente, el español de Centroamérica tiene como base léxica principal el castellano. Basta abrir cualquier diccionario local para darse cuenta de ello. Muchas palabras de base castellana, empero, presentan variedades semánticas significativas, tanto respecto de España como del resto de América. Algunos cambios de significado responden a los fenómenos meteorológicos propios del mundo tropical: *verano* es la época seca (de mayo a noviembre) o cualquier momento del año sin lluvias, *invierno* la época lluviosa (de diciembre a abril), la *tarde* centroamericana da paso a la *noche* a las 19 horas, *canícula* se refiere a un tiempo cambiante en agosto, y no tiene nada que ver con el calor. Otras palabras se refieren a especies naturales tropicales. Para la flora se pueden citar *aceituno* 'Simarouba glauca', *cedro* 'Cedrela mexicana', *cristóbal* 'cierto árbol maderable', *encino* 'especie de roble', *laurel* 'Cordia gerascanthus' (árbol maderable), *matapalo* 'cierta planta epífita que destruye los árboles', *níspero* 'árbol zapotáceo' *uña de gato* 'cierta variedad de helecho', etc.; para la fauna están *gato* (Panamá) 'nombre genérico de los animales salvajes', *lagarto* 'cocodrilo', *león* 'puma', *madre de culebra* 'Mantis religiosa', *tigre* 'gato montés', *zorro* (Costa Rica) 'zarigüeya' y otras. Pero el grueso de las voces registradas en los diccionarios nacionales denotan costumbres, comidas, tradiciones, oficios, juegos, instrumentos de trabajo, etc., y tantos otros rasgos etnográficos propios de la región. Algunos ejemplos son: *burra* 'parte de trabajo agrícola inconclusa', *faena* (Guatemala) 'trabajo después de las horas laborables', *farolazo* 'trago de licor', *gallo pinto* (Costa Rica y Panamá) 'guiso de arroz y frijoles', *gazpacho* (Honduras) 'residuos, sobras', *gritería* (Nicaragua) 'fiesta religiosa del 7 de diciembre', *limpia* 'desyerbe de un terreno', *lipidia* 'miseria', *mantudo* 'disfrazado en una mojiganga', *marquesote* (Honduras, Nicaragua y noroeste de Costa Rica) 'pasta de harina de maíz o de arroz con huevos y azúcar, horneada', *masa* 'harina de maíz' (por antonomasia), *picadillo* 'cuajado', *pollera* 'falda típica de Panamá', *punto* 'baile típico de varios países del área', *tambor* 'baile típico de Panamá'; comidas: *tortilla* 'masa de maíz cocido en cal, asada en forma redonda y delgada', y muchas más.

Sobra decir que Centroamérica también participa de la amplia gama de marinerismos que se extienden por todo el continente, muchos de los cuales han adoptado significados particulares en el área, como *abra* (Costa

---

42. Cfr. J. Diego Quesada, *Periphrastishe Aktionsarten im Spanischen*, Ed. Peter Lang, Frankfurt, 1994, pp. 191-192.

Rica) 'claro en un bosque', *bodega* (Costa Rica) 'almacén', *bodegón* (Panamá) 'tienda de comestibles', *botado a*) (Nicaragua y Honduras) 'barato', *b*) (Costa Rica) 'dadivoso', *fletada* (Honduras) 'reprimenda', *galera* (Costa Rica, Honduras) 'tinglado', *galerón* (El Salvador, Costa Rica) 'cobertizo grande', *jalar a*) (Nicaragua, Costa Rica) 'estar de novios', *b*) (Honduras) 'hacer el amor', *mazamorra* (Costa Rica) 'dulce de maíz colado y fermentado', *zocarse* (escrito también *socarse*) 'emborracharse'.

Además del contingente mayoritario de palabras de base castellana que conforman el léxico centroamericano, hay algunas lenguas que han contribuido a su enriquecimiento, entre las que se pueden citar las lenguas indígenas, las africanas y el inglés.

En cuanto a influencias indígenas, las lenguas antillanas y el azteca o náhuatl son las únicas lenguas que han logrado contribuir con su léxico por parejo a todas las naciones centroamericanas. La presencia de palabras antillanas en Centroamérica se debe a la primera fase de la conquista americana, cuando de las Antillas partieron los conquistadores a diversas partes del istmo centroamericano, entrando por México y por Panamá.[43] Entre las palabras antillanas usadas en Centroamérica (y en el resto de América) están *ají, bahareque, barbacoa, bijagua* o *bijao, guácimo, guayaba, icaco, macana, mamey, papaya, yuca*, etc.

Por su parte, la influencia del náhuatl se debe al proceso de colonización del istmo centroamericano, el cual partió de México, cuando los conquistadores de esa parte habían incorporado ya vocablos indígenas. Sin embargo, estudios recientes[44] revelan que la influencia del azteca en Centroamérica vino a través de la variante conocida como pipil, hablada en El Salvador, y no directamente de la variedad mexicana. Lo anterior explicaría la presencia de pares léxicos como *atole, cuate, cacle, guacamole, tepezcuintle*, usados en México, frente a *atol, caite, guape, guacamol, tepezcuinte*, empleados en América Central. Las palabras de origen náhuatl tienen que ver con la flora (*ayote, camote, coyol, cuajiniquil, chile, elote, guacal, guanacaste, guapinol, tule, zacate*, etc.), la fauna (*coyote, ostoche, tecolote, tepezcuinte, zopilote*), y con aspectos etnográficos (*chichigua* 'nodriza', *comal* 'sartén para tortillas', *chagüite* 'terreno cenagoso', *chiquigüite* 'cesto', *malacate* 'huso', *tabanco* 'desván', *tequio* 'faena'). Es de notar que el número de préstamos aztecas disminuye en la parte central de Costa Rica y en Panamá.

Las demás lenguas indígenas del istmo han influido dentro de sus respectivas áreas de extensión, donde cabe resaltar la familia maya-quiché en Guatemala, las lenguas maya y lenca en Honduras, el pipil en El Salvador, lenguas de la familia misumalpa en Nicaragua, lenguas de la familia chibcha en Costa Rica y Panamá, y lenguas de la familia chocó en Panamá. A la vez, éstas han dejado su huella en la toponimia: Chichicastenango, Quetzaltenango, Petén (Guatemala); Comayagua, Chuluteca, Tegucigalpa (Honduras); Managua, Momotombo, Subtiaba (Nicaragua); Aserrí, Curridabat, Ticufres (Costa Rica); Chitré, Coclé, Penonomé (Panamá).

43.   Cfr. Héctor Brignoli, *Breve historia de Centroamérica*, Alianza Editorial, Madrid, 1988, p. 50.
44.   Citados por J. Lipski, *Latin American Spanish, op. cit.*, p. 257.

En lo pertinente a la presencia africana en Mesoamérica, no hay ningún país del área que no tenga o haya tenido grupos afroamericanos; sin
embargo, la contribución léxica de lenguas africanas a esta parte del continente americano es prácticamente nula, debido a que los grupos negros
traídos habían ya perdido sus lenguas nativas y llegaron con el inglés criollo o, en el caso de los garífunas, con una lengua arahuaca. De probable
origen africano son algunas palabras terminadas en -*amba*, -*anga*, -*imba*,
-*ongo*, -*umbo*:[45] *batanga* 'cierta planta acácea', *candanga* 'diablo', *marimba*
'especie de xilófono', *matamba* 'cierta palmera', *quijongo* 'cierto instrumento musical', *zambumbia a*) (Honduras) 'cierto instrumento musical', *b*)
(Costa Rica) 'revoltijo'.

El español centroamericano tampoco ha escapado a la influencia del
inglés, el cual proviene de dos fuentes principales. Por un lado, de las lenguas criollas de base inglesa habladas en diversas partes del istmo, principalmente en la costa atlántica; por otro, de los contactos comerciales y culturales con los Estados Unidos, hoy por hoy el país más visitado por los
centroamericanos. Algunos ejemplos son: *aplicar* y *aplicación* 'solicitar' y
'solicitud', *bonch* (Panamá) 'montón', *carro* 'automóvil', *cona* (y no *córner*)
'saque de esquina' (en el fútbol), *crique* 'riachuelo', *chócola* 'hoyo para jugar
canicas', *ful* 'lleno', *guata* 'agua', *guachos* 'ojos', *jailaif* 'alta sociedad', *rai*
'transporte gratuito', *raisanbíns* 'plato de arroz y frijoles típico de la costa
atlántica', ¿*huapín*? '¿qué pasa?', etc.

A todo esto se debe agregar un número indefinido de palabras de origen incierto usadas en estos países, las cuales se podrían remontar a lenguas aborígenes hoy extintas. Por ejemplo, en el Valle Central de Costa
Rica se hallan voces que designan ciertas plantas como *chascú*, *tará*, *tucá*,
tuete, y pájaros como *cachí*, *curré*, *huispirrá*, *piapia*, *purisco*, las cuales muy
probablemente procedan de la lengua huetar, extinta a principios del siglo
XVIII.[46] Sin embargo, sólo estudios profundos y cautelosos podrán llegar a
dar —si es posible— con el origen de ese caudal de palabras usadas en cada
uno de los países del istmo centroamericano, las cuales representan un verdadero desafío para el etimologista.

América Central, ¿un área dialectal?

Hay factores, extralingüísticos y lingüísticos, que han llevado a pensar
en América Central como un área dialectal bien definida. El factor extra-
lingüístico está relacionado con una historia colonial común, cuando Costa Rica, Nicaragua, Honduras, El Salvador y Guatemala componían la Audiencia de Guatemala, y cuya unión se prolongó algunas décadas después

---

45.   Cfr. Gary Scavincky, «Los 'sufijos' no españoles y las innovaciones sufijales en el español
centroamericano», *Thesaurus (BICC)*, 29 (1974), 1-52.
46.   Cfr. M. A. Quesada Pacheco, «La lengua huetar», *Estudios de Lingüística Chibcha [Univer-
sidad de Costa Rica]*, 9 (1990), 7-64.

de la independencia de España, en 1821.[47] El factor lingüístico se centra en ciertos rasgos fonéticos, morfosintácticos y léxicos que tienden a crear una idea de unidad. Diversos son los modelos de división dialectal que ofrecen los autores, entre los cuales destaco tres, cronológicamente expuestos. El primer modelo toma como criterio ciertos rasgos léxicos y destaca a una Centroamérica unida con México y los Estados Unidos. Como ejemplo se citan la división de J. I. de Armas y Céspedes[48] en 1882 y, según la influencia del sustrato léxico, la de P. Henríquez Ureña en 1921.[49] El segundo modelo toma como criterio aspectos históricos y divide a América en zonas altas y zonas bajas: en las altas, con menos contacto con el mundo exterior en la Colonia, se nota una influencia andaluza muy débil; en las bajas, que desarrollaron lazos comerciales a través de sus puertos, una influencia andaluza intensa y constante. Esta teoría fue planteada primero por M. L. Wagner[50] y seguida por R. Menéndez Pidal.[51] Centroamérica está obviamente incluida dentro de esta división; de esta forma, y siguiendo a D. Canfield,[52] Guatemala y Costa Rica pertenecerían a las zonas altas, y El Salvador, Honduras y Nicaragua a las bajas. El tercer modelo está fundado en criterios lingüísticos y describe como área dialectal el istmo centroamericano y sus zonas fronterizas. Así, P. Rona[53] incluye a América Central, el sureste de México y el oeste de Panamá en un solo grupo pues comparten el yeísmo, el *žeísmo*, y las terminaciones *-ás, -és, -ís* del voseo. Zamora y Guitart,[54] tomando en cuenta el yeísmo, la velarización de /n/, el tratamiento de /s/, /x/ y /r/, delimitan la misma área propuesta por Rona.

Los autores mencionados tratan el español centramericano dentro del macroesquema del español americano y no destacan rasgos que pudieran llevar a una caracterización más sutil del área centroamericana. Pero ya se nota en este sentido una mayor toma de conciencia y de precaución. Así, V. Honsa,[55] basándose en factores históricos, presenta a América Central como «un tapete lingüístico bastante abigarrado, a veces descosido, pero siempre con una corriente de fondo que le da sentido». Por su parte, J. Lipski[56] reconoce «a vast regional differentiation of Central American Spanish» y ve en ella una zona «with considerable internal variation». El menciona-

---

47.   Según Héctor Brignoli (*Breve historia de Centroamérica*, Alianza Editorial, Madrid, 1988, p. 53), «El "Reyno de Guatemala" constituyó así un dominio de las Indias españolas relativamente autónomo, definido ante todo por la jurisdicción de la Audiencia». A partir de 1821, Centroamérica constituyó la República Federal Centroamericana, que agonizó en 1838.

48.   Citado y comentado por J. Zamora y J. Guitart, *Dialectología hispanoamericana*, 2.ª ed., Salamanca, Ed. Almar, 1988, pp. 177-179. Zamora y Guitart apuntan el hecho de que Armas y Céspedes no aducen criterios que justifiquen tal división.

49.   Citado y comentado por M. Fontanella de W., *El español de América, op. cit.*, pp. 123 y ss.

50.   «Amerikanisch-Spanisch und Vulgärlatein», *Zeitschrift für romanische Philologie*, 40 (1920), pp. 286-312 y 385-404.

51.   «Sevilla frente a Madrid», *Estructuralismo e Historia: Miscelánea homenaje a André Martinet*, III, La Laguna, Canarias (1962); pp. 99-165.

52.   *El español de América. Fonética*, Barcelona, Ed. Crítica, 1988, p. 21.

53.   Citado por J. Lipski, *Latin American Spanish, op. cit.*, p. 15.

54.   *Op. cit.*, p. 182.

55.   «Coincidencia de tipos dialectales en América Central», *Actas del VI Congreso Internacional de la Asociación de Lingüística y Filología de la América Latina*, U.N.A.M., México (1988), p. 745.

56.   *Latin American Spanish, op. cit.*, pp. 17-19.

do autor, además, cataloga a Honduras como una «zona de transición dialectal»[57] según el grado de aspiración de /s/ y se refiere a Costa Rica como «the end position of a dialect zone (Central America)».[58]

Pero ¿cómo definir y subdividir el español hablado en esta parte de América si no existen estudios de conjunto? ¿Es Costa Rica en realidad el límite de una zona dialectal? Considero que muy poco se ha logrado para comprobar dichas teorías, ya que el acopio de datos a través de los cuales se conocen ciertas características del español centroamericano proviene de estudios sueltos y de observaciones que, si bien pueden tener gran valor científico, carecen de conexión teórico-metodológica. Por otra parte, muchos estudios describen determinados rasgos que podrían dar indicios para una caracterización del español del área como zona dialectal, pero sus contextos son disímiles. Para ilustrar cito tres ejemplos para cada nivel lingüístico. Por un lado, se sabe que la aspiración de /s/ figura en toda el área centroamericana con excepción de las partes centrales de Guatemala y Costa Rica. No obstante, como hemos visto, las realizaciones de dicha aspiración no son iguales en toda el área, de modo que las zonas se traslapan según el entorno. Por otra parte, está la presencia del verbo *ser* como topicalizador en Costa Rica y Panamá, lo cual también podría servir de antecedente para una subdivisión dialectal «sureña»; pero en Panamá el fenómeno toca a las ciudades y en Costa Rica, empero, se registra en los campos, de modo que en una parte parece expandirse, mientras que en otra tiende a retroceder. Por último, en cuanto al léxico, puede que se utilicen los mismos lexemas en el área, pero hay variaciones de significado que impiden agruparlos dentro del mismo radio de acción: además de varios ejemplos antes vistos, se puede citar la muy usada locución *y de ahí* (pronunciada *idiay*), propia de casi todos los países centroamericanos, la cual, empero, tiene el valor de saludo en Guatemala, de oración interrogativa ('¿y luego?') en Honduras y Nicaragua, y en Costa Rica (pronunciada *diay*) de interjección exclamativa, interrogativa, de saludo y de admiración, entre otros valores.

En síntesis y a modo de conclusión, opino que para conocer a fondo el español del área centroamericana y poder describirla como área dialectal bien definida, con sus probables subdivisiones, forzosamente habrá que realizar estudios geográfico-lingüísticos, tanto de carácter global como nacionales. Igualmente ayudarán a esta labor todos los estudios histórico-lingüísticos que se puedan hacer tomando como fuente de investigación los manuscritos coloniales, de donde se podrá documentar el origen —o la pérdida— de muchos fenómenos. Por fortuna se están realizando investigaciones en estas direcciones;[59] pero, mientras no se conozcan sus resultados, habrá que andar con mucha cautela.

57. «Inestabilidad y reducción de la /s/ en el español de Honduras», *Actas del I Congreso Internacional sobre el español de América* [San Juan, Puerto Rico, del 4 al 9 de octubre de 1982], Academia Puertorriqueña de la Lengua Española (1987), p. 751.
58. *Latin America Spanish, op. cit.*, p. 225.
59. Por ejemplo, para Costa Rica están el «Pequeño atlas lingüístico de Costa Rica» y *El español colonial de Costa Rica*, de M. A. Quesada Pacheco, antes citados. Para todo el istmo centroamericano será de gran ayuda el *Atlas Lingüístico de Hispanoamérica*, de M. Alvar y A. Quilis, cuyos trabajos están terminados.

VENEZUELA

por Mercedes Sedano y Paola Bentivoglio

Introducción

En este capítulo nos proponemos trazar un perfil muy esquemático del español de Venezuela, así como de los factores que han contribuido a su formación. Las características que atribuimos a esta variedad dialectal no son seguramente privativas del país; algunas de ellas se dan también en otras zonas hispanohablantes; otras están tan generalizadas que podrían considerarse tendencias del español general. Sin embargo, la combinación de los rasgos lingüísticos que aquí se mencionan otorgan al español venezolano una fisonomía propia en el conjunto dialectal hispánico.

Un poco de historia

Venezuela fue el primer lugar de tierra firme avistado por Colón durante su tercer viaje al nuevo mundo, en 1498. El descubridor no sabía aún que se trataba de un continente, pero quedó tan maravillado por la belleza de las costas y montañas de la zona que dio a ésta el nombre de «Tierra de Gracia».

En el momento del descubrimiento, el territorio de Venezuela estaba habitado por unos 300.000 indígenas de distintas tribus arahuacas y caribes, que no tenían ningún centro urbano importante ni tampoco una cultura o una lengua común (Malmberg, 1966).

Durante la época de la colonia, Venezuela estaba constituida por una serie de gobernaciones provinciales poco relacionadas entre sí, que dependían en unas ocasiones del Virreinato de Santa Fe y en otras de la Audiencia de Santo Domingo. De todas las provincias, la más importante era la de Venezuela o Caracas. En 1777 una Real Cédula estableció la obediencia de las provincias existentes en ese momento al capitán general de la provincia de Venezuela. Esta primera integración política, ya en las puertas de la independencia, favoreció sin duda la relación entre las provincias, muy escasa hasta entonces, sobre todo en las zonas geográficas de difícil acceso.[1]

Formación del español de Venezuela

El español de Venezuela se ha ido formando a lo largo de los siglos por las influencias más variadas: sustrato indígena, procedencia regional de los conquistadores y colonizadores, posteriores aportaciones de otras lenguas, creaciones propias, etc.

El sustrato indígena influyó sin duda en el léxico, área en la que aún hoy en día tienen plena vigencia términos como *arepa, auyama, bachaco, cazabe, cabuya, carite, morrocoy*, etc. Rosenblat (1989: 258) considera que la influencia indígena podría haber dejado su huella en las entonaciones regionales venezolanas; sin embargo, Sosa (1990), apoyándose en Fontanella de Weinberg (1976), considera que no puede afirmarse nada hasta no contar con rigurosos estudios comparativos de la entonación.

Es un hecho histórico que desde el siglo XVI al XIX llegaron numerosos esclavos africanos a Venezuela (cfr. Acosta Saignes, 1967). La influencia de esta población, muy importante desde el punto de vista étnico, ha sido mucho más reducida en el campo de la lengua; sin embargo, palabras como *bemba, cachimbo, congorocho, cumaco, mandinga* o *ñame* (cfr. Álvarez, 1987) constituyen vestigios de un pasado relacionado con las costas occidentales de África.

Venezuela ha sido siempre tierra de inmigración. Los grupos más numerosos han provenido tradicionalmente de las distintas provincias españolas, en particular de las islas Canarias. La influencia canaria es generalmente notable en el español de Venezuela no sólo en los rasgos segmentales y suprasegmentales sino también en algunos aspectos morfosintácticos y léxicos. De ahí se deriva que los venezolanos suelan ser confundidos con los canarios cuando visitan la Península Ibérica.[2]

Además de la inmigración española, Venezuela ha recibido numerosos grupos de otras nacionalidades, sobre todo a partir del siglo XIX. Entre esos grupos ocupan un lugar destacado los portugueses e italianos y, después, los franceses, alemanes, húngaros, etc. Esa afluencia ha enriquecido el léxico venezolano con términos del portugués (*botar, botiquín, garúa, íngrimo, lamber, pena* 'vergüenza'), italiano (*brócoli, canelones, chao, espaguetis, mezanina, ñoquis, pasticho, pizza)*, francés (*afiche, chofer,*[3] *creyón [crayon]*,

---

1. Algunas regiones, especialmente las situadas en las costas del Caribe, se mantuvieron en relativo contacto con otras zonas del territorio español, en particular con las Antillas y con las costas canarias y andaluzas.

2. Cabe señalar que numerosos rasgos del español puertorriqueño atribuidos por Álvarez Nazario (1972) a influencia canaria se dan también en Venezuela. Un rasgo anecdótico muy ilustrativo es que, en el español venezolano, la palabra *isleño* tiene una acepción muy particular, que es la de designar a los inmigrantes de las islas Canarias.

3. En Venezuela, algunas palabras extranjeras presentes en el español peninsular se pronuncian de manera diferente, por ejemplo, *chofer, coctel* y *restaurán* en lugar de *chófer, cóctel* y *restaurante*.

musiú [monsieur], papel tualé [toilette], petipuá [petit pois], restorán, taller [talleur]), o alemán *(delicateses, estrúdel, sauerkraut).* Dentro de las inmigraciones no europeas, cabe mencionar las de los países árabes y del lejano oriente. La presencia de esos pueblos ha incrementado el vocabulario de los venezolanos con términos sobre todo culinarios, como *cuscús, faláfel, chopsuey, pita, sushi,* etc.

En la configuración del español empleado actualmente en Venezuela no podemos dejar de mencionar las aportaciones de los inmigrantes provenientes de distintos países de la América Hispana, sobre todo de Colombia. Las relaciones entre Venezuela y Colombia, siempre muy estrechas por causas históricas, de vecindad geográfica y de inmigración, pueden haber dado lugar a que algunas formas propias del español colombiano hayan pasado a convertirse en muy usuales en Venezuela. Sedano (1988: 122-123) atribuye a influencia colombiana —y en menor grado, ecuatoriana— el empleo de construcciones con verbo *ser* focalizador como *yo vivo es en Caracas.*

No sólo las inmigraciones han dejado su huella en el español venezolano; también los medios audiovisuales, los viajes, etc. El prestigio que un día rodeó al francés favorece hoy en día la expansión del inglés. Esto se evidencia en los préstamos y calcos de esa lengua en los más variados campos léxico-semánticos: deportes *(beisbol, bowling, jonrón [home-run], inin [inning], left-field, right-field, windsurf),* informática *(computadora, hardware, maus [mouse], printear, salvar, software),* y muchos otros campos *(aplicar [apply], chor/es [short/s], chou [show], clip, clóset, cloche [clutch], espray [spray], estoc [stock], estrés [stress], ful [full], penthouse, sánduich/sánduche [sandwich]).* A influencia total o parcial del inglés podría atribuirse también el empleo, sobre todo en los titulares de los periódicos, de algunos sustantivos sin determinante *(Gabinete peruano presentó renuncia a presidente Fujimori),* así como de ciertos usos del gerundio *(se estrelló avioneta, muriendo sus dos ocupantes).* Un fenómeno que parece estar cobrando auge, esta vez en la lengua hablada, es el empleo de ciertas perífrasis de gerundio para hacer referencia a un hecho futuro *(estamos saliendo el sábado para Nueva York).*

Es difícil establecer qué características del español de Venezuela se deben a influencia de otras lenguas o de otros dialectos y cuáles a creación propia. No hay duda, sin embargo, de que una realidad lingüística y social particular ha debido contribuir a la formación de un español particular.

Áreas dialectales

Alvarado (1929) consideraba que en Venezuela podían distinguirse cuatro zonas dialectales (Oriente, Occidente, Cordillera y Llanos). A esas cuatro zonas habría que añadir la región central, en la que se encuentra Caracas. Aunque la división hecha por Alvarado parece reflejar adecuadamente las diferencias dialectales del país, se necesitan estudios que permitan corroborar empíricamente la existencia de esas zonas, así como los rasgos más característicos de cada una de ellas.

Una división menos detallada de la realidad lingüística del país permite establecer dos zonas dialectales; la primera, que ocupa la mayor parte del territorio nacional, se asemeja en el relajamiento consonántico de final de sílaba al español de las «tierras bajas» en general, y al español del Caribe en particular; la segunda zona, que corresponde a la región andina de Venezuela (estados Mérida, Táchira y Trujillo), presenta rasgos propios de las llamadas «tierras altas», el más relevante de los cuales es la pronunciación no relajada de las consonantes en posición implosiva. La estructura sociopolítica del país, y el hecho de que las ciudades más importantes y/o populosas del país (Caracas, Maracaibo y Valencia) estén en las tierras bajas, ejerce sin duda influencia en el hablar andino, que en algunas zonas ha empezado a relajar sus consonantes (cfr. Fraca y Obregón, 1985: 130; Mosonyi, 1971: 23; Obediente: 1992: 38).

Características

En esta sección se señalan los rasgos que consideramos más representativos del español de Venezuela. Dichos rasgos o son bastante generales o se refieren a la variedad más extendida del país. Los usos regionales divergentes se señalan aparte.

FONÉTICA Y FONOLOGÍA

Las observaciones que presentamos reflejan estudios que, en su mayoría, no están acompañados por análisis de tipo instrumental. Estos análisis, sin embargo, han empezado a realizarse en los últimos años en varias instituciones venezolanas.[4]

El sistema vocálico

El sistema vocálico del español venezolano es parecido al del español general, lo que corrobora la afirmación de Alarcos Llorach (1995: 30) acerca de «la uniformidad del sistema vocálico del español».[5] Dicha uniformidad se comprueba en el único estudio fonético-fonológico de un dialecto venezolano, el de Puerto Cabello, realizado por Navarro (1995).[6]

---

4. Elsa Mora, Enrique Obediente, Manuel Rodríguez y Tania Villamizar integran el equipo de investigadores de la Universidad de Los Andes en Mérida, mientras que Amalia Sarabasa, Zulay Campos y varios estudiantes de la Maestría en Lingüística integran el equipo de la Universidad Central de Venezuela.

5. A propósito de las vocales, Obediente (1991: 154) afirma que «desde el punto de vista fonológico, no existen diferencias entre el español estándar y el español venezolano».

6. Puerto Cabello, en el estado Carabobo, es una ciudad de 120.000 habitantes situada en la costa norte de Venezuela, a 200 kilómetros de Caracas. Desde el punto de vista dialectal, Puerto Cabello comparte muchos rasgos lingüísticos con otras localidades del Caribe hispánico.

En el habla espontánea de todo el país es frecuente la diptongación (sinéresis) de las secuencias vocálicas *ea* (*rial* en vez de *re.al*), *ee* (*plan.tié*, en vez de *plan.te.é*), *eo* (*pión* en vez de *pe.ón*), y *oa* (*tua.lla* en vez de *to.a.lla*).

El sistema consonántico

Los fonemas consonánticos de Venezuela son diecisiete:[7] seis oclusivos /p b/, /t d/, /k g/, cuatro fricativos /f, s, ǰ, h/, uno africado /c/), tres nasales /m, n, ɲ/, uno lateral /λ/ y dos vibrantes /r, r̄/. Se trata, por lo tanto, de un dialecto caracterizado por el seseo (ausencia de /θ/) y por el yeísmo (ausencia de /λ/). El fonema fricativo glotal sordo /h/ sustituye al fonema velar /x/, igualmente fricativo y sordo.

Las características más sobresalientes de la realización fonética de las consonantes en la gran mayoría de los dialectos venezolanos son las siguientes:

1) El alófono fricativo [δ] se debilita en posición intervocálica, en mayor grado en la terminación *-ado*, aun cuando raramente llega a la elisión total. Ésta, sin embargo, puede darse cuando [δ] está en posición final de palabra (*varieda*[δ]/*variedá*).

2) Las oposiciones entre los fonemas oclusivos /p b/, /t d /, /k g/ se neutralizan en posición implosiva, en el habla coloquial, dando lugar a un archifonema /K/, que puede realizarse como sordo o sonoro. Es así frecuente oír *a*[k]*to*/*a*[g]*to* por *apto*, *o*[k]*sión*/*o*[g]*sión* por *opción*, *su*[k]*sidio*/*su*[g]*sidio* por *subsidio*.[8]

3) El fonema /s/ en posición implosiva suele aspirarse (*lo*[h] *niño*[h], *una mo*[h]*ca*). Si este fonema es morfemático y aparece en un sintagma con más de una palabra, existe la tendencia a la elisión de dicho fonema en la segunda o tercera palabra (*lo*[h] *hermanito*[h] *mío*[h]/*lo*[h] *hermanito*[h] *mío*[Ø]). s/h sordos, fricativos

4) El grupo consonántico *-sc* tiende a pronunciarse como *-x*, por ejemplo en *exenario* en lugar de *escenario* y en *pixina* en lugar de *piscina*.

5) La realización más frecuente del archifonema /N/ en posición implosiva es la velar en todo el país, con excepciones en los estados andinos. El fenómeno se da tanto en interior de palabra como entre palabras: *ca*[ŋ]*pana, me gusta el pa*[ŋ] *co*[ŋ] *jamo*[ŋ].[9]

6) La neutralización de /l/ y /r/ en posición implosiva da lugar a dos fenómenos conocidos como rotacismo (*bo*[r]*sa* por *bolsa*, *sa*[r]*ta* por *salta*) y lambdacismo (*ca*[l]*ta* por *carta*, *pue*[l]*ta* por *puerta*). En las zonas orientales parece haber preferencia por el rotacismo, y en las centro-occidentales por el lambdacismo, pero faltan aún estudios precisos acerca de la distribución sociodialectal de este fenómeno. Obediente (1991: 198) afirma

---

7. Utilizamos los signos del Alfabeto Fonético Internacional (AFI).
8. Este fenómeno da lugar a casos de ultracorrección: *reptor* en lugar de *rector*.
9. D'Introno *et al.* (1995: 310) observan que la articulación velar es la más común en el dialecto caraqueño.

que la neutralización de /l/ y /r/ «es más o menos general entre la población no educada de todo el país (excepto en Los Andes), e incluso entre la gente de cierto nivel cultural en Los Llanos y en Oriente».

La entonación

Tradicionalmente se ha considerado que la entonación es un factor de peso para establecer diferencias dialectales. En esta última década diversos investigadores venezolanos se han dedicado a realizar estudios entonativos valiéndose de instrumentos de medición muy precisos. Sosa (1990) analiza enunciados declarativos e interrogativos (absolutos y pronominales) en los dialectos de cinco capitales hispanoamericanas, entre ellas Caracas, y advierte que las semejanzas se dan en los entornos declarativos, mientras que las diferencias dialectales más notables se registran en las interrogativas absolutas. Mora (1995), al estudiar los contornos entonativos de oraciones declarativas en cuatro regiones de Venezuela, no encuentra diferencias distintivas que permitan diferenciar un dialecto del otro. B. Chela-Flores (1994: 125), por su parte, limita su investigación a los enunciados declarativos del español hablado en Maracaibo; en relación con el tipo de discurso en que aparecen dichos enunciados, la autora señala que «los rasgos entonativos dialectales se dan con más frecuencia en aquellas partes del discurso donde no hay una secuencia organizada».

Morfosintaxis

Prefijos y sufijos

1) Empleo generalizado del diminutivo *-ito/a (carrito, camita)*, excepto en aquellas palabras cuya última sílaba comienza por /t/; en este caso, por disimilación, el diminutivo es *-ico/a (patico, pelotica)*. poquitico

2) Uso a veces lexicalizado del diminutivo *(cachito, ciruelita, dulcito, galletica, ahorita,* etc.).

3) Uso de los mismos sufijos y prefijos que en el español general, con algunos empleos particulares, por ejemplo el sufijo *-era* para indicar acción repetida o prolongada *(balacera, bebedera, lloradera, moridera)* y también 'acción propia de...' como en *loquera, periquera, rubiera*.[10] Es frecuente emplear asimismo *-era/o* para indicar 'grupo de...' o 'abundancia de...' *(muchachera, mujerero, viejero)*. Resulta bastante productivo el sufijo *-lón* con el significado de 'que realiza mucho la acción del verbo' en palabras como *comelón, reilón,* etc. En los medios de comunicación se registran adjetivos formados con el sufijo *-il (bomberil, peloteril, reporteril)*.

10. El significado de *rubiera* se relaciona con un personaje histórico llamado Rubio, famoso por sus fechorías (cfr. Rosenblat, 1987: 235-239).

En torno al plural

[handwritten margin notes: ¿para qué sirve enseñar el estándar? prescriptivo descriptivo / si hay desviaciones]

1) Hay variación en la formación del plural de aquellas palabras de origen extranjero cuya forma en singular difiere de la que resulta habitual en español, por ejemplo *ají, maní, bisté, pícher*; dependiendo de la palabra, hay varias formas de marcar la pluralidad: *a)* dejar el sustantivo en singular y poner el determinante en plural *(los pícher)*, *b)* añadir el morfema *-ses* al singular *(los ajises, los manises)*, *c)* eliminar la última consonante del singular y colocar en su lugar una *-s (los bistés)*. La pluralización canónica, aunque posible en palabras como *ajíes, maníes*, es poco usada.

2) Es frecuente que el verbo aparezca en plural cuando el sujeto es una entidad formalmente singular pero semánticamente colectiva como *gente, multitud, pareja*, etc. *(la gente dicen que va a haber un golpe de estado)*. El fenómeno es propio de la lengua hablada.

3) El verbo también puede aparecer conjugado en plural cuando ciertos sintagmas como *la mayoría de los estudiantes, la mitad de los alumnos* ejercen la función sintáctica de sujeto. Este fenómeno se da tanto en la lengua hablada como en la escrita.

Pronombres personales

1) El objeto directo se suele representar por *lo/a* y *los/las* y el indirecto, por *le/s*. Se registran, sin embargo, algunos casos de leísmo.

2) La reduplicación del objeto indirecto por medio de *le/s* está muy generalizada, incluso cuando el referente es una entidad inanimada (LE di un golpe a la puerta); no suele darse, por el contrario, la reduplicación del objeto directo.

3) Se registran usos extendidos de *le/s*, no sólo en construcciones de dativo ético *(a ese señor se LE murió un hijo la semana pasada)*[11] sino también en otras como *a esa casa se LE entra por atrás; a ese tipo LE dicen «El maguyao»*, etc.

4) No se emplea el pronombre *vosotros*, excepto en algunos discursos oficiales por parte del presidente de la República, las autoridades eclesiásticas, etc.

5) El pronombre *vos* se usa en dos zonas dialectales: la andina y la zuliana.[12] El voseo de cada zona se asocia a distintas formas de la conjugación verbal; en la región andina, la conjugación correspondiente al presente de indicativo, por ejemplo, es *vos tomás/comés/vivís*, en tanto que en la región zuliana es *vos tomáis/coméis/vivís* (cfr. Páez Urdaneta, 1981).

6) Con excepción de la zonas de voseo, donde *vos* alterna con *tú*, en el resto del país está muy extendido el empleo de *tú* en las relaciones informales con familiares, compañeros, amigos y hasta con desconocidos. La forma *tú* se opone a *usted*, que se usa para marcar distancia o respeto. En

---

11. El uso del dativo ético se da también, desde luego, con otros pronombres personales *(mi hijo no ME duerme bien; no se NOS vayan todavía; se TE fue la hija)*.

12. Esta zona está situada alrededor del lago de Maracaibo.

la región andina, el uso de *usted* (pronunciado a veces como *vusté*), que contrasta con *tú* y *vos*, es mucho más amplio que en el resto del país pues constituye una forma bastante habitual de tratamiento incluso entre padres e hijos, esposos, etc., sobre todo en el medio rural.

Pronombres relativos y construcciones de relativo

1) De todos los pronombres relativos, el más empleado es *que* y el menos empleado *cuyo*.

2) En las construcciones hendidas y seudohendidas inversas suele emplearse el llamado *que* galicado; este pronombre está en alternancia con las formas canónicas *quien, el que, donde, cuando*, etc. El uso de *que* es bastante escaso cuando el antecedente es un sustantivo sujeto *(fue ese bombero EL QUE / QUIEN / QUE lo encontró)* o un complemento de lugar *(en esa casa fue DONDE / QUE estaba el ladrón)*, pero aumenta cuando se trata de un complemento de tiempo *(fue en 1989 CUANDO / QUE se vendió ese cuadro)* o de modo *(¡así es COMO / QUE se hace!)* y se convierte en casi categórico cuando el antecedente es un complemento de causa *(por eso fue POR LO QUE / QUE escribí la carta)*.

3) Se registran usos de cláusulas relativas en las que, además del pronombre relativo *que*, aparece una forma pronominal redundante precedida de la correspondiente preposición *(la señora QUE yo estaba hablando CON ELLA es mi jefa; mataron en la esquina al profesor QUE el hijo DE ÉL es mi vecino).*[13]

Construcciones de posesivo

El concepto de posesión puede expresarse de varias maneras: *a)* el adjetivo posesivo se antepone al sustantivo *(mi hijo)*; *b)* el adjetivo posesivo se pospone al sustantivo *(el hijo mío)*, y *c)* el sustantivo va seguido de un sintagma compuesto por la preposición *de* y un pronombre personal *(el hijo de ella, la casa de nosotros, el negocio de ustedes)*.

Verbos

1) Los verbos nuevos o los formados a partir de una palabra extranjera no suelen terminar en *-er* o *-ir* sino en *-ar* *(alunizar, aperturar, atapuzar, computarizar)* o *-ear* *(batear, flojear, hamaquear)*.

2) En todos los niveles de la población se registran terminaciones en *-s* de la segunda persona del singular del pretérito perfecto simple de indicativo *(comistes, salistes)*.[14]

---

13. Estas construcciones, que D'Introno (1992: 549) denomina «con pronombre reasuntivo» [del inglés *resumptive pronoun*] se dan en muchas lenguas. En las lenguas románicas han sido estudiadas en el portugués de Brasil por Tarallo (1983) y, en el español de Venezuela, por Flores (1987).

14. Para designar los tiempos verbales empleamos la terminología que consideramos más conocida (cfr. Real Academia Española, 1973), aun cuando Alarcos Llorach (1995) utiliza la que propone Andrés Bello.

3)   En los hablantes de nivel bajo es relativamente frecuente que la primera persona del plural del pretérito imperfecto de indicativo no termine en *-mos* (*estábamos, vivíamos*) sino en *-nos* (*estábanos, vivíanos*). Este uso es particularmente notable en la zona de Maracaibo, donde el empleo de *-nos* se está extendiendo a los hablantes de otros niveles socioeconómicos.

4)   Se registra alternancia *-ra/se* en la terminación de los pretéritos imperfecto y pluscuamperfecto de subjuntivo. Hasta hace unos años había una marcada preferencia por *-ra*, pero últimamente se registra un incremento tan notable de *-se* que convendría realizar un estudio sociolingüístico del fenómeno. El resultado es que en la actualidad pueden oírse expresiones como *si él supiese; ojalá viniese; que hubiese venido* e incluso otras como *si yo tuviese dinero me comprase una casa*; el uso de *comprase* en la apódosis de una oración condicional se relaciona con el empleo de *-ra* que se describe a continuación.

5)   Las oraciones condicionales más frecuentes en Venezuela pueden construirse con el verbo de la apódosis en imperfecto de subjuntivo o bien en condicional (*si tuviera/se dinero, me* COMPRARA/SE-COMPRARÍA *una casa*). El uso del condicional, que es la forma más extendida en el español general actual, es también muy frecuente en Venezuela, sobre todo en la lengua escrita; el empleo del subjuntivo en *-ra* es una pervivencia del castellano antiguo y se da en el habla coloquial de toda la población. El uso de *-se* en lugar de *-ra/ría* es muy reciente, y se debe sin duda a la relación existente entre *-ra* y *-se*.

6)   En la lengua escrita existe un uso, relacionado etimológicamente con el pluscuamperfecto de indicativo del latín, con el cual se hace referencia a hechos del pasado (*ha fallecido X, quien* FUERA *en vida el más ilustre de los los pintores venezolanos*). Esta forma verbal en *-ra* puede también ser sustituida, por ultracorrección, por la forma en *-se* (*quien* FUESE *en vida...*).

7)   El verbo *ser* es empleado en contrucciones estructuralmente más sencillas que las seudohendidas con la finalidad de realzar el elemento que aparece a la derecha de dicho verbo (*el doctor no ha llegado; él viene* ES *a las cinco*).

8)   El verbo *ser* alterna con *estar* en expresiones de edad, por ejemplo *cuando yo* ERA/ESTABA *niño*.

9)   En los hablantes del grupo socioeconómico bajo se registra el empleo de *ser* como auxiliar en construcciones en las que en español general se usaría *haber* (*yo* FUERA *ido* en lugar de *yo* HUBIERA *ido*).

10)   Sobre la utilización de *haber* como verbo impersonal conviene señalar lo siguiente: *a*) dicho verbo suele concordar en número con la frase nominal que lo acompaña, en particular cuando se trata de formas compuestas (HAN HABIDO *niños*) o perifrásticas (PUEDEN HABER *hasta doscientos alumnos*); dentro de las formas simples se registran usos muy frecuentes de *habían* (HABÍAN *niños*) y menos frecuentes de *hubieron* (HUBIERON *fiestas*), forma que no suele darse en los niveles socioeconómicos más altos, y *b*) *haber* se emplea también en combinación con la primera persona del plural

(HABEMOS varios) en todos los estratos de la población, pero sobre todo en el medio y bajo.

11)   La forma *HAIGA/N* se registra en los hablantes de nivel bajo *(con tal que HAIGA comida; con tal que HAIGAN venido).*

12)   Es frecuente encontrar usos pluralizados de *hacer* en expresiones como *HACEN años, HACEN días,* etc.

13)   Los verbos *hacer* y *tener* se usan en dos expresiones con las que se designan momentos o etapas en el transcurrir del tiempo *(HACE DOS MESES que trabajo aquí vs. TENGO DOS MESES trabajando aquí)*: se prefiere la expresión con *hacer* cuando se hace referencia a una acción que se inició y terminó en el pasado; se prefiere la expresión con *haber* cuando se trata de una acción que se inició en el pasado pero que no ha concluido aún.

14)   El pretérito perfecto simple y el compuesto de indicativo pueden alternar, pero generalmente se emplean en distribución complementaria. El primero de esos tiempos se usa para hacer referencia a una acción concluida, no importa si ésta sucedió inmediatamente antes del momento de hablar *(ya terminé la tarea)* o con mucha anterioridad *(en 1970 me compré una casa).* El pretérito compuesto se emplea para referirse a una situación que no ha concluido del todo *(siempre me ha gustado viajar)* o que tiene relevancia presente *(Juan ha traído esta carta).*

15)   Dentro de los tiempos verbales que pueden usarse para las referencias a hechos venideros están el futuro morfológico *(Pedro vendrá mañana)*, el presente de indicativo *(Pedro viene mañana)* y el futuro perifrástico *(Pedro va a venir mañana).* El uso del futuro morfológico para las referencias a una acción o hecho venideros es bastante limitado; esto se debe a que dicha forma se emplea sobre todo para expresar duda, conjetura o cálculo respecto de un acontecimiento del presente *(no sé si la piscina estará libre hoy).* El empleo del presente de indicativo para las referencias futuras solo parece posible cuando la acción futura se concibe como muy próxima en el tiempo o de muy certera realización *(el sol sale mañana a las 6.10 a.m.; mi hija cumple años mañana).* El futuro perifrástico constituye la forma más empleada y más usual de referirse a un acontecimiento venidero.

Adverbios

1)   En Venezuela se hace uso de los cinco adverbios demostrativos *aquí, acá, ahí, allí, allá*; la distribución de los mismos, sin embargo, está fuertemente condicionada por factores semánticos y demolingüísticos. De los cinco adverbios, los que registran mayor uso son *aquí, ahí y allá*, sobre todo *ahí*; la elevada frecuencia de este adverbio se debe a que su empleo rebasa la mera referencia deíctica a un lugar determinado *(el libro está ahí, ¿no lo ves?).* Entre los empleos extendidos de *ahí* podemos mencionar el relacionado con un lugar indeterminado *(esos muchachos se la pasan por ahí sin hacer nada)*, el estrictamente anafórico *(Pedro fuma mucho, de ahí que siempre ande con bronquitis)*, así como el relacionado con el significado de 'aproximadamente' *(nació por ahí por 1986)* o 'regular' *(estoy ahí ahí)*; exis-

te también un uso discursivo de *ahí* en enunciados como *dame un cafecito ahí; salí con un muchacho ahí de la universidad*, etc., cuya significación no ha sido esclarecida del todo.

2) Es frecuente el empleo de un *como* de atenuación, a veces precedido de *así* (*estoy así como enfermo; mi jefe es como bravo*).

3) Las construcciones *más nadie* (*allí no vivía más nadie*), *más ninguno/a* (*no puede utilizar más ninguna*) y *más nunca* (*más nunca voy a comprar en esa tienda*) suelen aparecer en este orden y no en el orden inverso. *Más nada* se utiliza para transmitir el significado de 'ninguna otra cosa' (*no he hecho más nada de importancia*), en tanto que *nada más* (*nada más lo conocía de vista*) y *nada más que* (*eran nada más que los estudiantes de ingeniería*) se emplean para transmitir el significado de 'solamente' (cfr. Miyoshi, 1995).

4) El adverbio *medio*, en expresiones como *estoy medio cansada*, está siendo reanalizado como adjetivo, por lo cual es frecuente oír *estoy media cansada*, donde *media* concuerda en género con *cansada*.

Preposiciones y conjunciones

1) Las únicas preposiciones que se registran juntas son *de por* (*eran unas muchachas de por allá*). Contrariamente a lo que sucede en España, la combinación *a por* (*voy a por el pan*) no se usa en Venezuela, donde se diría *voy por el pan*.

2) Al igual que en otras zonas hispanohablantes, existe en Venezuela una cierta tendencia a eliminar algunas preposiciones (*a, con, de, en*, etc.) delante de un pronombre relativo (*ese sobrino [con] que me encontré*) o de la conjunción *que* (*basta [con] que tú lo digas, la idea [de] que esto pueda suceder...*). Este fenómeno se conoce como queísmo.

3) Paralelamente al queísmo se dan en Venezuela casos de dequeísmo, que consiste en la presencia innecesaria de la preposición *de* delante de una oración subordinada que sólo requiere *que* (*creo DE QUE van a subir la gasolina; es difícil DE QUE la situación mejore*). El dequeísmo, particularmente elevado en la clase media ascendente, podría deberse a una confusión de estructuras sintácticas generadora de inseguridad y ultracorrección; no se excluye, sin embargo, la posibilidad de que las construcciones dequeístas tengan distinto valor semántico que las estructuras canónicas correspondientes.

4) Cuando la preposición *para* precede a un infinitivo, es frecuente que el sujeto se anteponga al verbo (*para ÉL/LA GENTE venir*; cfr. Bentivoglio, 1987).

Marcadores conversacionales

Entre los marcadores conversacionales más frecuentes podemos mencionar *bueno, este..., eh..., imagínate, mm..., mira (vale), ¿no?, ¿(no es) verdad?, okey, o sea, ¿ves?* También es bastante frecuente el uso de un *pues* resultativo (*¿No decías que íbamos a salir? Vamos, pues*).

Léxico

Es imposible describir en pocas páginas las numerosas y variadas particularidades léxicas del español de Venezuela que, por lo demás, han sido objeto de dos importantes obras lexicográficas recientes: el *Diccionario de venezolanismos* (1993) y Núñez y Pérez (1994). Nos limitamos, por lo tanto, a señalar algunos usos léxicos que nos parecen ilustrativos del español venezolano.

Entre esos usos cabe mencionar el género y número de algunos sustantivos. En relación con el género, en Venezuela se dice, por ejemplo, *el sartén, el radio, la computadora*; en relación con el número, se registra variación en algunas de las palabras que designan una entidad singular *(alicate/s, pantalón/es, tenaza/s, tijera/s)* pero hay cierta preferencia por los usos en singular.

Algunas palabras del español general se emplean en Venezuela con un significado distinto al que tienen en otras zonas hispanohablantes. Éste es el caso, por ejemplo, de *apurarse* 'darse prisa'; también de *embarcar*, que se usa transitivamente con el significado de 'dejar esperando a alguien, no cumplir lo prometido' *(quedé con Juan en la puerta del cine pero me embarcó)*; de *empatarse*, verbo muy usado con el significado de 'establecer una relación sentimental con alguien'; de *verano*, que se emplea para distinguir la estación seca del año de la estación lluviosa, conocida como *invierno*; de *limpio*, en expresiones como *estar limpio* 'estar sin dinero' o *ser un limpio* 'ser pobre'; y de *bravo,* que se emplea con el significado de 'enfadado'.

Hay varias creaciones derivativas que conviene señalar: *a)* está bastante extendido el uso de una palabra como *gastivo/a (es una persona muy gastiva),* emparentada con otras del español general como *ahorrativo, participativo,* etc.; *b)* también lo está el término *comelón* —en lugar de *comilón*— que seguramente ha surgido a partir de la vocal temática *-e* característica del verbo *comer,* y *c)* una derivación muy productiva por la vía metafórica es la que surge a partir de *muñón: amuñuñar* significa 'apretar o juntar varias cosas o varias personas'; también, y por extensión, 'dar muestras efusivas de cariño como abrazos', etc.

Entre los compuestos léxicos venezolanos podemos mencionar los siguientes: *a) cristofué* y *querrequerre,* términos usados para designar dos aves tropicales que producen sonidos similares a esas palabras; por extensión metafórica, *querrequerre* se emplea para hacer referencia a una persona que protesta por todo; *b) rabipelado* 'mamífero del orden de los marsupiales' denominado así por su rabo desprovisto de pelos, y *c) jalamecate* y *chupamedia,* palabras empleadas para denominar a las personas aduladoras.

Como ejemplos de neologismos cabe recordar *espichar* 'perder aire un objeto inflable', *curucutear* 'revisar por curiosidad objetos de otra persona', y *pichirre* 'tacaño', así como sus derivados *pichirrería, pichirrear,* etcétera.

Bibliografía consultada

Abreviaturas:

ALFAL   Asociación de Lingüística y Filología de la América Latina.
UCV   Universidad Central de Venezuela.
ULA   Universidad de Los Andes (Venezuela).
UNAM   Universidad Nacional Autónoma de México.

Acosta Saignes, Miguel (1967): *Vida de los esclavos negros en Venezuela*, Caracas, Hespérides.
Aid, Frances M.; Melvyn C. Resnick y Bohdan Saciuk (eds.) (1976): *1975 Colloquium on Hispanic Linguistics*, Washington, D.C., Georgetown University Press.
Alarcos Llorach, Emilio (1995): *Gramática de la lengua española*, Madrid, Espasa Calpe.
Alvarado, Lisandro (1921): *Glosario de voces indígenas de Venezuela*, Caracas, Ed. Victoria.
— (1929): *Glosario del bajo español de Venezuela*, Caracas, Ed. Victoria.
Álvarez, Alexandra (1987): *Malabí Maticulambí, Estudios afrocaribeños*, Montevideo, Monte Sexto.
— (1992): «Vestigios de origen criollo: un análisis de marcadores en el habla de Caracas», *Anuario de Lingüística Hispánica*, VII, 9-27.
— y Álvaro Barros (1981): Los usos del futuro en las telenovelas, *Video-Forum*, 10, 5-27.
—; Paola Bentivoglio; Enrique Obediente; Mercedes Sedano y María Josefina Tejera (1992): *El español de la Venezuela actual*, Caracas, Lagovén.
Álvarez Nazario, Manuel (1972): *La herencia lingüística de Canarias en Puerto Rico: estudio histórico-dialectal*, San Juan, Instituto de Cultura Puertorriqueña.
Anuario de la Escuela de Letras, UCV, 1979, Caracas, UCV.
Barrera Linares, Luis (1978): Las áreas dialectales de Venezuela, *Letras*, 34-35, 18-30.
Bentivoglio, Paola (1976): «Queísmo y dequeísmo en el habla culta de Caracas», en Aid, Resnick y Saciuk, 1-18.
— (1981): Dequeísmo en Venezuela: ¿un caso de ultracorrección?, *Boletín de Filología, Homenaje a Ambrosio Rabanales*, XXXI, 705-719.
— (1987): «Clauses introduced by the preposition *para* in spoken Spanish: An analysis from a discourse viewpoint», en Carol Neidle y Rafael A. Núñez Cedeño (eds.), *Studies in Romance languages*, 1-14, Dordrecht, Foris Publications.
— y Francesco D'Introno (1977): «Análisis sociolingüístico del dequeísmo en el habla de Caracas», *Boletín de la Academia Puertorriqueña de la Lengua Española*, 5,2, 58-82.
— y Mercedes Sedano (1989): «*Haber*: ¿un verbo impersonal? Un estudio sobre el español de Caracas», en *Estudios sobre español de América y lingüística afroamericana*, 59-81, Bogotá, Instituto Caro y Cuervo.
— y — (1992): «Morfosintaxis», en Álvarez *et al.*, 46-70.
— y — (1993): «Investigación sociolingüística: sus métodos aplicados a una experiencia venezolana», *Boletín de Lingüística*, 8, 3-36.
— y — (en prensa): «Tres casos de variación morfosintáctica en el español actual», *Lexis. Homenaje a Amado Alonso*, XX.
—; Luciana de Stefano y Mercedes Sedano (en prensa): «El uso del *que* galicado en el español actual», en *Actas del VIII Congreso Internacional de la ALFAL*, México, UNAM.

Calcaño, Julio (1897): *El castellano en Venezuela. Estudio crítico*, Caracas, Tipografía Universal.

Chela-Flores, Bertha (1994): «Entonación dialectal del enunciado declarativo de una región de Venezuela», en B. Chela Flores y G. Chela Flores, 111-126.

— y Godsuno Chela-Flores (1994): *Hacia un estudio fonetológico del español hablado en Venezuela*, Caracas, Tropykos.

— y Jeannette G. de Gelman (1988): «Estudio socio-fonético y experimental del habla de Maracaibo», trabajo inédito, Universidad del Zulia.

Chela-Flores, Godsuno (1982): «Hacia una interpretación natural del comportamiento fónico del hablante del Caribe hispánico», *Phonos*, 2, 52-66.

Chiossone, Tulio (1993): *Aportación de las lenguas indígenas venezolanas al castellano*, Caracas, Ex Libris.

Chumaceiro, Irma (1984): «Algunos aspectos de la sufijación en el español de Venezuela: una muestra de diferenciación dialectal», tesis de maestría inédita, UCV.

— (1990): «Las oraciones condicionales (no pasado) en el español de Caracas», trabajo inédito, UCV.

— (en prensa): «*Si tuviera dinero fuera a Brasil*: un análisis sociolingüístico de las oraciones condicionales en el español de Caracas», en *Actas del IX Congreso Internacional de la ALFAL*, Campinas, Universidade Estadual de Campinas.

Colmenares del Valle, Edgar (1977): *Léxico del beisbol en Venezuela*, Caracas, Centauro.

D'Angelo, Giuseppe (1969): «Italianismos en Hispanoamérica y particularmente en Colombia», *Thesaurus*, XXIV, 481-503.

De Jonge, Robert (1991): «La cosa (no) *es* como *está*», en César Hernández Alonso et al. (eds.), *El español de América. Actas del III Congreso Internacional de «El español de América»*, 495-503, Valladolid, Junta de Castilla y León.

— (1995): «Un modelo para la variación lingüística. *Ser* y *estar* en expresiones de edad», en *Actas del IV Congreso Internacional de «El español de América»*, tomo II, 1111-1117, Santiago de Chile, Pontificia Universidad Católica de Chile.

DeMello, George (1991): «Pluralización de *haber* impersonal en el español hablado culto de once ciudades», *Thesaurus*, XLVI, 446-471.

— e Irma Chumaceiro (1992): «Los posesivos de primera persona del singular y plural en el habla de Caracas», en Elizabeth Luna Traill, 823-839.

— Rosalba Iuliano y Liana Gianesin (1979): «Un análisis sociolingüístico del habla de Caracas: usos y valores del diminutivo», en *Anuario de la Escuela de Letras*, 63-79.

Diccionario de venezolanismos (1993): tomos I-III. Dirección y estudio preliminar de María Josefina Tejera, Caracas, UCV, Academia Venezolana de la Lengua, y Fundación Edmundo y Hilde Schnoegass.

D'Introno, Francesco (1992): «Subordinadas relativas en el español de Caracas», en Elizabeth Luna Traill, 541-552.

—; Enrique Del Teso y Rosemary Weston (1995): *Fonética y fonología actual del español*, Madrid, Cátedra.

— y Juan Manuel Sosa (1979): «Elisión de la /d/ en el español de Caracas: aspectos sociolingüísticos e implicaciones teóricas», en *Anuario de la Escuela de Letras*, 33-61.

— y — (1986): «Análisis sociolingüístico del español de Caracas: un fenómeno suprasegmental», en *Actas del V Congreso Internacional de la ALFAL*, 302-309, Caracas, UCV.

—; Nelson Rojas y Juan Manuel Sosa (1979): «Estudio sociolingüístico de las líquidas en posición final de sílaba y final de palabra en el español de Caracas», *Boletín de la Academia Puertorriqueña de la Lengua Española*, 7,2, 59-100.

El habla culta de Caracas. Materiales para su estudio (1979): Caracas, UCV.

Flores, Luis Germán (1987): *Resumptive pronouns in Venezuelan Spanish: A new analysis of relativization*, tesis inédita de Master of Arts, University of Pennsylvania.

Fontanella de Weinberg, María Beatriz (1976): *La lengua española fuera de España*, Buenos Aires, Paidós.

— (1993): *El español de América*, Madrid, MAPFRE.

Fraca, Lucía y Hugo Obregón (1985): «Fenómenos fonéticos segmentales del español de la zona costera de Venezuela», *Letras*, 43, 101-137.

García, Érica (1986): «El fenómeno (de)queísmo desde una perspectiva dinámica del uso comunicativo de la lengua», en José Moreno de Alba (ed.), *Actas del II Congreso Internacional sobre el Español de América*, 46-57, México, UNAM.

Gómez, Aura (1969): *Lenguaje coloquial venezolano*, Caracas, UCV.

— (1994): *Estructuras binarias en el español de Venezuela: estudio de seis microcampos léxico semánticos*, Caracas, Monte Ávila.

González, Jorge y María Helena Pereda (en prensa): «Procesos postnucleares de las obstruyentes oclusivas en el habla caraqueña», *Letras*.

Granda, Germán de (1994): *Español de América, español de África y hablas criollas*, Madrid, Gredos.

Gutiérrez, María Luz (1985): «Sobre la elisión de preposición ante *que* relativo», *Lingüística Española Actual*, VII, 1, 15-36.

Henríquez Ureña, Pedro (1921): «Observaciones sobre el español de América», *Revista de Filología Española*, 8, 357-390.

Hernández Alonso, César (coord.) (1992): *Historia y presente del español de América*, Valladolid, Junta de Castilla y León/PABECAL.

Honsa, Vladimir (1975): «Clasificación de los dialectos españoles de América y la estructura de los dialectos en Colombia», en *Actas del Simposio de Montevideo (enero 1966)*, 196-209, México, ALFAL y Programa Interamericano de Lingüística y Enseñanza de Idiomas (PILEI).

Iuliano, Rosalba (1976): «La perífrasis ir + a + infinitivo en el habla culta de Caracas», en Aid, Resnick y Saciuk, 59-66.

— y Luciana de Stefano (1979): «Un análisis sociolingüístico del habla de Caracas: los valores del futuro», *Boletín de la Academia Puertorriqueña de la Lengua Española*, 7,2, 101-109.

Kany, Charles E. [1945] (1976): *Sintaxis hispanoamericana*, Madrid, Gredos.

Ledezma, Minelia de (1986): «El uso del pretérito y del antepresente en el habla de algunas regiones de Venezuela», en *Actas del V Congreso Internacional de la ALFAL*, 302-309, Caracas, UCV.

— y Luis Barrera (1985): «Algunos fenómenos morfosintácticos del habla de Venezuela, *Letras*, 43, 140-254.

— y Hugo Obregón (1990): *Gramática del español de Venezuela, Introducción*, Caracas, Instituto Pedagógico de Caracas / Universidad Pedagógica Experimental Libertador.

Lipsky, John M. (1994): *Latin American Spanish*, Londres y Nueva York, Longman.

Longmire, Beverly Jean (1976): *The relationship of variables in Venezuelan Spanish to historical sound changes in Latin and the Romance languages*, tesis doctoral inédita, Georgetown University.

Luna Traill, Elizabeth (coord.) (1992): *Scripta Philologica. Homenaje a Juan M. Lope Blanch*, tomo II, México, UNAM.

Malmberg, Bertil (1966): *La América hispanohablante. Unidad y diferenciación del castellano*, Madrid, Istmo.

Márquez Rodríguez, Alexis (1990-1993): *Con la lengua*, I-IV, Caracas, Vadell Hermanos.

— (1994): *Muestrario de voces y frases expresivas del habla venezolana*, Caracas, Fundación Polar.

Miyoshi, Junnosuke (1995): «Las secuencias del tipo *más nada* en el habla culta de Caracas», ponencia leída en el VI Congreso Internacional de «El español de América», Universidad de Burgos.

Montes Giraldo, José J. (1972): «El miedo al *que* galicado», *Thesaurus*, XXVII, 321-324.

— (1995): *Dialectología general e hispanoamericana*, Bogotá, Instituto Caro y Cuervo.

— (1980-1981): «Sobre el *como* de atenuación», *Boletín de Filología. Homenaje a Ambrosio Rabanales*, XXXI, 667-675.

Mora, Elsa (1995): «La prosodia del español hablado en Venezuela», ponencia leída en el VI Congreso Internacional de «El español de América», Universidad de Burgos.

Moreno de Alba, José G. (1988): *El español en América*, México, Fondo de Cultura Económica.

Mosonyi, Esteban E. (1971): *El habla de Caracas: Estudio lingüístico sobre el español hablado en la capital venezolana*, Caracas, Universidad Central de Venezuela.

— y Gisela Jackson (1993): «Del positivismo al patrimonialismo en la lingüística antropológica del norte suramericano», en Lourdes Arizpe y Carlos Serrano (comps.), *Balance de la antropología en América Latina y el Caribe*, 277-309, México, UNAM.

Mostacero, Rudy (1991): «La función de los marcadores interaccionales en la apropiación del habla adulta», tesis de maestría inédita, Instituto Pedagógico de Caracas.

Navarro, Manuel (1973): *En torno a un atlas lingüístico venezolano*, Valencia, Venezuela, Universidad de Carabobo.

— (1990): «La alternancia *-ra/-se* y *-ra/-ría* en el habla de Valencia (Venezuela)», *Thesaurus*, XLV, 481-488.

— (1991): «Valoración social de algunas formas verbales en el habla de Valencia (Venezuela)», *Thesaurus*, XLVI, 304-315.

— (1995): *El español hablado en Puerto Cabello*, Valencia, Venezuela, Universidad de Carabobo.

Núñez, Rocío y Francisco Javier Pérez (1994): *Diccionario del habla actual de Venezuela*, Caracas, Universidad Católica «Andrés Bello».

Ocampo Marín, Jaime (1968): *Notas sobre el español hablado en Mérida*, Mérida, ULA.

— (1969): *Diccionario de andinismos*, Mérida, ULA.

Obediente, Enrique (1984): «La personalización de *haber* en el habla culta de Caracas (enfoque estadístico)», en *Actas del VII Congreso de la ALFAL*, tomo II, 51-61, Santo Domingo, R.D., Filial Dominicana de la ALFAL.

— (1991): *Fonética y fonología*, Mérida, ULA.

— (1992): «El sistema fonológico del español hablado en Venezuela», en Álvarez *et al.*, 22-45.

— (1995): «Datos sobre la R asibilada en Venezuela», ponencia leída en el VI Congreso Internacional de «El español de América», Universidad de Burgos.

—; Elsa Mora y Manuel Rodríguez (1994): «Caracterización articulatoria y acústica de las líquidas en el español de Mérida», *Boletín antropológico*, 30, 7-32.

Obregón, Hugo (1981): *Posibilidades diferenciales de sentido de la entonación española*, Caracas, Cardenal Ediciones.

— (1985): *Introducción al estudio de los marcadores interaccionales del habla dialogada del español en Venezuela*, Caracas, Instituto Pedagógico de Caracas.

— y Sergio Serrón (1982): «Panorama del desarrollo de los estudios dialectológicos de Venezuela», *Phonos*, 2, 1-23.

Páez Urdaneta, Iraset (1981): *Historia y geografía hispanoamericana del voseo*, Caracas, La Casa de Bello.

— (1990): *La estratificación social del uso de tú y usted en Caracas*, Caracas, Universidad Simón Bolívar.

Pérez González, Zaida (1985): *Anglicismos en el léxico de la norma culta de Caracas*, tesis de maestría inédita, UCV.

— y Mercedes Sedano (en prensa): *Léxico del habla culta de Caracas*, México, UNAM.

Quiroga Torrealba, Luis y Luis Barrera (1992): *Los estudios lingüísticos en Venezuela y otros temas*, Caracas, Fondo Editorial del Instituto de Previsión y Asistencia Social del Ministerio de Educación (IPASME).

Real Academia Española (1973): *Esbozo de una nueva gramática de la lengua española*, Madrid, Espasa-Calpe.

Resnick, Melvyn C. (1975): *Phonological variants and dialects identification in Latin American Spanish*, The Hague/Paris, Mouton.

Rodríguez, Jilma Z. (1994): «Uso de los deícticos espaciales en el habla de Caracas», tesis de maestría inédita, Universidad del Zulia.

Rivas, Rafael A.; Gladys García; Hugo Obregón e Iraset Páez Urdaneta (1985): *Bibliografía sobre el español del Caribe Hispánico*, Caracas, Instituto Universitario Pedagógico de Caracas.

Rona, José Pedro (1964): «El problema de la división del español americano en zonas dialectales», en *Presente y futuro de la lengua española*, I, 215-226, Madrid, OFINES.

Rosenblat, Ángel (1956): «Lengua y cultura de Venezuela: tradición e innovación», en *Historia de la cultura en Venezuela*, tomo II, 75-117, Caracas, UCV.

— (1975): «El fantasma del *que* galicado», *La educación en Venezuela. Voz de alerta*, Caracas, Monte Ávila.

— (1987): *Estudios sobre el habla de Venezuela. Buenas y malas palabras*, tomo I, Caracas, Monte Ávila.

— (1989): *Estudios sobre el habla de Venezuela. Buenas y malas palabras*, tomo II, Caracas, Monte Ávila.

— (1990): *Estudios sobre el español de América*, tomo III, Caracas, Monte Ávila.

Salcedo Bastardo, José Luis (1979): *Historia fundamental de Venezuela*, Caracas, UCV.

Sedano, Mercedes (1988): «Yo vivo *es* en Caracas: un cambio sintáctico», en Robert Hammond y Melvyn C. Resnick (eds.), *Studies in Caribbean Spanish Dialectology*, 115-123, Washington, D.C., Georgetown University Press.

— (1990): *Hendidas y otras construcciones con ser en el habla de Caracas*, Caracas, UCV.

— (1994a): «Evaluation of two hypotheses about the alternation between *aquí* and *acá* in a corpus of present-day Spanish», *Linguistic Variation and Change*, 6, 223-237.

— (1994b): «El futuro morfológico y la expresión *ir a* + infinitivo en el español hablado de Venezuela», *Verba*, 21, 225-240.

— (en prensa): «Variación de las hendidas en cinco lenguas romances», *Anuario de Lingüística Hispánica*, XI.

— (en prensa): «El uso del llamado *que* galicado: posibles explicaciones», En *Actas del VIII Congreso Internacional de la ALFAL*, México, UNAM.

— (en prensa): «Las posibilidades de *ahí* como elemento central del sistema locativo», en *Actas del X Congreso Internacional de la ALFAL*, México, UNAM.

— (en prensa): «*Quien llegó fue María* vs. *llegó fue María*. El uso de estas dos estructuras en el español de Caracas», *Boletín de Lingüística*, 9.

Silva-Corvalán, Carmen y Tracy D. Terrell (1992): «Notas sobre la expresión de futuridad en el español del Caribe», en Elizabeth Luna Traill, 757-772.

Sosa, Juan Manuel (1990): «Fonética y fonología de la entonación del español hispanoamericano», tesis doctoral inédita, University of Massachusetts at Amherst.

Stefano, Luciana de (1991): «El posesivo en el español hablado en Maracaibo», ponencia presentada en la XLI Convención Anual de la AsoVAC, Maracaibo, Venezuela.

Tarallo, Fernando (1983): «Relativization strategies in Brazilian Portuguese», tesis doctoral inédita, University of Pennsylvania.

Tejera, María Josefina (1991): «El castellano por las tierras de Venezuela. Presencia y destino», en *El español de América hacia el siglo XXI*, tomo I, 211-227, Bogotá, Instituto Caro y Cuervo.

— (1993): *Un minuto con nuestro idioma*, Caracas, Monte Ávila.

Terrell, Tracy D. (1986): «Aspiración y elisión de /s/ en el habla de Caracas, Venezuela», en *Actas del V Congreso de la ALFAL*, 661-671, Caracas, UCV.

Torres, María Electa (1993): *Lenguaje popular hablado en Trujillo*, Mérida, ULA.

Torroja de Bone, Nuria (1981): «Los verbos *ser* y *estar* en el sistema español y en el habla culta de la ciudad de Caracas», trabajo inédito, UCV.

— (1995): «La expresión temporal con los verbos *hacer* y *tener* en el habla de Caracas», en *Actas del IV Congreso Internacional de «El español de América»*, tomo II, 855-866, Santiago de Chile, Pontificia Universidad Católica de Chile.

Villegas, Alberto (1990): «Le parler vénézuélien de la région de Trujillo», tesis doctoral inédita, Université de Bordeaux III.

Zamora Munné, Juan C. y Jorge M. Guitart (1982): *Dialectología hispanoamericana*, Salamanca, Almar.

COLOMBIA

por José Joaquín Montes

Antecedentes

Es generalmente aceptado que la dialectología del español de Colombia (y de América) se inicia con Cuervo y sus *Apuntaciones críticas sobre el lenguaje bogotano* (sobre esta obra de Cuervo como la fundacional de la dialectología hispanoamericana véase conceptos de R. Lapesa y G. V. Stepanov en Montes, 1995, 124). Sobre la evolución de Cuervo desde el corrector purista hasta el dialectólogo al que sólo la muerte le impidió convertir sus *Apuntaciones* en un verdadero tratado de dialectología hispánica véase Guitarte, 1983.

Muerto Cuervo, se produce el interregno de que habla Guitarte, 1965, cuando en Colombia poco se produjo en el campo de la dialectología, a excepción de vocabularios y algún trabajo de M. F. Suárez, *El castellano en mi tierra*. El interregno termina con la fundación del Instituto Caro y Cuervo en 1942 y sobre todo con la creación en él del Departamento de Dialectología (1948) y la labor allí de Luis Flórez, quien desde 1942 había publicado trabajos descriptivos sobre el español de Colombia; Flórez impulsó y dirigió el Atlas lingüístico-etnográfico de Colombia que ha proporcionado una base documental seria a los estudios dialectales en Colombia.

Para la bibliografía de los estudios sobre el español de Colombia y en particular los generados en el Instituto Caro y Cuervo o patrocinados por él pueden verse Montes, 1965, Pluto, y las bibliografías de Serís y Solé.

La actividad investigativa en el terreno de la dialectología del español de Colombia después del *ALEC* y los trabajos con él relacionados o de él derivados (*Glosario lexicográfico*, trabajos descriptivos de variedades regionales, división dialectal, etc.) ha continuado con los estudios del habla urbana de Bogotá. De una parte dentro del proyecto internacional del estudio coordinado de la norma lingüística culta, terminada la fase de recolección de materiales, se publicó en 1986 una selección de 50 encuestas, selección que, rápidamente agotada, se reimprimió aumentada en 1989; está en prensa y aparecerá sin duda en 1996 el volumen que contiene las respuestas al cuestionario de léxico; se han publicado algunos trabajos con base en tales materiales (Lope Blanch, Otálora, Montes-Bernal) y están adelantándose algunos otros.

De otra parte, el Departamento de Dialectología adelanta desde 1987 un estudio sobre la estratificación social del habla de Bogotá, cuyos materiales (474 encuestas en distintos estratos génitos, socioculturales y cronológicos y en los diferentes sectores de la ciudad) se han utilizado hasta ahora para dos volúmenes en prensa que han de aparecer en 1996.

Fuera del Instituto se han realizado y se adelantan algunos trabajos de dialectología en diversas universidades regionales, pero sólo en la Universidad de Antioquia se ha concluido un atlas de Antioquia que espera publicación; este atlas logra precisar datos del *ALEC*, como lo referente a las variedades de /S/ y su distribución en Antioquia (Betancourt, 1993).

El presente trabajo será fundamentalmente un resumen actualizado de mis diversos estudios sobre el español de Colombia y su articulación dialectal (Montes, 1982; 1984; 1992, etc.).

Langue o lengua sistema y lengua idioma

En una serie de trabajos (Montes, 1980; 1982; 1984; 1995, etc.) he venido recalcando la conveniencia de separar claramente en los estudios lingüísticos la lengua como sistema abstracto, equivalente a la *langue* saussureana y la lengua como idioma, entidad histórica concreta propiedad y distintivo de una comunidad cultural histórica. Esto para poner de relieve el hecho de que la dialectología ha de ocuparse de la lengua histórica (idioma) y de sus articulaciones dialectales.

Como puede verse en mis diversos trabajos sobre el tema, creo que la norma como uso tradicional propio de una comunidad de habla que la identifica y la distingue de otras comunidades similares es el concepto básico de la dialectología, el que nos permite definir el dialecto como «forma idiomática incluida en un conjunto mayor (la lengua-idioma) a cuya norma modélica se subordina y caracterizada por un conjunto de normas que la individualizan frente a otras formas similares de la misma lengua».

La bipartición dialectal del español

Siguiendo sugerencias de una serie de estudiosos españoles, en especial de Fernández Sevilla, he postulado en varios trabajos (Montes, 1982; 1984; 1987; 1995, etc.) la conveniencia de dividir el diasistema español en su conjunto en dos grandes variedades o superdialectos: el continental interior o A y el costero insular o B, sobre la base de una norma principal, el tratamiento de la -*s* implosiva o posvocálica a la que se agregan otras normas como la neutralización de -r, -l, la -n velar final, etc. Ésta es la división o bipartición inicial que he aplicado en los trabajos ya mencionados y de la que partiré en el presente estudio.[1]

---

1.   Esta bipartición sigue básicamente la postulada por Fernández Sevilla.

Desde la perspectiva de los problemas que aquí trato, tal vez fuera más conforme a la realidad establecer una diferenciación geográfica, colocando a un lado la mitad septentrional de la Península y las tierras altas de América, y, por otro, la mitad meridional de la Península, Canarias y las tierras bajas del continente americano (p. 470).

Los dos superdialectos en Colombia

Lo que se expone a continuación es básicamente un resumen de Montes, 1982, con fundamento en los mapas del *ALEC*.

El superdialecto costeño

La norma básica que caracteriza a este superdialecto es la aspiración o pérdida de la -*s*: [éyoh, míhmo, dehnúδo] y fenómenos concomitantes (ensordecimiento de sonoras: [lah ɸáka] = las vacas, etc.); asimilación a la consonante siguiente: [wíkki] = whisky, [díkko] = disco, [ókko] = osco, etc.

Pero junto a esta norma básica considero también otras:

— Mantenimiento mucho más notorio que en el superdialecto central andino del carácter sordo de la -*s*- (intervocálica) (Montes, 1984a).

— Neutralización de -*r* y -*l* implosivas (*pielna*, *calne*, *parma* 'palma', etc.) y elisión de la -*r* final de palabra: *mujé*, *hacé*, *jozá*, etc. (Montes, 1982, pp. 16-18).

— -*n* final articulada como velar: rasgo general en las costas y prácticamente ausente fuera de ellas (Montes, 1982, p. 18 y mapa 7).

— Articulación más o menos fuerte de la /š/, con predominio del momento oclusivo y momento fricativo poco perceptible de modo que a veces parece una *t* palatal (Montes, 1982, pp. 18-19 y mapa 8).

— Frecuente conservación de la *h* antigua (*pitajaya* = pitahaya, *mojoso* = mohoso, *jacé*, *jachá*, *jocico*, etc. (véase mapa 9 de Montes, 1982).

— Frecuente articulación en hiato de algunas combinaciones vocálicas que en el interior del país son diptongos: *caúse*, *caúcho*, *cri-ollo* etc. (Montes, 1982, 19).[2]

Esta formulación corrige otra del mismo autor en el mismo lugar según la cual

Atendiendo a un criterio geográfico estableceríamos la separación entre el español centro-septentrional y el español meridional, que abarcaría la mitad sur de la Península, Canarias y el continente americano.

Formulación ésta que coincide con la opinión de otros estudiosos que reúnen en un bloque el español meridional (andaluz) y canario y toda América española en lo que con frecuencia se ha denominado «español atlántico».

En cuanto a las razones para elegir el tratamiento de la -s como la norma básica de la bipartición dialectal ellas pueden considerarse bien formuladas ya en Alvar, 1955

La pérdida de la -s final nos ha situado hasta este momento ante varios hechos: la diferenciación del plural por medio de un prefijo en los casos como el francés *z-arbre* o el andaluz *θ-árbo*; la indiferenciación de la unidad o de la multiplicidad como categorías gramaticales en casos como el francés *livre(s)* o el andaluz *muncho(s) toro(s)* [...] A pesar de todo esto queda —a mi modo de ver— lo más importante de las influencias que la pérdida de la -s lleva consigo: la del plural apofónico (296-297).

Para serias transformaciones estructurales en la zona del Caribe por motivo de la pérdida de -s véase mi reseña de M. Jiménez Sabater, «Más datos sobre el español de la República Dominicana», *BICC*, XLI, 1986, p. 313, en donde cito, entre otros casos, la adición de -*se* como signo de plural (*mucháchase*, *cásase*, plurales) y la unión de la *s(h)* del artículo al sustantivo [hetuδjánte, haβoyádo]; estos fenómenos, entre otras cosas, prueban lo que ya han afirmado diversos estudiosos sobre la inexistencia del plural apofónico en América.

2. Esto, por supuesto, debe de ser rasgo general en el Caribe; en una visita que hice en 1989 a Cuba anoté sobre el habla de La Habana, tal como la oía en la calle pronunciaciones como [gión, kriójo] que en el interior de Colombia se pronuncian normalmente como diptongos.

— Articulación débil de la /Y/ - /LL/ que en general se pronuncia como semiconsonante [j] ([káje] = calle, [ójo] = hoyo) y en ocasiones (raras) como cero fonético: [gaína] = gallina

Esto en cuanto a la fonética, unido naturalmente al muy peculiar tonillo costeño.

En gramática pueden ser más o menos generales en el superdialecto costeño la pluralización del impersonal *hacer* en expresiones temporales (*hacen* veinte años, etc.) y el esquema de composición sust. + adj. sin cambio del primer elemento en -i: *bocadorada* frente a *boquidorada* del interior (Montes, 1977). Para algunas isoglosas léxicas de este superdialecto véase Montes, 1982, mapas 10, 11 y 12.

Inicialmente considero el superdialecto costeño dividido en dos dialectos:

1) El costeño caribe que abarca toda la costa atlántica (departamentos de Guajira, Cesar, Magdalena, Atlántico, Bolívar, Sucre, Córdoba y partes de Antioquia, Norte de Santander y una porción de los Llanos orientales). La norma básica que distingue a este dialecto del costeño pacífico es el predominio del tuteo como trato de confianza, pues en el Pacífico predomina el voseo.[3]

He propuesto subdividir este dialecto de acuerdo con ciertos rasgos: una zona cartagenera (alrededor de Cartagena) en donde los rasgos propios de este dialecto tienen máxima intensidad y que *grosso modo* coincide con la isoglosa léxica de *maretira*, tusa o carozo de la mazorca (Montes, 1982, mapa 20); una zona samaria (alrededor de Santa Marta) que mantiene como sibilante la /s/ en *rasguño, jueves* y *buenas noches*, y tiene alguna isoglosa léxica propia *(calabazo)* (véanse mapas 2, 5, 16 de Montes, 1982); una subzona guajira caracterizada por la isoglosa *cabuya*, vaina seca del plátano y por la pronunciación *jueve*; la subzona nortesantandereana está caracterizada por un costeñismo parcial: aspiración de -*s*, aun con ensordecimiento de sonoras *(rajuño, lah φáka)* pero ausencia de neutralización -r/-l y de -n velar; la que he denominado «subzona caribe interior» se distingue porque en ella se van difuminando un tanto los rasgos del dialecto. Finalmente, la zona de los Llanos orientales, región de acusado costeñismo o tipo andaluzado en la parte oriental (Orocué, Cs6, Arauca, Ar2, Trinidad, Cs3) que va aminorando al occidente en cuanto se acerca a la zona andina (San Martín, Mel0, Puerto López, Me2, Restrepo, Me1).[4]

---

3.   Hay que observar, no obstante, que también en la costa caribe hay zonas de voseo como el departamento del Cesar, el Norte de Santander y algunos reductos arcaizantes en Bolívar como San Martín de Loba (Montes, 1959). De todos modos, el tuteo predomina ampliamente en esta zona como trato de confianza.

4.   Las localidades del *ALEC* se numeraron dentro de cada departamento por un sistema de cuadrículas recomendado por Manuel Alvar. Las abreviaturas de cada uno de los departamentos, de norte a sur y de oriente a occidente son: Ch, Chocó; V, Valle; Ca, Cauca; N, Nariño; P, Putumayo; Co, Córdoba; A, Antioquia; R, Risaralda; C, Caldas: Q, Quindío; T, Tolima; H, Huila; Cq, Caquetá; At, Atlántico; B, Bolívar; Su, Sucre; S, Santander; Bo, Boyacá; Cu, Cundinamarca; Me, Meta; M, Magdalena; G, Guajira; Ce, Cesar; NS, Norte de Santander; Ar, Arauca; Cs, Casanare; Am, Amazonas Véase mapa 1. Este mapa es el mapa básico del *ALEC* en tamaño reducido que como puede verse sólo representa una parte del país, la que tiene población hispanohablante de alguna antigüedad. El resto del territorio, la extensa zona selvática del suroriente del país, con muy poca población en su mayoría hablante de lenguas indígenas, no se exploró para el *ALEC*, a excepción de Leticia (Am1) en el extremo suroriental, y por consiguiente tampoco aparece representada en los mapas de este trabajo.

Principales trabajos sobre el español de la costa caribe: Becerra, 1985; 1991; Flórez, 1960; Lafford, 1982; 1986; Montes, 1959; Escamilla, 1993.

2) El dialecto costeño pacífico, como ya se dijo, se diferencia del costeño caribe en primer lugar por el uso generalizado del voseo en el trato igualitario o de confianza. Otros rasgos que lo tipifican: presencia, con mayor o menor generalidad de fenómenos de probable origen en lenguas africanas: d > r (*maruro* = maduro, *moro* = modo), y quizá por ultracorrección, r > d: *Mosqueda* = Mosquera; repetición de adverbios: «Ese ya lo apunté ya», «Él sí me dijo sí», «Él no lo trajo no», etc.; presencia de una oclusión glotal que reemplaza en ciertas posiciones a la /k/ y quizás a otras consonantes: [la kása ʔurál] = la casa cural (es rasgo poco frecuente, que se tiende a ocultar y en claro retroceso). También se documentó en esta zona la construcción del pret. compuesto de subjuntivo con *ser* («Si mayo juera sido invierno...», Montes, 1976). De Granda, 1977, ha propuesto subdividir este dialecto en dos subdialectos con base en la terminología de la *canoa*.

Sobre el español de la costa pacífica pueden verse principalmente Flórez, 1950, De Granda, 1977, Montes, 1974, Schwegler, 1991.

El superdialecto central andino

Este superdialecto, como se dijo al comienzo, suele conservar como sibilante la -s implosiva (pero en materiales de habla semiespontánea recogidos en Bogotá, en 1992 se ha manifestado una sorprendente frecuencia de aspiración de /s/, tanto intervocálica como posvocálica. En cambio aspira con cierta frecuencia y llega elidir la -s- intervocálica [nehesíta], [nohótros, noótros], etc. En este superdialecto se mantiene bien la identidad fonológica de -r y -l, se conserva la -r final y solo en zonas próximas al superdialecto costeño se da la -n̠ velar.

En gramática pueden diferenciar a este superdialecto el no uso del plural del tipo *Hacen años*, la frecuencia de adición de -*n* pluralizante al *se* pronominal (*sentarsen*), fenómeno casi desconocido en el costeño.

He propuesto subdividirlo, como en el caso del costeño, en dos dialectos:

1) Andino occidental, caracterizado por el yeísmo (igual pronunciación de /ll/ y /y/), por la casi total ausencia de alófonos fricativos o ensordecidos de /r/ y /rr/, incluso con relativa alta frecuencia de alófonos multivibrantes de /r/ final de sílaba o de palabra, por una articulación aparentemente más adelantada de las palatales, sobre todo de la /y/ y por ciertas isoglosas léxicas como *pucho, chanda, choclo, cabuya* (Montes, 1982, mapas 30, 31, 32 y 33) que señalan también una mayor presencia de quechuismos, pues tres de las voces enumeradas lo son.

Este dialecto se presenta en Antioquia (excepto su parte norte), Caldas, Quindío, Risaralda y partes de Tolima y Valle del Cauca. El andino occi-

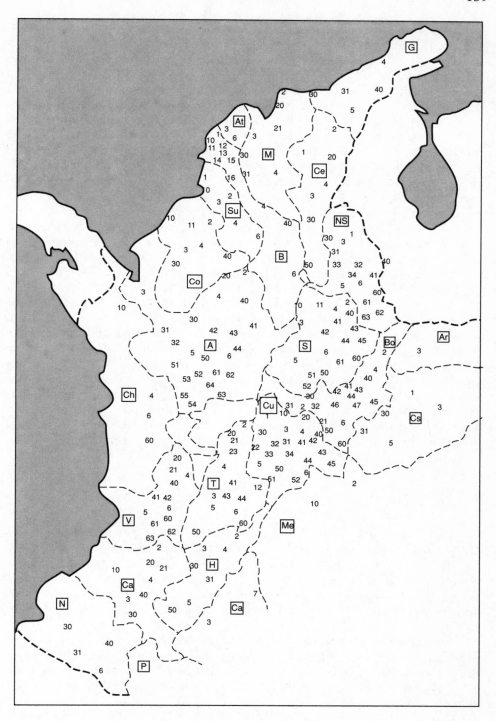

MAPA 1.

dental podría subdividirse en *paisa* (Antioquia —menos el noroccidente—, Caldas, Quindío, Risaralda y partes de Tolima y Valle del Cauca) con /s/ apicoalveolar o coronodental, y zona valluna de /s/ predorsoalveolar y uso, no muy general, de -n > -m (Montes, 1979).

2)   El dialecto andino oriental se distingue por el mantenimiento de la oposición /ll/ - /y/ (lo que habría que limitar, pues Bogotá, centro de esta zona, prácticamente ha abandonado tal distinción —véase Montes, 1969, 1985 y materiales del «Habla de Bogotá», de 1992—), que se conserva a lo largo de toda la cordillera Oriental, desde Nariño en los límites con el Ecuador hasta la frontera con Venezuela; por la frecuencia de alófonos fricativos, asibilados y aun ensordecidos de /r/ y /rr/; esto no quiere decir, ni mucho menos, que tales alófonos sean lo general o dominante en tal zona: se presentan regiones en que se dan con alguna intensidad, pero hay muchas otras regiones, tal vez la mayoría, que, o desconocen el fenómeno o sólo lo presentan ocasionalmente. El fenómeno estrechamente asociado al anterior (*tr* pronunciado con tendencia a fundirse en un sonido africado, casi *ch*) es también rasgo muy minoritario y sin prestigio en Bogotá. Para algunas isoglosas léxicas de este dialecto véase Montes, 1982, 25. El andino oriental abarcaría, pues, los departamentos de Nariño y Cauca (menos sus zonas costeras), Huila, parte del Tolima, Cundinamarca, Boyacá, Santander y parte de Norte de Santander. Subzonas de este dialecto podrían ser: la nariñense-caucana —sobre base un tanto intuitiva, pues es difícil encontrar una norma unificadora—, la tolimense-huilense basada en la isoglosa *chumba* de la que podría extraerse una subzona menor coincidente con el departamento del Huila al que tipifica *choglo* 'mazorca tierna'; más al norte podría definirse la subzona cundiboyacense por el uso de *sumerced* y otros pronombres de distancia respetuosa como *su persona*, *suyo*, y una subzona santandereana con base en usos léxicos como *bolilla* y *güinche* (dicho de la yuca).

Zonas interdialectales

La zona de más acusado carácter interdialectal es sin duda la de los Llanos orientales: las localidades extremas (Orocué, Arauca, Trinidad; para la situación de estas localidades en el mapa véase más arriba) son claramente costeñas; pero a medida que se avanza al occidente estos rasgos se diluyen hasta desaparecer en el piedemonte (Restrepo puede considerarse ya plenamente dentro del andino oriental, mapas 2 y 3 de Montes, 1982).

También hay, en zonas muy limitadas, modalidades de español interferidas por lenguas indígenas, pero aunque no se han hecho estudios serios sobre el tema (véase, sin embargo, Alvar, 1977) puede decirse que tales fenómenos están muy limitados y quizá no afecten al 1 % de la población.

Otras formas idiomáticas

Hay en Colombia por lo menos dos núcleos de hablantes que utilizan criollos: el de San Basilio de Palenque, cerca de Cartagena con el criollo denominado *palenquero*, habla que ha sido muy estudiada en las últimas décadas (Bickerton-Escalante, De Granda, Patiño, 1983, Megenney, etc.) y el de San Andrés y Providencia donde se habla el *bendé*. (Sobre esta habla criolla véase Dittman y O'Flynn de Ch.). Un núcleo de población homogéneamente blanca en la costa pacífica del que se tenían noticias vagas y un tanto fantásticas (hasta suponerlos descendientes de los vikingos o del naufragio de un barco alemán) se localiza efectivamente en la costa de Nariño y está incluido actualmente en el Parque Nacional Natural Sanquianga. David López, director de dicho parque y quien por su cargo debe tratar con los *culimochos*,[5] como llaman los negros de la costa pacífica a estos sus vecinos blancos, informó que se trata de un grupo originado en una expedición procedente del norte de España y que alegan derechos sobre la tierra que habitan denominada Playa de los Mulatos con base en una cédula real de 1792. Esto parece confirmarse en la breve entrevista que con la investigadora María Luisa R. de Montes sostuvimos con dos *culimochos* que llegaron a Gorgona, cuya habla efectivamente difiere notoriamente de la de sus vecinos costeños: entre otras cosas, creo que no tienen [ŝ] predorso-alveolar sino [s] ápico-alveolar o [s̄] corono-dental, es decir, de tipo centro-norteña, no meridional.

CUADRO RESUMEN

División dialectal del español de Colombia

SUPERDIALECTO COSTEÑO				
Costeño Caribe				
cartagenero	samario	guajiro	caribe interior	nortesantandereano
Costeño Pacífico				
septentrional [?]			meridional [?]	
SUPERDIALECTO CENTRAL O ANDINO				
Centro-Oriental			Centro-Occidental	
nariñense-caucano	tolimense-huilense	cundiboyacense	valluno	paisa o antioqueño

5. La explicación que sobre el origen de esta denominación dio el antropólogo López parece razonable: como por algunas características somáticas de la raza negra los individuos de tal raza suelen tener glúteos más pronunciados que los de la raza blanca, a los negros les pueden parecer los blancos de trasero muy escaso, *culimochos*.

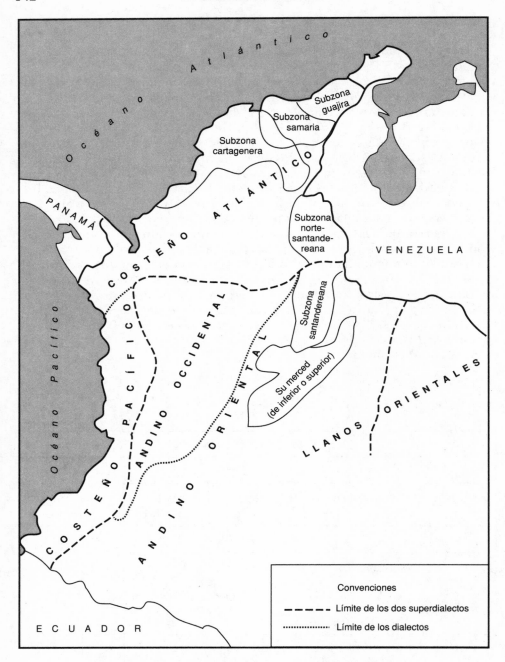

MAPA 2.   *División dialectal del español de Colombia.*

Referencias bibliográficas

Alvar, 1955 = Manuel Alvar, «Las hablas meridionales de España y su interés para la lingüística comparada», *Revista de filología española*, XXXIX, 284-313.

Alvar, 1977 = Manuel Alvar, *Leticia. Estudios lingüísticos sobre la Amazonia colombiana*, Bogotá, ICC.

Atlas lingüístico de Antioquia, dirigido por Amanda Betancourt, con la colaboración de Ángela Osorio y Carlos Zuluaga, Medellín, Univ. de Antioquia, 1995 (copia mecanografiada).

Atlas lingüístico-etnográfico de Colombia (ALEC), 6 tomos, Bogotá, ICC, 1981-1983.

Betancourt, 1993 = Amanda Betancourt, «Tipología de las realizaciones de /S/ en Antioquia», *Lingüística y Literatura*, Medellín, año 14, n.° 23 (enero-junio de 1993), pp. 7-20.

BICC = Boletín del Instituto Caro y Cuervo, Bogotá.

Bickerton-Escalante = Bickerton, D. y A. Escalante, «Palenquero: A Spanish-Based Creole of Northern Colombia», *Lingua*, XXIV, 1970, pp. 254-267.

Caicedo, Max, «El nuevo dialecto y la lengua estándar: preferencia dialectal *vs.* extinción dialectal en el español de Buenaventura», *Lingüística y Literatura* (Medellín), vol. 14, n.° 24, julio-dic. 1993, pp. 35-49.

Cuervo, Rufino José, *Apuntaciones críticas sobre el lenguje bogotano*, 9.ª edición, Bogotá, ICC, 1955.

Cuervo, Rufino José, *Obras*, Bogotá, ICC, 1954.

De Mello, Giorgio, «*Se los* for *se lo* in the Spoken Cultured Spanish of Eleven Cities», *Hispanic Journal*, 13 (1992)-1, pp. 165-179.

Dittman, Marcia Lynn, *El criollo sanandresano: lengua y cultura*, Cali, 1992.

El habla de la ciudad de Bogotá. Materiales para su estudio, Bogotá, ICC, 1986; 2.ª ed. corregida y aumentada, Bogotá, ICC, 1989.

Escamilla, Julio, «Acerca de los orígenes y características del habla costeña», *Lingüística y Literatura* (Medellín), t. 14, n.° 24, julio-dic. de 1993, pp. 50-61.

Fernández Sevilla = Julio Fernández Sevilla, «Los fonemas implosivos en español», *BICC*, XXXV, 1980, pp. 456-505.

Flórez, 1942 = L. Flórez, «El provincialismo en la literatura colombiana», *Educación* (Bogotá), 4, pp. 357-378.

Flórez, 1950 = L. Flórez, «Del castellano hablado en Colombia. El habla del Chocó», *BICC*, VI, pp. 110-116.

Flórez, 1961 = L. Flórez, «El Atlas lingüístico-etnográfico de Colombia *(ALEC)*. Nota informativa», *BICC*, XVI, pp. 77-125

Glosario lexicográfico del Atlas lingüístico-etnográfico de Colombia (ALEC), Bogotá, ICC, 1986.

Granda, 1968 = G. De Granda, «Formas en *-re* en español atlántico y problemas conexos», *BICC*, XXIII-1, pp. 1-22.

Granda, 1968a = G. De Granda, «Materiales para el estudio sociohistórico de los elementos lingüísticos afroamericanos en el área hispánica», *BICC*, XXII-3, pp. 545-573.

Granda, 1977 = G. De Granda, *Estudios sobre un área dialectal hispanoamericana de población negra: las tierras bajas occidentales de Colombia*, Bogotá, ICC.

Guitarte, 1965 = G. Guitarte, «Bosquejo histórico de la filología hispanoamericana», en *El Simposio de Cartagena* (Bogotá, ICC), pp. 234- 244.

Guitarte, 1983 = G. Guitarte, «El camino de Cuervo al español de América», en *Philologica hispaniensia in honorem Manuel Alvar*, I (Madrid, Gredos), pp. 243-318.

Lafford, 1986 = Barbara Lafford, «Valor diagnóstico-social del uso de ciertas variantes de /s/ en el español de Cartagena, Colombia», en *Estudios sobre la fonología del español del Caribe* (Caracas), pp. 53- 74.

Lafford, 1982 = B. Lafford, *Dynamic Synchrony in the Spanish of Cartagena, Colombia*, Ann Arbor.

Lope, B. y Juan, M., «La estructura de la cláusula en el habla culta de Bogotá», *BICC*, XLIII, 1988, pp. 296-309.

Megenney, William, *El palenquero, un lenguaje poscriollo de Colombia*, Bogotá, ICC, 1986.

Montes, 1959 = J. J. Montes, «Del español hablado en Bolívar, Colombia. Notas gramaticales», *BICC*, XIV, pp. 82-110.

Montes, 1965 = J. J. Montes, «Contribución a una bibliografía de los estudios sobre el español de Colombia», *BICC*, XX, 1965, pp. 425-465.

Montes, 1969 = J. J. Montes, «¿Desaparece la *ll* de la pronunciación bogotana?», *BICC*, XXIV-1, pp. 102-104.

Montes, 1970 = J. J. Montes, *Dialectología y geografía lingüística. Notas de orientación*, Bogotá, ICC.

Montes, 1974 = J. J. Montes, «El habla del Chocó. Notas breves», *BICC*, XX-3, pp. 409-428.

Montes, 1976 = J. J. Montes, «Un arcaísmo gramatical en Colombia: la construcción del pretérito de subjuntivo con *ser*», *BICC*, XXXI, pp. 561-562

Montes, 1977 = J. J. Montes, «Un tipo de composición nominal y el español "atlántico"», *BICC*, XXXII-3, pp. 658-659.

Montes, 1979 = J. J. Montes, «Un rasgo dialectal del occidente de Colombia: -n > -m», en *Homenaje a Fernando Antonio Martínez* (Bogotá, ICC), pp. 215-220.

Montes, 1980 = J. J. Montes, «Lengua, dialecto y norma», *BICC*, XXXV, 1980, pp. 237-257.

Montes, 1982 = J. J. Montes, «El español de Colombia. Propuesta de clasificación dialectal», *BICC*, XXXVII, pp. 23-92.

Montes, 1984 = J. J. Montes, «Para una teoría dialectal del español», en *Homenaje a Luis Flórez* (Bogotá, ICC).

Montes, 1984a = J. J. Montes, «Algunos casos de /S/ sonora en Colombia y sus implicaciones dialectales», en *Homenaje a Luis Flórez*, pp. 220- 227.

Montes, 1985 = J. J. Montes, «El español bogotano en 1983. Muestra fonética y gramatical», *BICC*, XL-2, pp. 293-307.

Montes, 1987 = J. J. Montes, «La lingüística como sistémica e idiomática y su aplicación a la dialectología del español», en *Actas del II Congreso Internacional sobre el español de América* (México, UNAM), pp. 86-98.

Montes, 1992 = J. J. Montes, «El español hablado en Colombia», en *Historia y presente del español de América*, Valladolid.

Montes, 1995 = J. J. Montes, *Dialectología general e hispanoamericana. Orientación teórica, metodológica y bibliográfica*, 3.ª ed. corregida y aumentada, Bogotá, ICC.

Montes-Bernal = J. J. Montes y Jaime Bernal, «El verbo en el habla culta de Bogotá», *BICC*, XL, pp. 732-742.

O'Flynn De Ch., Carol, *Tiempo, aspecto y modalidad en el criollo sanandresano*, Bogotá, 1990.

Otálora, Hilda, *Uso del gerundio en algunas muestras del habla de Bogotá*, Bogotá, ICC, 1992.

Patiño, 1983 = Carlos Patiño R., «El habla en el Palenque de San Basilio», en Nina S. De Friedemann y C. Patiño R., *Lengua y sociedad en el Palenque de San Basilio*, Bogotá, ICC, pp. 83-287.

Patiño, 1991 = Carlos Patiño, «Español, lenguas indígenas y lenguas criollas en Colombia», en *El español de América hacia el siglo XXI*, t. I, Bogotá, ICC, pp. 145-207.

Pluto, Joseph A., «Contribución a una bibliografía anotada de los estudios sobre el español de Colombia, 1965-1975», *BICC*, XXXV-2, 1980, pp. 288-358.

PyFLE = Presente y futuro de la lengua española, Madrid, 1964.

Rona, 1958 = J. P. Rona, *Aspectos metodológicos de la dialectología hispanoamericana*, Montevideo.

Schwegler, Armin, «El habla cotidiana del Chocó», *América Negra* (Bogotá), 2 (1991), pp. 85-119.

Serís, Homero, *Bibliografía de la lingüística española*, Bogotá, ICC, 1964.

Solé = Carlos A. Solé, *Bibliografía sobre el español de América (1920- 1986)*, Bogotá, ICC, 1990.

Suárez, Marco Fidel, «El castellano en mi tierra», en *Anuario de la Academia Colombiana* (Bogotá), t. II, pp. 168-192; en *Obras* de Marco FidelSuárez, t. I (Bogotá, ICC), 1958, pp. 559-599; en folleto aparte, Bogotá, Imprenta Eléctrica, 1910.

EL PALENQUERO

por José Joaquín Montes

Introducción

Treinta y siete años han pasado desde que, con mi colega del Departamento de Dialectología del Instituto Caro y Cuervo, Francisco Suárez, visitamos brevemente (un día) San Basilio y recogimos algunos materiales con los que confeccioné una corta nota, «Sobre el habla de San Basilio de Palenque (Bolívar, Colombia)», publicada en *Thesaurus*, XVII, 1962, 446-450. Si éste fue uno de mis primeros trabajos lingüísticos fue también uno de los primeros que se escribieron sobre el habla de San Basilio de Palenque, tal vez antecedido sólo por Escalante, 1954. Y estas circunstancias son las que explican que tal notícula, que sin duda tuvo el mérito de haber llamado la atención de los estudiosos sobre un habla muy original, haya quedado completamente sobrepasada por el aluvión de estudios que a partir de la década de los sesenta se han dedicado al criollo palenquero (y a muchos otros criollos).

Origen histórico

Los palenques como reacción antiesclavista.   En mi ya aludida nota de 1962 cité a Escalante, 1954:

> En todo el continente americano el negro reaccionó de diversas maneras contra la explotación [...] rebelándose o fugándose individual o colectivamente para formar palenques, que eran grupos de negros cimarrones que se amparaban en la tupida vegetación intertropical para defender sus culturas originales.

También Friedemann, 18-19, dice que «los palenques constituyen un logro muy temprano de la gran epopeya libertaria en cada una de las naciones que cuentan con esa formación en su historia».

En cuanto al palenque de San Basilio, Friedeman hace un buen sumario de su historia. Tres mapas entre pp. 16-17 señalan la ubicación de palenques en Colombia, entre ellos San Basilio, en los siglos XVI, XVII y XVIII. San Basilio está situado a 70 km al sur de Cartagena. Desde 1540 había negros alzados y huidos en la región de Cartagena, pero sólo en 1602 comienzan los enfrentamientos armados entre españoles y cimarrones. En cuanto a San Basilio, tras diversas alternativas, su resistencia se impone cuando en 1691 se dicta una cédula real que implica un armisticio con los palenqueros y la concesión a ellos de su libertad. Pero de los datos de Del Castillo, 80-84, queda claro que Domingo Bioho, supuesto líder de los palenqueros, si existió no fue el líder de éstos, que más bien habrían estado comandados por Domingo Criollo. Sobre esto véase también Schwegler.

Breve descripción lingüística

El criollismo del palenquero. La determinación del palenquero como un idioma criollo quizá se inicie con Bickerton-Escalante, según Del Castillo, 85: «En 1970 en un trabajo fundamental, Bickerton y Escalante encuentran que el "palenquero" es un criollo de base hispánica [...] especialmente en el aspecto de la morfología [...] y de la sintaxis.» Hoy parece que la mayoría de los estudiosos adherentes de la teoría monogenética de los criollos (De Granda, Megenney, Del Castillo, Patiño, etc.) consideran que el palenquero se remonta a un primitivo criollo afroportugués que a su vez podría ser una transformación de la *lingua franca* del Mediterráneo. Sólo que, dicen los investigadores, el palenquero se habría «relexificado» y se relexificaría cada vez más hacia el español (véase Megenney, 86-88). Para una opinión contraria a la monogenética véase Maurer.

Fonética. Como destacan diversos estudiosos del palenquero, no es en la fonética donde aparece su más marcada peculiaridad. La mayoría de los fenómenos fónicos de esta habla son comunes a diversas hablas hispánicas, en particular a las de la variedad andaluzada o costera insular. Así, en el vocalismo se destaca la tendencia a la inestabilidad de e-i, o-u: *kumé* 'comer', *vitilo* 'vestido', *furatero* 'forastero', etc. En el consonantismo aparece el rasgo fónico más peculiar del palenquero, desconocido, parece, en el sistema español, la prenasalización, al que quizá con razón se le ha asignado origen africano (Patiño, 99): *ndejá* 'dejar', *nganá* 'ganar'. Otros fenómenos consonánticos son compartidos por la variedad costeña del español, así la geminación (*ákko* 'arco', *kál·lo* 'Carlos'), el paso -dr- > -gr- (*kwágro* 'cuadro'), la aspiración o pérdida de -s (implosiva: *dehpwé* 'kateyáno'), r > l *(kolasó)*, d > r *(poré, rebé)*, etc. (Patiño, 90, 95, 99, 104, 108). En cuanto al tonillo palenquero, bien diferente al del español costeño de la zona, se ha supuesto también de origen africano (Patiño, 110).

Morfosintaxis. «Como ya se indicó, es en el terreno propiamente gramatical donde el vernáculo de San Basilio contrasta notoriamente con el español» (Patiño, 112). Lo que sigue es un resumen muy comprimido de los datos de Patiño.

Pronombres

Singular		Plural
1.ª pers.	í	suto (sujeto)
	mi	suto (objeto)
2.ª pers.	bo	enú, utere (sujeto)
	bo	enú, utere (objeto)
3.ª pers.	ele	ané (sujeto)
	lo, ele	ané, lo (objeto)

Posesivos

Singular		Plural
1.ª pers.	mi	suto
2.ª pers.	sí	utere
3.ª pers.	ele	ané

Frase nominal. «El hecho más sobresaliente en relación con el conjunto nominal palenquero es la ausencia de oposiciones morfológicas de género y número» (Patiño, 138). Sin embargo, encuentra algunos femeninos: él é mu *tretera* 'Ella es muy mañosa'. Sólo ocasionalmente, por influjo del español, se usa el artículo determinado; el indeterminado se usa como en español: *él á sé salií k'un piegra* 'él sale con una piedra'. La partícula *ma* es signo de plural: *ma* gende tan pegá mí 'la gente me va a pegar'.

Verbo y frase verbal: rasgos más notables

«1.ª   Muy escasa utilización de procedimientos morfológicos inflectivos. Las oposiciones gramaticales se establecen por vía sintáctica, mediante ciertos marcadores verbales.

»2.ª   Reducción drástica de los elementos del sistema (categorías y formas), lo cual se manifiesta en indiferenciación de ciertas funciones, empleo muy marginal de algunos mecanismos (gerundio) o inexistencia de otros (modo subjuntivo, expresión reflexiva)» (Patiño, 113).

«El verbo palenquero [...] Se halla organizado en lo fundamental mediante la combinación de dos categorías: uno o dos marcadores de tiempo y aspecto y la forma de infinitivo correspondiente; entre estos componentes puede ir un verbo modal» (Patiño, 114).

«El paradigma verbal del palenquero opera básicamente con cuatro oposiciones formales y semánticas dentro de un modo único:

— un pretérito, compuesto por el marcador a seguido del infinitivo;
— un presente formado por uno de los marcadores *tá* o *sé* antepuestos al infinitivo;
— un futuro formado por el marcador *tan* y un infinitivo;
— un imperfecto caracterizado por el sufijo *-ba*» (Patiño, 115).

Ejemplos:

Pretérito: *í á semblá un mata maí* 'yo sembré una mata de maíz'; presente: *pueblo mí tá pelé lengua ané*, 'mi pueblo está perdiendo su lengua'. Futuro: *eso fue Juan tan ase* 'eso es lo que Juan hará'. Aspecto habitual: el aspecto habitual se marca con las secuencias *a sé* y *a sebá*, respectivamente, las cuales son de altísima frecuencia. Ejs.: suto *a se bibí* aya 'nosotros vivimos allá; *a ten maní á sebá limpiá nu* 'hay maní que no se limpiaba'. Imperfecto: *í sé dejáloba fiao*» (Patiño, 115-125).

Léxico.   El importante trabajo de Del Castillo trae una buena cantidad de voces de origen africano (bantuismos, carabalismos) cierto o probable. Schwegler ha mostrado que algunos de los supuestos africanismos (p. ej., *casariambe*) son en realidad hispanismos; su posición, sin pretender negar la importancia del léxico de raíz africana en el palenquero, previene contra exageraciones en este aspecto. Sus observaciones son en general atinadas, aunque algunas de sus propuestas etimológicas (p. ej., *maretira, mariapalito*) no sean del todo convincentes. A continuación citaré voces supuestamente africanas según Del Castillo:

agüé 'hoy'. Del Castillo sólo habla de «posibilidad remota» de que sea africanismo. Schwegler demuestra que es un leonesismo; *angüelá* 'arcilla que comen las embarazadas'; *anguvá* 'maní'; *bangaño, bangaña* 'calabazo'. Prefiere el étimo bantú al hispano propuesto por Corominas; *bemba* 'labio grueso'; *biche* 'que está verde'; *bololó* 'chisme, cuento'; 'bulla, pelea, alboroto'; *búmbula* 'testículo o de testículos muy grandes'; *caddume* 'mozo -a'; 'compañero -a'. Menciona también la posibilidad de que provenga de *cardumen*; *calabongó* 'luciérnaga, cocuyo'; *capuchí* 'persona de cabello liso'; *casariambe* 'cementerio'. Del Castillo la considera voz híbrida de español y quimbundo; pero parece más convincente la etimología puramente hispánica de Schwegler: *casariambe* < casa de hambre; *champeta* 'machete o cuchillo grande'; *chipa* 'viruela de agua'; acepta también posible origen en *chi(s)pa chumbungo* 'pozo, charco'; *chuve* 'voz para llamar al perro'. Para otra posible etimología, no africana, Montes, 1976, 370; *cucú, cuscú* 'cabello ensortijado'. En este caso parece más verosímil la etimología propuesta por Kany que cita Del Castillo, *alcuzcuz*, que la africana de Del Castillo; *entongar* 'amontonar el arroz en la plantación'; *gongolá, bunguliá, unguliá* 'voltearse, caerse de un animal la carga'; *gungusá* 'puré de plátano'; *imbambia* 'paja, cosa sin importancia; mentira'; *majaná, masaná* 'grupo de personas jóvenes'; *manvengo* 'pelo del pubis'; *mapolazo* 'golpe de un trompo a otro'. En relación con esta voz téngase en cuenta la propuesta de Schwegler: *porra, (a)porrear*; *mapota* 'legaña'; *mengué* 'caña de azúcar'; *moná* 'hijo -a; muchacho'; *motundo* 'bulto que se lleva en la cabeza'; *mucambó* 'larguero de las trojas de dormir'; *mulumba* 'asaltante con fines sexuales'; *ñimbá* 'molleja'; *treñiño, truñuño* 'avaro, mezquino'. La falta de antecedente en los étimos africanos propuestos para la porción inicial tr- hace muy improbable tal etimología y lleva a aceptar más bien lo que también propone Del Castillo: «No puede descartarse que *treñiño* [y sin duda también *truñuño*, J. M.] venga del español *estreñido*»; *tunganá* 'sapo o rana'. Compárese la propuesta onomatopéyica de Schwegler; *tusí* 'excremento'.

SITUACIÓN IDIOMÁTICA

El palenquero es y ha sido un idioma de uso puramente intragrupal y ha convivido con el español en situación de bilingüismo diglósico por lo menos desde 1772 según noticia de Diego de Peredo, obispo de Cartagena, citada en Del Castillo, 83. Su mantenimiento es problemático:

> No parece, pues, estarse desplazando paulatinamente el criollo palenquero hacia el español, sino que pura y simplemente está desapareciendo entre las nuevas generaciones que ya no desean usarlo y que muchas veces lo ignoran, prefiriendo emplear el castellano no sólo para dirigirse a los foráneos sino también para hablar entre sí (Del Castillo, 89).

Opinión similar tiene Patiño, 1983, aunque posteriormente (Patiño, 1991, 201), tras enumerar los factores negativos para la conservación del palenquero habla del surgimiento de una acción reivindicativa que «de lograr el apoyo necesario dentro y fuera de San Basilio, podría contribuir decisivamente a disipar los nubarrones que se ciernen sobre el ciclo de la vida del criollo palenquero».

Bibliografía

OBRAS CITADAS

Bickerton-Escalante = Derek Bickerton y A. Escalante, «Palenquero: A Spanish-Based creole of northern Colombia», *Lingua*, 24, 1970, pp. 254-267.
Del Castillo = Nicolás Del Castillo M., «El léxico negro africano de San Basilio de Palenque», *Thesaurus*, XXXIX, 1984, pp. 80-169.
Escalante = Aquiles Escalante, «Notas sobre el palenque de San Basilio, una comunidad negra de Colombia», *Divulgaciones etnológicas*, Barranquilla, III-5.
Friedemann = Nina S. de Friedemann, «Palenque de San Basilio. Historia y organización social», en Nina S. de Friedemann y C. Patiño R., *Lengua y sociedad en el palenque de San Basilio*, Bogotá, ICC, 1983.
Maurer, Philippe, «La Comparaison des morphèmes temporels du papiamento et du palenquero: arguments contre la théorie monogénétique des langues créoles», en *Varia Creolica* (Bochum, Brockmeyer, 1987), pp. 27-69.
Megenney = William Megenney, *El palenquero. Un lenguaje poscriollo de Colombia*, Bogotá, ICC, 1986.
Montes, 1976 = J. J. Montes, «Voces a los animales usadas en Colombia», *Revista de Dialectología y Tradiciones Populares*, Madrid, XXXII, pp. 359-372.
Patiño = C. Patiño, «El habla en el palenque de San Basilio», en Nina S. de Friedeman y C. Patiño R., *Lengua y sociedad en el palenque de San Basilio*, Bogotá, ICC, 1983.
Patiño, 1991 = C. Patiño, «Español, lenguas indígenas y lenguas criollas en Colombia», en *El español de América hacia el siglo XXI*, t. I, Bogotá, ICC, pp. 145-207.

Schwegler = Armin Schwegler, «Notas etimológicas palenqueras: "casariambe", "túngananá", "agüé", "monicongo", "maricongo" y otras voces africanas o pseudoafricanas», *Thesaurus*, XLIV, 1989, n.° 1, pp. 1-28.

BIBLIOGRAFÍA ADICIONAL

Arrázola, Roberto, *Palenque, primer pueblo libre de América*, Cartagena, Edics. Hernández, 1948.

Escalante, Aquiles, *El palenque de San Basilio*, Barranquilla, Ed. Mejoras, 1979.

Granda, Germán de, «Algunas observaciones morfológicas y etimológicas sobre vocabulario de origen bantú en el habla criolla de San Basilio de Palenque (Bolívar, Colombia)», *Revista de dialectología y tradiciones populares*, Madrid, 29, 1973.

—, «Estructuras lingüísticas y relación genética en un habla "criolla" de Hispanoamérica», *Filología*, Buenos Aires, XVI, 1972.

—, «Notas sobre el léxico palenquero de origen bantú», *Boletín de filología*, Madrid, 1971.

—, «Sobre la procedencia africana del habla "criolla" de San Basilio de Palenque», *Thesaurus*, XXVI, 1971.

—, «La tipología «criolla» de dos hablas del área lingüística hispánica», *Thesaurus*, XXIII, 1968.

—, «Algunos rasgos más de origen africano en el criollo palenquero», en *Estudios sobre español de América y lingüística afroamericana*, Bogotá, ICC, 1989, 1, pp. 49-57.

—, «Retenciones africanas en el nivel fonético del criollo palenquero», en *Actes du XVIIIᵉ Congrès International de Linguistique et de Philologie Romanes*, t. I (ed. Dieter Kremer, Tubinga, Max Niemeyer, 1992), pp. 542-552.

Megenney, William, «Sub-saharan Influences in Palenquero and Barloventero», *Revista Interamericana*, X-2, 1980.

Patiño Rosselli, Carlos, «Una mirada al criollo palenquero», en *Estudios sobre español de América y Lingüística afroamericana*, Bogotá, ICC, 1989, pp. 328-350.

—, «El lenguaje de los afroamericanos y su estudio», en P. Konder; M. Perl y K. Pörtl (edit.), *Estudios de literatura y cultura colombianas y de lingüística afrohispánica*, Frankfurt, Peter Lang, 1995, pp. 103-134.

Schwegler, Armin, «"Abrakabraka", "suebbesuebbe" y otras voces palenqueras: sus orígenes e importancia para el estudio de dialectos afrohispanocaribeños», *Thesaurus*, XLV, 1990, pp. 690-731.

PERÚ

por Rocío Caravedo

Introducción

En la presentación de los aspectos más relevantes del español del Perú parto de una concepción sociolingüística de la dialectología. Quiero decir que si bien el objeto de la dialectología es estudiar la variación de una lengua a partir de la coordenada espacial, esta variación no puede ser sino de naturaleza social. Semejante aserción no implica de hecho que los fenómenos respondan necesariamente a una estratificación por clases en el sentido de una concepción sociolingüística restringida sólo a este tipo de variación. Parto, más bien, de una concepción amplia de la sociolingüística según la cual la naturaleza del lenguaje se define como social, independientemente de que la variación se distribuya o no de modo heterogéneo según los grupos sociales. Desde un punto de vista conceptual, en razón de lo dicho, la dialectología es en sí misma de carácter sociolingüístico. Las diferencias que se observan a partir de las áreas geográficas involucran tipos de comunidades, vale decir tipos de sociedades. Los espacios son ante todo espacios de interacción social. Por ello, al concentrarme en este trabajo en la variación espacial del español referida al Perú, conectaré el análisis propiamente lingüístico de los fenómenos con una interpretación que involucra el universo social en que discurren y se desarrollan.

Los datos de los que parto para el comentario fenoménico constituyen parte de un largo proceso de investigación del español del Perú a partir de esta concepción de la dialectología sociolingüística. La mayor parte de la información proviene de datos de primera mano, correspondientes al *Atlas Lingüístico Hispanoamericano*, que he recopilado como responsable de la parte que corresponde al Perú, y los que he ido recogiendo en seminarios de investigación y a propósito de otras indagaciones respecto de un proyecto más amplio de estudio sociolingüístico del español peruano.[1] Utilizo

---

1.   Para la información sobre el *Atlas Lingüístico Hispanoamericano*, proporcionada por los directores del Proyecto, véase M. Alvar, «Proyecto de un Atlas Lingüístico de Hispanoamérica», *Cuadernos Hispanoamericanos*, 409, pp. 89-100, y M. Alvar y A. Quilis, *Atlas Lingüístico de Hispanoamérica. Cuestionario*, Madrid, Instituto de Cooperación Iberoamericana, 1984; y para su aplicación al Perú, véase también R.Caravedo, «El Perú en el Atlas Lingüístico Hispanoamericano», *Lexis*, vol. XI, 2, 1987,

también la información de segunda mano respecto de fenómenos estudiados de modo más detallado por otros investigadores.[2] Como es obvio, en esta presentación panorámica no se podrán ofrecer los detalles del complejo procesamiento, no completado todavía en todos sus aspectos, derivado de las indagaciones, sino sólo los resultados generales y simplificados en relación con algunos de los fenómenos más significativos y estudiados, remitiendo, claro está, siempre que sea posible, a la información bibliográfica pertinente.[3]

De la tradicional partición del análisis lingüístico desarrollaré sólo lo fonético y lo morfosintáctico, consciente de la limitativa abstracción que esta partición supone de los mecanismos que se actualizan en la vida de una lengua y que delinean su verdadera fisonomía. En presentaciones panorámicas como ésta resulta casi imposible abordar de modo organizado las características léxicas del español peruano. Aparte la limitación natural derivada de la amplitud del inventario de unidades que hace muy compleja su sistematización, este plano del análisis ha sido abordado, para el español peruano, de modo aislado, mediante el estudio de palabras particulares, o a través de registros lexicográficos de distinto valor y alcance, todo lo cual hace más difícil evaluar el léxico para una presentación general como ésta.[4] Está de más agregar que los fenómenos comentados pueden encontrarse en otras modalidades hispánicas, pues constituyen manifestaciones posibles del espectro de variabilidad del español. Por lo demás, las distinciones residen no en la existencia exclusiva de ciertos fenómenos en los diferentes espacios sino en su articulación interna con los demás aspectos lingüísticos en distintas dimensiones de intensidad y de contextualidad, articulación que exige ser abordada mediante recursos analíticos y sintéticos diferentes de los usados para un análisis descriptivo de inventario como éste.

Marco histórico-social

En una percepción global sobre el español del Perú hay que tener en cuenta ciertos aspectos de la historia demográfico-social, íntimamente vinculados con el tipo de interacción desarrollada desde la Colonia entre los

pp. 165-182, y «El Atlas Lingüístico Hispanoamericano en el Perú: observaciones preliminares», *Lingüística Española Actual*, XIV, 1992, pp. 287-299.

2.   Para una información bibliográfica general del español del Perú, véase E. Carrión y T. Stegmann, *Bibliografía del español en el Perú*, Tubinga, Niemeyer Verlag, 1973, y en el ámbito dialectal, E. Carrión, «La lengua española en el ámbito geográfico nacional», *Boletín de la Academia Peruana de la Lengua*, vol. 20, pp. 65-86.

3.   Un estado de la investigación sobre el español del Perú con amplia bibliografía puede verse en J. L. Rivarola, «El español del Perú: balance y perspectiva de la investigación», *Lexis*, vol. X, 1, 1986, pp. 25-52.

4.   El más antiguo registro es el de J. de Arona, *Diccionario de peruanismos*, Lima, 1883. Para una visión etimológica e histórica, véase M. Hildebrandt, *Peruanismos*, Lima, Moncloa-Campodónico, 1969, 2.ª ed., Biblioteca Nacional del Perú, 1994. Aunque se trata de la obra de un aficionado, puede verse J. Álvarez Vita, *Diccionario de peruanismos*, Lima, 1990.

grupos hispánicos y los grupos originarios hablantes de distintas lenguas (principalmente el quechua y el aimara), aspectos que inciden en la configuración de las variedades. Mientras el área de mayor concentración de la población hispánica fue la zona de la costa, donde se fundó la capital, los grupos indígenas se fueron reduciendo progresivamente a la zona andina.[5] La división geográfica entre costa y sierra va aparejada con una clara frontera lingüístico-cultural que se acrecienta a lo largo de los siglos dentro del espacio político peruano. Tal frontera se expresa en el desarrollo de un monolingüismo comunicativo, que supone bien la comunicación separada de cada uno de los grupos en su propia lengua, bien el intento de la intercomunicación sobre la base de sólo una de las lenguas privilegiadas en el contacto, esto es, el español. En este último sentido se puede hablar del desarrollo de una sociedad con un bilingüismo unilateral, correspondiente sólo a los que no tienen el español como lengua materna, unilateralidad que se continúa durante toda la época republicana hasta la actualidad. Los diferentes tipos de asentamiento demográfico favorecieron, pues, el desarrollo paralelo de dos modalidades dialectales muy definidas del español, la *costeña*, en las áreas de concentración hispánica, y la *andina*, en las zonas mayoritariamente indígenas en la situación de contacto de lenguas, modalidades marcadas por la calidad de la inserción de la lengua española.[6] El área de la selva o amazonia fue de muy tardía colonización y su historia social y lingüística está poco estudiada. En todo caso, se puede aludir a una variedad *amazónica* desarrollada en contacto con un amplio espectro de lenguas de muy variada tipología, de cuya influencia sobre el español se conoce poco.[7] La sociedad peruana, producto de estas circunstancias histórico-demográficas, constituye una sociedad desintegrada culturalmente, donde las fronteras geográficas y lingüísticas coinciden con las fronteras sociales.

Ahora bien, tales profundos desajustes se acrecientan de modo notable en los últimos cincuenta años con un cambio regresivo respecto de la so-

5.   Una presentación de las cuestiones demográficas en la Colonia y su relación con la difusión y el arraigo del español puede verse en J. L. Rivarola, «Aproximación histórica del español del Perú», en C. Hernández Alonso, ed., *Historia y presente del español de América*, Junta de Castilla y León, PABECAL, 1992, pp. 697-717, y sobre el problema del contacto y conflicto lingüístico durante la colonización, *La formación lingüística de Hispanoamérica*, Lima, Pontificia Universidad Católica del Perú, 1990, del mismo autor.

6.   Existen propuestas más elaboradas de zonificación del español peruano. La más antigua es la de P. Benvenuto, *El lenguaje peruano*, Lima, 1936; otra propuesta se hallará en A. Escobar, *Variaciones sociolingüísticas del castellano en el Perú*, Lima, Instituto de Estudios Peruanos, 1978. En esta última, Escobar distingue como variedad diferente de la modalidad andina el interlecto, es decir, el castellano hablado como segunda lengua por los quechuahablantes o aimarahablantes. En la propuesta que presento no postulo una zonificación lingüística, sino que utilizo las regiones geográficas naturales en un sentido referencial, atendiendo a consideraciones históricas y demográficas; en ella, por consiguiente, no queda diferenciada desde el punto de vista dialectal, aunque obviamente sí en un sentido psicolingüístico, la variedad de bilingües respecto del español andino. Véase también A. M. Escobar, *Los bilingües y el castellano en el Perú*, Lima, Instituto de Estudios Peruanos, 1990, para un estudio de los grados de bilingüismo en relación con ciertos fenómenos del español de bilingües.

7.   Para un estado de la cuestión acerca de las lenguas amazónicas, véase M. R. Wise, «Lenguas indígenas de la amazonía peruana: historia y estado presente», *América Indígena*, vol. XLIII, 4, 1983, pp. 823-848, donde se presentan, además, cuadros pormenorizados acerca de 63 lenguas agrupadas en 12 familias lingüísticas distintas, con información acerca de los tipos de contacto entre los grupos étnicos y sus grados de integración con la sociedad nacional.

ciedad colonial, cambio manifestado en el desplazamiento masivo de los pobladores andinos, y también amazónicos, hacia las zonas urbanas costeñas, sobre todo hacia la capital. Este desplazamiento pone en contacto las modalidades antes separadas geográficamente favoreciendo su influencia mutua y, en este sentido, su modificación. Por ello, en la dialectología actual resulta difícil hablar de variedades más o menos estables circunscritas a las zonas geográficas naturales (costa, sierra y selva), porque los fenómenos de cada variedad se repiten muchas veces en todas las modalidades, y porque, en principio, éstas confluyen en un mismo espacio y se hace hasta cierto punto imposible determinar lo exclusivo de cada una. Respecto de este planteamiento distingo entre modalidades *originarias*, las desarrolladas en las zonas geográficas aludidas, y modalidades *derivadas* de éstas en la situación de contacto en la capital, como producto de una compleja historia demográfico-social. Al coincidir todas en un mismo espacio se acrecientan las diferencias sociales y se desarrolla un sistema valorativo de parte del grupo receptor, que reinterpreta las diferencias dialectales como diferencias de estrato social en una escala donde las modalidades no costeñas, y sobre todo la andina, se sitúan en el rango inferior. Este estado de coexistencia, que genera actitudes valorativas, impulsa la variación lingüística en diferentes direcciones, favoreciendo el surgimiento de modalidades distintas como resultado del contacto y de la interacción entre los grupos, que serán determinantes en el nuevo perfil del español peruano.[8]

Fonética

Organizaré este comentario a partir del concepto de función distintiva en relación con tres fenómenos de la variabilidad lingüística del sistema español:[9]

1.   Distintivos, los que tienen como referencia una distinción fonológica actualizada en algunas áreas, a saber el seseo y el yeísmo.
2.   Parcialmente distintivos, los que implican contextos de distinción y de indistinción; a saber, los que se inscriben en la neutralización.
3.   Indistintivos, los que nunca implican distinción.

A)   Partiré de los fenómenos que he denominado distintivos en relación con el sistema español en su totalidad, en el sentido de que involucran una oposición fonológica que, sin embargo, no se expresa de modo absoluto en toda la comunidad hispánica, sino que implica un doble juego de

8.   Desarrollo esta propuesta incorporando el aspecto demográfico en «Espacio geográfico y modalidades lingüísticas en el español del Perú», en C. Hernández Alonso, ed., *Historia y presente*, pp. 719-741 y con más detalle en «Variedades lingüísticas en contacto: propuestas para una investigación del español del Perú», en *Signo y Seña* (Buenos Aires), en prensa.
9.   Para toda la información fonética de la modalidad costeña procesada cuantitativamente me valgo de R. Caravedo, *Sociolingüística del español del Perú*, Lima, Pontificia Universidad Católica del Perú, 1990.

funcionalidad distribuido en la coordenada espacial. Vale decir, la distinción y la indistinción no están organizadas contextualmente sino más bien espacialmente. Los alcances de esta distribución difieren respecto de los fenómenos involucrados, a saber, el seseo y el yeísmo. Así, con relación al primero existe una clara discontinuidad, que separa en bloque a todo el español americano junto con otras áreas españolas. En el caso del yeísmo, la discontinuidad no es tan nítida, pues las zonas distinguidoras y las yeístas se mezclan a menudo en algunos puntos geográficos en un proceso no concluido de indistinción.

Seseo. Las diferentes variedades articulatorias de la sibilante pueden reagruparse a partir de tres procesos: mantenimiento, debilitamiento y elisión. Respecto de éstos, las modalidades comentadas se sitúan en puntos diversos. El mantenimiento se expresa diferencialmente en un tipo de *ese* dental en la zona costeña y un tipo ápico-alveolar muy tenso en la zona andina.[10] De modo general, la zona de la costa, especialmente Lima, registra un radio alto de debilitamiento expresado a través de la aspiración preconsonántica en relación con las zonas costeñas periféricas y con las andinas y amazónicas, favorecedoras del mantenimiento, incluso en los contextos más propicios para la aspiración; a saber, los marcados por la contigüidad de una consonante velar *(mosca, pisco)*. Ahora bien, esos procesos se ponen a prueba en el espacio de confluencia migratoria, donde se acrecienta la aspiración en posición preconsonántica (con más fuerza ante velar). La aspiración que en Lima llega a la producción de una «jota» *(Cujco* en Cusco) es mucho más fuerte incluso en las clases media y alta, y no recibe valoración social negativa. En cambio, la aspiración prevocálica, tan común en las zonas caribeñas, constituye una forma estigmatizada y sólo puede escucharse en clases populares. La misma interpretación rige para la pérdida del segmento, que ocurre mayormente en esos mismos grupos. La unidad de medida cambia si comparamos los grados de debilitamiento de la sibilante costeña con los registrados en la zona del Caribe. En relación con éstos, la costa peruana tiene todavía grados altos de mantenimiento restringidos contextualmente, aun cuando su tendencia hacia el debilitamiento sea mucho mayor que en los grupos andinos. Al lado de la variedad articulatoria apical y tensa se puede registrar en la zona andina una forma interdental, en muchos casos coincidente con la castellana central en determinados contextos léxicos, las cuales evocan los restos de una oposición distintiva eliminada *(dices, doce)*.[11] Una dento-interdental muy dis-

---

10.   Estas diferencias las desarrollo en «El Atlas Lingüístico Hispanoamericano en el Perú: observaciones preliminares». Analizo de modo monográfico la sibilante en el grupo culto limeño en *Estudio sobre el español de Lima: variación contextual de la sibilante*, Lima, Pontificia Universidad Católica del Perú, 1983. Más adelante integro estos resultados con otro grupo social en *Sociolingüística...*

11.   Desarrollo esta hipótesis con un análisis cuantitativo contextual para la zona andina norteña y sureña en «¿Restos de la distinción /s/ /θ/ en el español del Perú?», *Revista de Filología Española*, LXXII, 1992, pp. 639-654. El primer testimonio de la existencia de un sonido interdental en el español peruano se encuentra en J. de la Riva-Agüero, «Por la sierra. Paisajes andinos. De Abancay a Andahuaylas», *Mercurio Peruano*, X, vol. XVI, 1927, p. 265; lo recoge P. Benvenuto, *El lenguaje peruano*, p. 119, pero lo refiere sólo al Cuzco y a ciertas palabras como los numerales (doce, trece). Al investigar el asunto, lo he encontrado en otras zonas andinas y extendido a una gama léxica más amplia.

tinta articulatoria y distribucionalmente respecto de la que comento, en el sentido de que ocurre en sustitución de la *ese* y no en contextos diferenciados como la andina, se presenta en la zona costeña, incluyendo Lima, no sólo entre los grupos populares, sino también entre hablantes de clase media en determinados estilos comunicativos afectivos y coloquiales. No existen todavía estudios exhaustivos del seseo en la variedad amazónica, pero puedo adelantar, a partir del análisis de las encuestas, una tendencia hacia el mantenimiento, expresada en la ausencia de aspiración en los contextos favorecedores de ésta.

Yeísmo. En el Perú se presentan las dos posibilidades funcionales respecto de las palatales: por un lado, la diferencia entre lateral y no lateral, y por otro, su indiferenciación en el yeísmo.[12] La diferenciación se encuentra en los hablantes de las zonas andinas, si bien no de modo consistente, pues generalmente se alternan los dos patrones en el habla de un solo informante, lo que revela la progresiva pérdida de la diferencia, mucho más nítida en la confluencia de grupos en la capital, donde el patrón es claramente yeísta. En la zona amazónica se encuentra, por otro lado, una curiosa diferenciación entre una no lateral fricativa y relajada /y/ y una no lateral sea africada, sea fricativa rehilada /ž/, en el habla del mismo individuo, análoga al patrón de distinción andino, si bien con una realización diferente.[13] Un pormenorizado análisis cuantitativo y cualitativo de los contextos de distinción y de los de indistinción me ha permitido comprobar que mientras la /y/ se entrecruza con los contextos de la rehilada, que corresponden a /l/, no ocurre lo mismo con el comportamiento de la rehilada que no se manifiesta en los contextos de /y/: esto permite postular un proceso de cambio dirigido hacia la indistinción yeísta, semejante al de la zona andina, y sin duda al de muchas zonas hispánicas. La zona costeña es, por otro lado, totalmente yeísta, salvo el extremo sur, desde Arequipa hasta Tacna, donde se encuentra la distinción no consistente alternando con la indistinción como parte del proceso de cambio. En la costa central y norte se presenta el yeísmo generalizado con tendencias hacia un debilitamiento articulatorio, que llega incluso a la elisión total del segmento en posición intervocálica al final de la palabra como en *cuchío, mantequía,* incluso en hablantes de clase media. A partir de lo observado para los fenómenos de cambio funcional en relación con las sibilantes y las palatales, distingo varias fases en el proceso de cambio asignables a un mismo hablante:

12. De hecho, esta diferenciación delimitaría, según A. Escobar *(Variaciones...),* las dos variedades fundamentales del español peruano: la andina respecto de la no andina; esta última incluye la variedad costeña y la amazónica como modalidades ribereñas.

13. Analizo el fenómeno de modo cuantitativo y propongo esta interpretación en «Variación funcional en el español amazónico del Perú: las palatales sonoras», en *Anuario de Lingüística Hispánica* (en prensa). Cfr. A. Escobar, «Refonologización y velocidad de ciertos cambios en el español amazónico», en *Logos semantikós. Studia linguistica in honorem Eugenio Coseriu,* V, Madrid, Gredos, 1981, pp. 425-433, donde se analiza el fenómeno como indistinción. En G. de Granda, «Acerca del origen de un fenómeno fonético en el español andino. La realización z/z -y de la oposición /L/-/Y/», *Boletín de Filología* (Chile), vol. XXXIII, 1992, pp. 47-69, se conecta el fenómeno del norte de Ecuador y de Santiago del Estero con el amazónico en relación con ciertas variedades dialectales quechuas.

1.   Distinción absoluta fijada en el contexto léxico sin entrecruzamiento de contextos.

2.   Entrecruzamientos parciales: momentos de distinción y momentos de indistinción.

3.   Indistinción total en todos los contextos.

4.   Debilitamiento o elisión de la variante resultante de la indistinción.

Correlacionadas estas fases con la coordenada espacial, atendiendo a los datos comentados aquí, tanto en las zonas andinas hasta ahora investigadas cuanto en las amazónicas, el proceso se situaría en la segunda fase de entrecruzamientos parciales, mientras que en las costeñas, en la tercera y en la cuarta según los grupos y las situaciones de habla. Existe, como ya señalé, una gran analogía entre el seseo y el yeísmo respecto de los procesos de indistinción funcional. Las diferencias entre ellos residen en que el primero está generalizado y sólo en algunos puntos podrían descubrirse restos de una segunda fase, mientras que el segundo se encuentra, según las zonas, en las tres fases. Se trata, pues, en este sentido, de un proceso menos estable y generalizado. Es presumible que la confluencia de todos los grupos en la capital contribuya a acelerar el proceso de indistinción total.

Un rasgo que afecta a la distinción funcional referida a las vocales de las zonas andinas merece comentario aparte. Se trata de la alternancia entre los segmentos /e/ /i/ por un lado y /o/ /u/, por otro, claramente separados en las demás zonas peruanas (*ajé* por *ají*, *octobre* por *octubre*, *sigoro* por *seguro*, etc.). Asimismo, los enlaces vocálicos diptongales, no permitidos en quechua, se disuelven mediante semiconsonantización de una de las vocales, creación de hiato o eliminación de una de las vocales (*iscuyla* por *escuela*, *liyún* por *león*, *surti* por *suerte*).[14] Sin duda los entrecruzamientos tienen su origen en el fenómeno de contacto entre español y quechua, producidos por la transferencia de los hábitos articulatorios de un sistema trivocálico hacia el otro en los individuos bilingües, pero transmitido en la interacción comunicativa normal del bilinguismo social a otros hablantes de la modalidad andina, no necesariamente bilingües. Como independientemente del origen del fenómeno, el hecho ocurre en una modalidad del español, conviene tratarlo como un rasgo dialectal del mismo en los grupos considerados andinos. El fenómeno, sin embargo, está tan estigmatizado en el español peruano que no resulta verosímil su extensión a las modalidades costeñas derivadas de situaciones migratorias, si bien no descarto la posibilidad de una modificación más sutil, lenta e imperceptible de las realizaciones de timbre que incida en la fisonomía fonética del español peruano.

B)   Veamos ahora los fenómenos que suponen distinción e indistinción contextuales referidos a la neutralización implosiva de las no nasales

---

14.   Cfr. R. Cerrón-Palomino, «Aspectos sociolingüísticos y pedagógicos de la motosidad en el Perú», en R. Cerrón-Palomino y G. Solís Fonseca, eds., *Temas de Lingüística Amerindia*, Lima, 1989, p. 165.

/pb/, /td/,/kgx/, de las nasales y de las vibrantes. Por su propia naturaleza, este fenómeno envuelve una duplicidad funcional, aunque con una característica específica que lo diferencia de los fenómenos comentados antes. Éstos se organizan según las diferencias contextuales internas referidas a las posiciones inicial o final de una sílaba. Aunque este proceso está en principio regulado por condicionamientos lingüísticos, los tipos de realizaciones de los segmentos en posición de indistinción varían según las distintas zonas del español.

No nasales. En la zona costeña se registra una tendencia marcada hacia la neutralización de las no nasales con la preferencia cada vez mayor de la forma velar sonora *(adagtar, ogservar, arigmética)* no necesariamente en los grupos populares, sino más bien extendida a grupos de clase sociocultural superior, y que no se detiene ante los pares mínimos *(agto* por *apto).*[15] Contrastivamente, en las zonas andinas esa tendencia velarizadora tiene su materialización en la articulación sorda *(doxtor, axto, oxservar).*[16]

Nasales. Curiosamente, la velaridad se manifiesta también en el caso de la neutralización de las nasales, no sólo en el final sino también en el interior de la palabra, sea cual fuere la consonante que la siga *(taŋbién, aŋtes, aŋcho, aŋcla, caŋsióŋ)*, al margen de los procesos asimilatorios considerados normales del comportamiento de las nasales en español.[17] Tampoco en este caso se da una diferenciación social del fenómeno. Las realizaciones velares alternan con una incipiente tendencia hacia la elisión de la nasal con desplazamiento del rasgo de nasalidad a la vocal contigua. La velarización nasal afecta incluso a otros segmentos en posición implosiva como en *dinno* por *digno* o *sinno* por *signo.*

Vibrantes. Respecto de la neutralización de las vibrantes en posición implosiva, las tendencias en el español de la costa, sobre todo el limeño, siguen la dirección del debilitamiento manifestado en la producción de variantes fricativas, relajadas y elididas, especialmente al final de palabra.[18] Esta tendencia contrasta fuertemente con la presencia de variantes asibiladas en las zonas andinas y también en las amazónicas. La asibilación ocurre en los contextos de la vibrante múltiple, pero también en sílaba implosiva. A veces alterna con un sonido más débil de tipo retroflejo, que se presenta también en la zona amazónica.[19] En ambos casos, el fenómeno no se encuentra socialmente estratificado en las zonas originarias. Sin embargo, cuando estas modalidades se trasladan al espacio limeño, donde esta pro-

---

15. Cfr. R. Caravedo, *Sociolingüística*, pp. 94-98.
16. Para una hipótesis sustratística sobre este fenómeno véase R. Cerrón-Palomino, «Un antiguo sustrato aimara en el castellano andino», *Lexis*, vol XX, 1996 (Homenaje a Amado Alonso) (en prensa).
17. Cfr. R. Caravedo, *ibid.*, pp. 196-211.
18. Cfr. R. Caravedo, *ibid.*, pp. 148-196.
19. Un análisis sociolingüístico de este fenómeno en N. Vigil, «Las vibrantes en el español de Iquitos», Lima, Pontificia Universidad Católica del Perú, 1993 (tesis inédita).

nunciación recibe una valoración social negativa al representar la modalidad andina, el fenómeno reviste características distintas y tiende a modificarse o a desaparecer.[20] Quizás esto explique por qué la asibilación existente al final de palabra entre los grupos limeños de tercera generación no se haya mantenido en las generaciones jóvenes en el contexto de su confrontación con los grupos andinos en la capital.

C)   Respecto de la variabilidad no funcional, se puede hablar de direcciones distintas en la expresión de los procesos variables en español, según se trate de las zonas costeñas o de las andinas y amazónicas. Así, el español costeño registra grados altos de fricativización y elisión de las sonoras intervocálicas (*traajo* por *trabajo*, *puee ser* por *puede ser*, *uniersiá* por *universidad*). Este relajamiento marcado en el español costeño, especialmente el limeño, incluso en las clases escolarizadas, ocurre de modo intenso en relación con el segmento /d/ en las terminaciones adjetivales y participiales, favorecido sobre todo por el contorno vocálico *á-o/á-a* (*cansa-o*, *trabaja-o*, *cansa-a*, etc.).[21] Una clara frontera sociolingüística queda delimitada en torno al modo como se presenta la elisión. Así, en las clases altas esa elisión está acompañada por un alargamiento de la vocal anterior a la posición correspondiente al fonema elidido *(cansa:o)*. En cambio, en las clases populares la vocal es más corta, y además se produce la cerrazón de la vocal posterior como en *cansau*. Al lado de esto, las modalidades andina y amazónica presentan variantes consonánticas más fuertes y tensas. No obstante, existe una diferencia que conviene subrayar. En la modalidad andina el reforzamiento se expresa en cierta glotalización en relación con las consonantes sordas, mientras que las sonoras tienden a ensordecerse. No obstante, cuando se trata de la dental sigue la dirección del debilitamiento a través de su elisión intervocálica participial. La modalidad amazónica, en cambio, presenta una dirección más clara hacia el reforzamiento consonántico y tiende a producir oclusivas incluso en los contextos intervocálicos. No obstante, la oclusivización no es categórica y sospecho que está coordinada con otros rasgos articulatorios de tipo suprasegmental que tengo bajo estudio; a saber, tono ascendente, alargamiento vocálico y pausa intersilábica. El fenómeno se produce simultáneamente a un aumento de la intensidad tonal de la sílaba anterior, que origina una pausa con alargamiento de la vocal, contexto perfectamente compatible con el que rige la oclusividad de estos segmentos en español: a saber, el contexto pospausal. Por otro lado, esta misma modalidad se caracteriza por la inversión de los polos articulatorios bilabial-velar de modo que la /f/ se velariza como en *enfwermo* por *enfermo* y la /x/ se bilabializa como en *fan* por *Juan*. En los contextos interiores, la velar se suaviza en una aspiración *(trabaho)*. Resulta interesante apuntar cómo la inversión de los polos velar-bilabial ocurre también entre hablantes escolarizados y no se restringe al habla popular.

---

20.   Un estudio cuantitativo sobre estas modificaciones puede verse en L. Paredes, «La asibilación de las vibrantes en el español andino», Lima, Pontificia Universidad Católica del Perú, 1989 (tesis inédita).

21.   Cfr. R. Caravedo, *Sociolingüística*, pp. 98-108.

Morfosintaxis

Los fenómenos que comento a continuación son producto de una selección a partir de un conjunto de cuestiones, algunas muy trabajadas en el ámbito dialectológico del español, aunque de modo desigual, y presentan además distintos grados de generalidad y de relevancia: ciertos fenómenos incluso se presentan en muchas regiones hispánicas. Otros son más específicos o difícilmente articulables en interpretaciones más amplias. En todo caso, he tratado de reagrupar distintos tipos de fenómenos valiéndome de las tradicionales categorías o funciones gramaticales.

Pronombres. Las diferencias en el paradigma pronominal debidas a la ausencia de *vosotros* en el español americano y la presencia del *voseo* en algunas zonas merece comentario. No se puede decir que la forma *vosotros* esté totalmente ausente del español peruano, pues aparece en ciertos contextos claramente delimitados, sólo que con un contenido diferente del peninsular. No se trata propiamente del plural de *tú*, como forma de tratamiento no deferencial, sino más bien de una forma plural, indiferenciada respecto del tipo de tratamiento, que caracteriza situaciones solemnes o de mucha formalidad y que connota un estilo elevado no coloquial; así, *vosotros* puede ocurrir en discursos, arengas, sermones. Los hablantes que lo emplean representan, pues, grupos escolarizados, para quienes tal uso connota un estilo elevado no coloquial.

Por otro lado, se encuentran restos de voseo en algunas zonas rurales de la costa norte y sur del Perú, y también de la sierra, que sólo he recogido a través de la pregunta indirecta acerca del uso. En todos estos casos parece tratarse de restos de voseo pronominal, si bien en Puno, departamento de los Andes sureños, el informante combinó el pronombre con la forma verbal asociada a vosotros: (*vos tenéis, coméis*). El hecho de que, al parecer, estas formas se usen en tratos muy íntimos y coloquiales hace particularmente difícil que pueda registrarse de modo natural en la situación de entrevista.

Los pronombres objeto de tercera persona presentan una gran variabilidad en el español peruano. De modo general, la modalidad costeña sigue el llamado sistema etimológico, que supone flexión de número y género en el objeto directo (lo, los, la, las) y sólo de número en el indirecto (le, les). Sin embargo, existen algunas alteraciones de este patrón en el caso de secuencias como *se le ve bien* en vez de *se lo ve* o *se la ve*, según se trate del masculino o del femenino. Hay que investigar hasta qué punto la copresencia del pronombre objeto con el pronombre impersonal desempeña algún papel en esta construcción. Por otro lado, hay otras rupturas del patrón etimológico en verbos como *denominar, considerar, llamar*, etc., los cuales suelen usarse con *le* o *les*. Una forma diferente de alteración de los patrones de concordancia de objeto se manifiestan en la construcción *se los*, donde *se* no es la forma impersonal sino el objeto indirecto.[22] Así, por

---

22. Una descripción del fenómeno en relación con su ocurrencia en el discurso literario puede verse en J. L. Rivarola, «*Se los* por *se lo*», *Lexis*, vol. X, 1, 1985, pp. 25-42.

ejemplo, en *se los doy*, *lo* adquiere una marca de plural cuando se quiere decir *doy a ustedes un libro* y debería ocurrir *se lo doy*. Lo interesante es que los hablantes no perciben ninguna anomalía y justifican perfectamente este uso, considerando el normativo como incorrecto.

En el español andino existe una gran variabilidad que conviene comentar por separado. Por un lado, se encuentra muy extendido el leísmo y, por otro, ocurre con gran frecuencia el loísmo, a veces alternando en el mismo hablante o en distintos hablantes de la misma zona. No se trata, pues, de usos exclusivos de una zona. Recojo las siguientes construcciones de mis propias encuestas, si bien remito también a los estudios que han analizado de modo más detallado estos fenómenos:[23] (*Más tarde lo llamo* [a María], *la papa también lo pelamos. Lo mezclamos, le servimos con arroz* [el cuy]. *Las menestras... tenemos que hacer remojarle*). Al eliminarse la diferenciación de género, número y caso, el loísmo puede crear ambigüedades a los hablantes que manejan un sistema diferenciador. Por ejemplo, en *lo matamos el cuye, lo sacamos las pancitas*, el pronombre de la segunda parte de la secuencia puede referirse al objeto directo, pero también el indirecto: *el cuye*. Junto con el loísmo, se da con frecuencia la *duplicación* del objeto, pero también la *elisión pronominal* conectada con un cambio de orden del objeto a la posición preverbal, conforme a los patrones sintácticos del quechua, pero posible, desde un punto de vista pragmático, en la sintaxis del español, sólo que este orden exigiría en esta lengua la presencia del pronombre.[24] Casos de elisión son: *el cuy preparamos nosotros* (el trigo) *guardamos en la casa, pe* (pues), *esa papa nueva o trigo también ponemos*.[25] Como se observa, parece existir una relación interna entre el orden de los constituyentes y la presencia u omisión del pronombre, relación justamente inversa a la del español normativo. Tal inversión se expresa de la si-

---

23.   Sobre los pronombres y el sistema deíctico en general en relación con grados de bilingüismo, véase A. M. Escobar, *Los bilingües*... Un estudio detallado de las realizaciones sociolingüísticas en Puno puede verse en J. C. Godenzzi, «Pronombres de objeto directo e indirecto del castellano en Puno», *Lexis*, X, 2, 1986 pp. 187-202; para la zona andina en general, véase E. García, «Bilingüismo e interferencia sintáctica», *Lexis*, XIV, 2, 1990, pp. 151-196. Un análisis de la cuestión entre hablantes cuzqueños puede verse en C. A. Klee, «The acquisition of clitic pronouns in the spanish interlanguage of peruvian quechua speakers», *Hispania*, 72, 1989, pp. 402-408 y «Spanish-quechua language contact: the clitic pronoun system in andean spanish», *Word*, 41, 1, 1990, pp. 35-46. Cfr. también M. Luján, «Clitic doubling in Andean Spanish and the theory of case absorption», en *Language and language use. Studies in Spanish dedicated to J. H. Matluck*, Nueva York, 1987, pp. 109-121. Un ejemplo de las diferencias normativas respecto de este fenómeno puede verse en I. Pozzi-Escot, «El castellano en el Perú: norma culta *versus* norma culta regional», en A. Escobar, ed., *El reto del multilingüismo en el Perú*, Lima, Instituto de Estudios Peruanos, 1972, pp. 123-142.

24.   Sobre la cuestión del orden de los constituyentes véase M. Luján, L. Minaya y D. Sankoff, «El principio de consistencia universal en el habla de los niños bilingües peruanos», *Lexis*, vol. V, n.° 2, 1981, pp. 95-110, y L. Minaya y M. Luján, «Un patrón sintáctico híbrido en el habla de los niños bilingües en quechua y español», *Lexis*, VI, 2, 1982, pp. 271-293; sobre esto mismo en relación con los aspectos discursivos, véase F. Ocampo y C. A. Klee, «Spanish OV/VO word-order variation in spanish-quechua bilingual speakers», en C. Silva-Corvalán, ed., *Spanish in four continents. Studies in language contact and bilingualism*, Washington, Georgetown University Press, 1995, pp. 71-82.

25.   Cfr. las referencias en la n. 23 para lo que respecta a la elisión pronominal. Un planteamiento amplio del problema, que reinterpreta las hipótesis sustratísticas en relación con el concepto de «convergencia», se encontrará en G. de Granda, «Origen y mantenimiento de un rasgo sintáctico (o dos) del español andino. La omisión de clíticos preverbales», *Lexis*, XX, 1996 (Homenaje a Amado Alonso) (en prensa).

guiente manera: cuando se realiza la construcción con el orden verbo-objeto, este último se marca dos veces con el pronombre y con el objeto léxico. En cambio, cuando la construcción presenta el orden objeto-verbo, se elide el pronombre. El comportamiento de los pronombres objeto se conecta, pues, con otros fenómenos estructurales en los que habría que ahondar.[26] Resulta interesante apuntar que estos fenómenos no ocurren sólo en los hablantes bilingües, sino que se extienden también a los monolingües de la misma variedad andina. Testimonio de esto se encuentra en la ciudad de Cajamarca, situada en la sierra Norte del país, donde no se habla quechua. Allí los hablantes de todas las esferas sociales utilizan *lo* como la única forma pronominal para indicar la función de objeto sin diferenciaciones de número ni de género. Ahora bien, junto al *leísmo*, este uso se extiende también al español amazónico en zonas no quechuahablantes, de donde extraigo los siguientes ejemplos: *lo perdí a mi casa; primero a mi casa lo venden*. En ambos casos, además, la presencia de la preposición contribuye a marcar con mayor intensidad el objeto. En la misma variedad se produce también la elisión del pronombre alternando con su presencia: *o sea pues yo compro los plátanos en el puerto traigo y lo vendo pues acá*. Resulta interesante anotar que la ausencia del pronombre, circunscribible al verbo *traer*, tiene analogía con lo comentado para el español andino, pues ocurre en contigüidad con el objeto léxico (*los plátanos*). Cabe apuntar que la copresencia del objeto pronominal y léxico se registra también en el español costeño, aunque de modo menos intenso y sin las particularidades que acabo de señalar, extendido a las clases media y baja, probablemente debido al contacto de las variedades en la capital. Por otro lado, en la variedad andina se ha registrado también la presencia de un *lo* que no cumple la función de objeto, pues ocurre con verbos intransitivos como en: *lo durmió, lo entró, lo llegó*.[27]

Otro fenómeno relacionado con el comportamiento de la flexión pronominal, en este caso con el reflexivo en la construcción *volvió en sí*, es su perdida de contenido de tercera persona y su uso indiferenciado en: *volví en sí, volviste en sí*, etc., como fórmulas fijas con el reflexivo invariable. Las formas como *consigo*, por otro lado, se sustituyen mediante formas perifrásticas con preposición (*con él, con ella*, etc.).

Posesivos. De modo cada vez mas frecuente se encuentra la presencia de los posesivos redundantes, atribuida por lo general al español andino, si bien suele presentarse en la modalidad costeña de los grupos bajos y medios, y también en la amazónica, en relación con la tercera persona, y no

---

26. Además de los estudios citados en la n. 23, cfr. G. de Granda, «Origen...». Una interpretación sobre la duplicación de clíticos en la modalidad andina en relación con la sintaxis del quechua puede verse en J. Lipski, *Latin American Spanish*, Londres y Nueva York, Longman, 1994, pp. 82-89.

27. Recojo estos usos de R. Cerrón-Palomino, «La forja del castellano andino o el penoso camino de la ladinización», en C. Hernández, ed., *Historia y presente...*, pp. 201-234, donde se explica el fenómeno en relación con un sufijo aspectual del quechua que indica proceso terminado. J. C. Godenzzi encuentra casos de este mismo uso del pronombre en el español de Puno en «Pronombres de objeto...».

necesariamente en casos susceptibles de ambigüedad: *su casa de mi mamá, celebramos su fiesta de la tierra.*[28] Quizás lo más distintivo de la modalidad andina sea no tanto la presencia del doble posesivo cuanto la combinación del posesivo con el cambio de orden en secuencias como la siguiente: *de la señora su sobrina.* Sin embargo, este cambio de orden no es exclusivo de esta modalidad, pues se encuentra también en la amazónica. Debo agregar, en este contexto, la presencia sobrecargada de posesivos en el español peruano, unida a la de diminutivos, en contextos afectivos a veces referidos a los alimentos: *mi sopita, tu lechecita, su cafecito;* e incluso la presencia de posesivos superfluos despersonalizados como en: *le pongo su sal, su pimienta, su orégano* (a la comida). Tales usos se encuentran muy extendidos en todos los grupos sociales de todas las áreas geográficas, y no se sabe a ciencia cierta si están favorecidos por la situación de contacto migratorio.

Concordancia gramatical.   Respecto de la concordancia del eje nominal, las alteraciones de género son muy notables en las modalidades andina y amazónica, como en l*a chacra lleno de árboles, el carnecito, el costumbre, la pie, mi niñez fue rústico,* etc., y han sido estudiadas generalmente como consecuencias del contacto entre el español y las lenguas indígenas, carentes de esas variaciones flexivas en su estructura.[29] A esta discordancia se une con frecuencia la omisión del artículo, fenómeno muy frecuente en la variedad andina, lo que quizás hace más difícil la determinación del género, a menudo imprevisible, de los sustantivos.[30] En la zona costeña se dan algunos casos de concordancia distinta a la normativa, más bien que de discordancia, como los siguientes: *la calor, el pus, el sartén,* generalmente en grupos populares. Alteraciones de concordancia de género y de número más difíciles de detectar se dan en el habla de la costa insertas en el discurso cuando los constituyentes que tienen que concordar se encuentran muy separados, o las frases son mucho más complejas. Con frecuencia, el sufijo *-triz* no es considerado como marcador de género sino como propio de la derivación lexica, según lo revelan los casos siguientes: *repuestos automotrices, centro automotriz, desarrollo motriz del niño,* etc., extraídos de la lengua escrita. Como ocurre en casi todos los dominios del español, el patrón binario del género se ha extendido a todas las profesiones de mujeres, donde normativamente no era admitida la flexión como en: *jueza, diputada, ministra,* aunque se resiste todavía en los grupos cultos a formas como *la testiga, la médica,* distintivas de grupos populares. Por otro lado, la

---

28.   Cfr. J. A. Rodríguez, «Sobre el uso del posesivo redundante en el español del Perú», *Lexis,* VII, 1, 1982, pp. 117-123. Véase también A. M. Escobar, «El español andino y el español bilingüe: semejanzas y diferencias en el uso del posesivo», *Lexis,* XVI, 1992, pp. 189-222 y G. de Granda «Replanteamiento de un tema controvertido. Génesis y retención del doble posesivo en el español andino», en *Actas del V Congreso Internacional sobre el español de América,* Burgos, 1995 (en prensa).

29.   Cfr. J. C. Godenzzi, «Discordancias gramaticales del castellano andino en Puno», *Lexis,* XV, 1, 1991, pp. 107-118.

30.   Un análisis sobre la omisión del artículo puede verse en J. C. Godenzzi, «The spanish language in contact with quechua and aymara: the use of the article», en C. Silva-Corvalán, ed., *The study of language contact,* pp. 101-115.

flexión de número en el español costeño se encuentra estabilizada, salvo en los casos de discordancia en secuencias largas y complejas. Las formas como *paraguas, pantalones, tijeras,* etc., se insertan en el patrón binario y se crean los respectivos singulares: *el paragua, la tijera, el pantalón,* e inclusive formas como *víveres* se singularizan como *vívere,* si bien sólo en el habla popular.

Sistema verbal. El valor del presente expresa todas las posibilidades extensivas reconocidas normativamente para el sistema español, de modo que en muchos casos se utiliza para referirse a acciones pasadas o futuras. Quizás lo interesante en el estudio dialectal es explorar las diferencias de intensidad y de contexto en que se da este hecho en los diferentes espacios del español, y observar si estas diferencias se conectan con otros procesos como el de simplificación del paradigma verbal. De hecho, en el español peruano, especialmente costeño, se prefieren las formas perifrásticas para el futuro y para el pretérito en reemplazo de las formas flexionadas. Así, el futuro se expresa mediante la combinación de la forma flexionada del verbo *ir* con el infinitivo del verbo principal como en: *voy a ir, vas a leer,* por *iré* o *leeré* o mediante la perífrasis del verbo *estar* con el gerundio: *estoy llegando mañana a las seis.* Por otro lado, la forma flexiva del futuro ocurre para expresar duda: *será así pues, estará cansado, cómo será, pues.* Para las formas pasadas se usa con mucha frecuencia el perfecto compuesto en vez del simple. Las formas del imperfecto son también comunes, si bien deben todavía analizarse en relación con la ocurrencia creciente de la forma compuesta. En la zona costeña del norte, la tendencia hacia el perfecto compuesto es todavía más marcada en contextos en que el español peninsular requeriría la forma simple. Este uso es también frecuente en el español andino y el amazónico.[31] Sobre todo en el primero se postula la traslación de valores específicos del sistema quechua en el sistema verbal español, que habría que analizar con más detalle. Por ejemplo, el pretérito pluscuamperfecto conlleva el valor de no participación del hablante respecto del hecho ocurrido, o de conocimiento indirecto a través de versiones de otros.[32] Así, las secuencias *había venido tarde* (no sabía que hubiera venido tarde), *muchos hijos había tenido* (no sabía que tenía tantos hijos), *qué viva había sido* expresan el mismo matiz de falta de conocimiento personal. Usos semejantes se presentan en el español costeño, incluso entre hablantes escolarizados, si bien con cierto matiz estilístico irónico adicional en las formas como *Viva habías sido tú, coqueta habías sido,* probablemente influido por el uso andino en el contexto de la confluencia migratoria. No se han analizado estos hechos en el español amazónico. Cabría una investigación com-

---

31. C. A. Klee y A. M. Ocampo, «The expression of past reference in spanish narratives of spanish-quechua bilingual speakers», en C. Silva-Corvalán, ed., *The study of language contact...,* pp. 52-70 y J. C. Godenzzi, «Factores múltiples de cambio y la variación a propósito de las formas del pretérito en el español de Puno», *Lexis,* XX, 1996 (Homenaje a Amado Alonso) (en prensa).
32. Cfr. R. Cerrón-Palomino, «Aspectos sociolingüísticos»..., p. 169 y G. Schumacher, «El pasado en el castellano andino de Puno/Perú», en *Romanica Europe et Americana, Festschrift für Harri Meier,* Bonn, Bouvier Verlag, 1980, pp. 553-558.

parativa más profunda para pronunciarse sobre el desplazamiento incontrolable de estos valores de unos grupos hacia otros. Conforme con las tendencias simplificadoras comentadas anteriormente, el modo subjuntivo se usa con menos frecuencia en casi todas las dialectos en los contextos en que cabe la alternancia. Cuando la presencia del subjuntivo es obligatoria, es en el español andino y en el amazónico donde se producen violaciones más fuertes de la norma: *voy a arreglar todo para que vienes mañana*, etc. En la prótasis de las oraciones condicionales, con mucha frecuencia ocurre la forma condicional en vez de la subjuntiva, incluso en el español costeño de hablantes con escolaridad superior *(hablaríamos mejor si iría a tu oficina)*.[33]

Las formas impersonales no presentes del verbo *haber* resultan casi categóricamente flexionadas en número concordando con el objeto verbal: *habían personas, hubieron casos, habrían oportunidades,* etc., en el habla de la costa de hablantes escolarizados, e incluso éstos llegan a corregir los casos en que se presenta la forma correcta en su propio discurso o en el de los demás, lo que revela hasta qué punto el sistema valorativo de esos hablantes no es coherente con las normas prescriptivas.

Subordinación.   La partícula preferida para introducir oraciones subordinadas es *que*, independientemente del tipo de función de la subordinada: *la persona que te hablé, el chico que su camisa está aquí,* etc. La generalización de la función conjuntiva de esta partícula sin acompañamiento preposicional contrasta con la presencia frecuente del *dequeísmo* en distintos tipos de contextos no sólo verbales sino también adverbiales como en *pienso de que..., opino de que..., por supuesto de que..., ciertamente de que,* etc. Igualmente ocurre con subordinadas sustantivas como *lo cierto es de que..., el problema es de que...,* etc. El fenómeno, como se sabe, está ampliamente documentado en distintas zonas hispánicas.[34] Pero quizás hay que separar en el estudio los distintos contextos lingüísticos en que ocurre. Al respecto, en relación con los usos peruanos, se podría construir una jerarquía de contextos más favorables respecto de los grupos sociales y de las generaciones. Observo, por ejemplo, mayor tolerancia hacia el dequeísmo entre los grupos de clase alta, mientras más alejada se encuentre la preposición del verbo que preside la subordinación.[35] Así, en el español costeño culto encuentro con mucha frecuencia construcciones como esta: *Creo, y no sé si estoy en lo correcto, tu me desmentirás, de que hay un aumento en la inflación. Luis me informa, pero no me parece, habría que comprobarlo, de que las cosas no andan tan bien.* Cuando se insertan cláusulas muy amplias en el discurso coloquial, el dequeísmo termina disimulado o escondido, incluso entre hablantes hiperconscientes que no lo admitirían en su propio

33.   Un análisis sociolingüístico para el español de Lima puede verse en K. Gervasi, «Variación de modo verbal en oraciones condicionales de no pasado en el español de Lima», Lima, Pontificia Universidad Católica del Perú, 1991 (tesis inédita).

34.   Me limito a la información sobre el español peruano, p. ej., J. McLauchlan, «Dequeísmo y queísmo en el habla culta de Lima», *Lexis*, V, 1, 1982, pp. 11-55.

35.   Presento este planteamiento en «Espacio geográfico...», p. 728.

discurso. En cambio, construcciones como *pienso de que* resultan mucho más frecuentes en grupos populares y menos tolerables en los grupos cultos. Al lado de este fenómeno, el *queísmo* se encuentra muy arraigado sobre todo en los estratos superiores y penetra en la lengua escrita, incluso en la literaria, lo que revela la hiperconciencia del dequeísmo y el deseo de evitar a toda costa la combinación *de que*, aunque corresponda a la norma prescriptiva (como en *el hecho que*, *estoy seguro que* y otros casos semejantes que exigen la preposición).

La presencia de sujeto para el infinitivo en oraciones subordinadas ocurre con alguna frecuencia en el español limeño: *al yo ir*, *al acabar tú*, *al contestar ella*, etc., entre grupos de hablantes de clases media y alta. Sin embargo, creo que hace falta indagar más exhaustivamente este fenómeno.

Algunos usos preposicionales y adverbiales.   Los usos de la preposición adquieren distintos matices en el español andino y en el amazónico, sobre todo en construcciones como *en (mi, su) delante*, *en (mi, su) atrás*. En cambio, en la modalidad costeña se prefieren las construcciones *delante mío*, *atrás tuyo*, etc., curiosamente combinadas con la forma *en (mi, su) delante*. Sin embargo se imponen ciertos límites al grado de penetrabilidad de las formas, porque al lado de la aceptación de *en (mi, su) delante* no se toleraría *en (mi, su) atrás*, perfectamente consecuente con la primera. Los diferentes usos pasan de una modalidad a otra de modo graduado donde la percepción juega un papel fundamental.

En el habla andina se suelen combinar los adverbios de lugar con la preposición *en*: *estoy en allá*, *en aquí*, mientras que los objetos circunstanciales de lugar, que exigen una preposición, se presentan sin ella como en *voy Lima*.[36] Tanto en el español andino como en el amazónico se usan construcciones como *estoy de hambre*. Se intensifica con el adverbio *muy* el adjetivo superlativo: *muy riquísimo*. Una forma, aunque distinta, de intensificación del superlativo se da con frecuencia en el habla de Lima en la construcción *qué riquísimo*. El adverbio *hasta* con el valor no extensivo (*hasta mañana pagarán* = empezarán a pagar mañana) se presenta en la costa Norte.

A menudo los adverbios no se comportan como formas invariables y flexionan en género y número como en *medio cansado*, *media cansada*, *medios cansados*, etc. Reciben igualmente sufijos derivativos como diminutivos y aumentativos: *ahorita*, *tempranazo*, *aquisito*, *rapidito*. Habría que vincular estos fenómenos con el uso generalizado de la derivación diminutiva y aumentativa del español peruano en situaciones comunicativas específicas. Las diferencias entre las modalidades, cuando ocurren, se sitúan en el tipo de morfema preferido y en su manifestación con determinadas categorías léxicas. Así, en el español de la costa no se usa, por ejemplo, el diminutivo

---

36. Véase J. C. Godenzzi, «En aquí, en la zona de aimara: sobre algunos elementos de relación del castellano en Puno», en R. Cerrón-Palomino y E. Ballón, eds., *Diglosia linguo-literaria y educación en el Perú. Homenaje a Alberto Escobar*, Lima, CONCYTEC, 1991, pp. 169-178.

en -*acha* (de origen quechua), o se ofrece resistencia al uso del diminutivo en el gerundio: *vente corriendito*, formas comunes en la modalidad andina. Falta, sin embargo, explorar el grado de penetración de los usos en las distintas modalidades y grupos en la situación de contacto, a partir de un análisis más profundo del uso de las formas en la dimensión pragmático-discursiva.

BOLIVIA

por Carlos Coello Vila

Determinación espacio-temporal

Desde que los Reyes Católicos confirieran, en Valladolid, el 19 de julio de 1534, la gobernación del reino de la Nueva Toledo al adelantado Diego de Almagro, y a lo largo de la ruta de la reconquista de las tierras de éste emprendida por los hermanos Gonzalo y Hernando Pizarro, después de la fundación del pueblo de Paria (1535), se crearían, en menos de cuarenta años, las primeras encomiendas y los principales centros de población colonial del Alto Perú: La Plata (1540?), Potosí (1545), La Paz (1548), Oruro (1557-1606) y Cochabamba (1571-1574).

En 1559 se estableció la Audiencia de Charcas, en la ciudad de La Plata, como Tribunal de Justicia y Administración dependiente del Virreinato del Perú, primero, y del Virreinato del Río de La Plata, después.

En esa misma ciudad, llamada de los cuatro nombres —Charcas, Chuquisaca, La Plata y Sucre— y en el seno de la Universidad de San Francisco Xavier, resonaría, el 25 de mayo de 1809, el primer grito libertario del continente americano, que daría lugar, después de dieciséis años de lucha por la independencia, el 6 de agosto de 1825, a la República de Bolívar o Bolivia.

Este nuevo Estado se constituyó de acuerdo con el *uti possidetis juris* de 1810 que establecía que las naciones americanas recién creadas debían fijar sus límites en la jurisdicción que ocupaban ese mismo año, en el seno de los centros coloniales de los que fueron parte. Por lo tanto, a la nación boliviana le correspondió el territorio que poseía entonces la Real Audiencia de Charcas.

Formaban también parte del dominio de la Audiencia los centros urbanos del Este que habían sido creados a partir de la vertiente colonizadora del Atlántico: la que procedía de la expedición de Francisco de Orellana, y que después de navegar el Amazonas, siempre en busca de la quimera de Eldorado, creara Asunción (1536) y Buenos Aires (1536). Las expediciones hacia occidente, desde el Paraguay, se sucedieron una tras otra. A la primera, de Ayolas, que no dejó huella, le siguió la de Álvar Núñez Cabeza de Vaca, por la zona de Chiquitos, y la de Domingo de Irala, por el Chaco. Pero sólo la que condujo el capitán Ñuflo de Chávez logró asentarse en la región de los Chiquitos o San José, donde se fundó, primeramente, Santa Cruz de la Sierra

(1561). A principios del siglo XVII, las autoridades de Charcas determinaron trasladarla a los Llanos del Grigotá (1608), dándole el nombre de San Lorenzo el Real. Ambas ciudades se refundieron después de algunos años en el lugar en que fue creada la segunda, pero con el nombre de la primera.

Trinidad (1603-1686) fue creada primero como una extensión de Santa Cruz, y más tarde como pueblo independiente dedicado a la actividad ganadera.

De Charcas, llevado por el mismo impulso colonizador que procedía del Pacífico, salió hacia el Este, y llegó a los últimos valles trasandinos Pedro Lucio de Escalante, que fundó algunos pueblos de importancia relativa, como Vallegrande (1613) y Comarapa, para contener a los belicosos chiriguanos, que poblaban las tierras bajas, y para establecer un nexo de comunicación y de comercio entre el oriente y el occidente. Gente de los llanos y gente de las montañas pobló estos pueblos. Criollos, mestizos hispano-guaraníes e hispano-quechuas; aborígenes cambas y collas ocuparon el Valle Grande y se dedicaron a las labores agrícolas y ganaderas.

También quedó dentro de la jurisdicción de la Audiencia la ciudad de Tarija (1574). Los primeros españoles que pisaron estas tierras del sudeste pertenecían a las huestes almagristas comandadas por Francisco de Tarifa, en 1438, al que le sucedieron otros capitanes que procedían de la vertiente atlántica en su camino hacia la zona rioplatense. Pero la fundación de la ciudad se produjo sólo en 1574 por el capitán Luis de Fuentes, que cumplía, así, una disposición del virrey Francisco de Toledo. Tarija pasó, por cédula real de 1807, a ser parte de la provincia de Salta, perteneciente al virreinato del Río de la Plata, pero, al sobrevenir la guerra de emancipación, la anexión no se hizo efectiva, y Tarija —contraviniendo una disposición del Libertador Simón Bolívar— determinó ser parte de la naciente república.

Esbozo geográfico

El núcleo territorial de la nación boliviana coincide básicamente con el que ocupaba la cultura colla o *qulla*. El rasgo arqueológico característico de esta cultura era la torre o monumento funerario llamado *chullpa*, al que los españoles llamaron *chullpar*. La importancia de este resto arqueológico radica en que permite establecer el marco geográfico de expansión de esta cultura. Abarcaba, por el Norte, desde Ayaviri, Puno (Perú), hasta la provincia de Tarapacá (Chile), por el Sur; y hacia el Este se extendía hasta los contrafuertes de los Andes, donde empezaban los dominios de los aguerridos chiriguanos.

El imperio incaico consolidó su conquista del Collasuyo a fines del siglo XV, poco antes de la llegada de los primeros conquistadores al Perú. El Collasuyo, una de las cuatro partes en que estaba dividido el Tahuantinsuyo, era la parte más extensa del imperio. En algunas regiones, como la de los valles, la nueva cultura impuso su dominio, sobre todo mediante la estrategia política de los *mitimaes*: exportación de grupos humanos para que formen parte de otro ecosistema; pero, en otras, la influencia fue epidérmica, y no quiso o no pudo trasculturizar a pueblos, como el aimara, que continuaron practicando sus tradiciones y comunicándose en su propia lengua.[1]

El contexto lingüístico

Sobre el territorio del Collasuyo, las comunidades nativas, antes de la llegada de los españoles, hablaban diversas lenguas.

El quechua era la lengua impuesta allí por el poder imperial inca. Seguían, en orden de importancia, la lengua propia de los collas, que después se conoció bajo el nombre genérico de aimara, y el guaraní. Desde luego, otros grupos étnicos de menor importancia tenían sus propias lenguas. Cabe mencionar el puquina y el callahuaya.

El núcleo de la cultura inca que, como se sabe, osciló, en el siglo XV, entre el Cusco y Quito, abarcaba parte de la actual Colombia, por el Norte, y llegaba hasta el desierto de Atacama, en Chile, por el Sur. En Bolivia, la cultura inca —y con ella su lengua— se extendió, sobre todo, por los valles mesotérmicos de los departamentos de Cochabamba, Chuquisaca y Tarija, pero también por parte de la zona andina, Oruro y Potosí, y llegó hasta los contrafuertes cordilleranos de la zona oriental boliviana.

El aimara, la lengua de la cultura colla, que, como dijimos, se extendió por parte del actual Perú y Chile, y por gran parte de Bolivia —como lo atestigua no sólo la arqueología sino también la toponimia—, tuvo su asiento en la región interandina del occidente de Bolivia.

Las culturas Colla e Inca tienen en común el haber surgido en torno al sagrado lago Titicaca, y el poseer dos lenguas que pertenecen, o a una misma familia lingüística o a dos familias que convivieron por un lapso de tres o más milenios, como se puede establecer por las similitudes estructurales y tipológicas, fonológicas y sintácticas, y, sobre todo, por tener un apreciable porcentaje de léxico en común.[2]

El guaraní pertenece, en cambio, a la familia *tupí*, que comprende más de un puñado de lenguas, que se hablan en la vasta región amazónica. En Bolivia, los grupos étnicos que poseen alguna de estas lenguas se extienden desde el departamento de Pando, al norte del país, hasta el Chaco tarijeño, al sur, pasando por las grandes llanuras de Mojos y Chiquitos, en los departamentos del Beni y de Santa Cruz, por el Oriente.

El componente castellano

Sobre esta realidad lingüística se tendió, como un manto, de Norte a Sur y de Este a Oeste, la lengua castellana, desplegada primero por los conquistadores y, después, impuesta por una colonización tres veces centenaria.

1.   Mapas y síntesis sobre las etapas más importantes de la arqueología, historia y geografía bolivianas puede consultarse en *Atlas histórico de Bolivia*, de Ramiro Condarco Morales, La Paz, 1985.
2.   Sobre el tema, Torero, Cerrón Palomino y Ribarola, entre otros, han producido una extensa bibliografía.

Es natural que las culturas milenarias, que habían alcanzado un estadio superior de desenvolvimiento interno y que estaban compuestas por poblaciones numerosas y estables, resistieran mejor el vasallaje que la cultura extranjera les imponía —y con él, su lengua, su religión, sus instituciones y costumbres—, primero, a sangre y fuego, y, después, mediante sagaces disposiciones administrativas y políticas, que las etnias menos evolucionadas culturalmente y menos preparadas para oponerse al invasor. Estos grupos se limitaron a ensayar excursiones esporádicas, o *malocas*, para abatir al extraño, resistiendo con la violencia a la violencia, pero sucumbiendo, al fin, sin dejar, en muchos casos, huellas de su existencia, o cayendo bajo la edificante labor evangelizadora y civilizadora de las órdenes religiosas, sobre todo jesuíticas y franciscanas, que fundaron las misiones.

Sustrato, bilingüismo y lenguas en contacto

En consecuencia, las lenguas aborígenes fueron el sustrato sobre el que se desplegó el castellano durante casi cinco siglos: los tres siglos coloniales y los dos que corren de vida republicana. Y este sustrato ha dejado su impronta en el castellano que se habla actualmente en Bolivia.

Naturalmente, a ese influjo inicial, propio de la fase de adquisición del castellano por los naturales, le siguió un largo proceso de bilingüización en dos sentidos: el de la adquisición de las lenguas nativas por los hablantes castellanos, y el de la adquisición del castellano por los nativos. Por último, con la nivelación relativa de los diversos estratos sociales y la comunicación más fluida y estable de los mismos, adviene, sobre todo a partir de la Revolución Nacional de 1952, un período que podemos caracterizar como de lenguas en contacto, con todas sus implicaciones sociolingüísticas.

El castellano boliviano es, pues, si cabe, la imagen, la máscara del rostro, al extremo de que podemos afirmar, explicitando la metáfora, que el castellano es la máscara que esconde el rostro, o que el rostro asoma aquí y allá en los puntos más sensibles y expresivos de la máscara, o que rostro y máscara, máscara y rostro, son uno, porque el contacto entre ambos es extenso e intenso, profundo y sustancial.

Sólo la simbiosis de sangres, incontenible, inexcusable e instintiva, pudo ir más lejos produciendo un nuevo tipo étnico: el mestizo. Pero, en algunas regiones, el contacto entre las lenguas nativas y el castellano es tan íntimo que los nuevos vástagos tienen nombre propio: quechuañol y aimarol, en el que, como se ve, prevalece el de la madre sobre el del padre.

Las zonas

El castellano boliviano, circunscrito a la geografía delimitada por la propia nación boliviana, como variante dialectal del español (variante diatópica-estructural de una lengua histórica), presenta, desde este punto de vista, tres regiones que corresponden a otros tantos tipos dialectales, determinados, en gran medida, por la influencia del sustrato, por el bilingüismo y por las consecuencias emergentes de las lenguas en contacto. Estas zonas o regiones son:

ZONA A: Región andina centro y sudoccidental. Comprende los departamentos de La Paz, Oruro, Cochabamba, Potosí y Chuquisaca.
Tipo: Castellano *colla* (nombre del poblador nativo y de la zona).
Característica: Marcado bilingüismo castellano-aimara o castellano-quechua.
En esta región distinguimos cuatro subzonas:
Subzona 1: Región altiplánica. Comprende La Paz y parte de los departamentos de Oruro y Potosí.
Tipo: Variedad altiplánica del castellano andino.
Característica: Bilingüismo castellano-aimara.
Subzona 2: Región valluna. Comprende los departamentos de Cochabamba y Chuquisaca, parte de Oruro y Potosí, y el norte de La Paz.
Tipo: Variedad valluna del castellano andino.
Característica: Bilingüismo castellano-quechua.
Subzona 3: Pequeña zona localizable en los departamentos de Oruro y Potosí.
Tipo: Variedad mixta: altiplánica y valluna del castellano andino.
Característica: Trilingüismo castellano-aimara-quechua.
Subzona 4: Zona de los Yungas. Comprende la región de Nor y Sur Yungas del departamento de La Paz.
Tipo: Variedad del castellano paceño.
Característica: Influencia del aimara.

ZONA B: Región de los Llanos del Norte y del Oriente. Comprende los departamentos de Pando, Beni y Santa Cruz.
Tipo: Castellano *camba* (nombre del poblador nativo y de la zona).
Característica: Influencia de las lenguas de la familia tupí-guaraní.
En esta región se pueden distinguir cuatro subzonas:
Subzona 1: Variedad *camba* del Norte. Comprende el departamento de Pando.
Tipo: Castellano *camba*.
Característica: Influencia de las lenguas amazónicas de la región, más el creciente influjo del portugués brasileño.
Subzona 2: Variedad *camba* del Oriente. Comprende el departamento del Beni.
Tipo: Castellano *camba*.
Característica: Influencia del chimán, ignaciano, trinitario, movima y yuracaré, más el creciente influjo del quechua.
Subzona 3: Variedad *camba* del Oriente. Comprende el departamento de Santa Cruz.
Tipo: Castellano *camba*.
Característica: Influencia del chiquitano, guaraní y chané, más el creciente influjo del quechua.

Subzona 4: Variedad del castellano *camba-colla*. Comprende la provincia de Vallegrande.

Tipo: Castellano *camba-colla*.

Característica: Influencia del quechua, del chané y del guaraní.

ZONA C: Región de los valles centrales del Sur. Comprende el departamento de Tarija.

Tipo: Castellano *chapaco* (nombre del poblador nativo y de la zona).

Característica: Influencia del sustrato quechua, y menor del mataco y del guaraní.

Caracterización dialectal

Cada una de estas zonas posee peculiaridades fonológicas, morfo-sintácticas y léxico-semánticas.[3]

    3.   Cfr. los trabajos de Nicolás Fernández Naranjo y Dora Gómez de Fernández, *Diccionario de bolivianismos*, La Paz-Cochabamba, 2.ª ed., 1964; Dora Justiniano de la Rocha, *Apuntes sobre las lenguas nativas en el dialecto español de Bolivia*, La Paz, 1989; José Mendoza, *El castellano hablado en La Paz. Sintaxis divergente*, La Paz, 1991, y *Gramática castellana*, La Paz, 1992; Hernando Sanabria Fernández, *El habla popular de la Provincia de Vallegrande. Separata de los N.ᵒˢ 16 al 22 de la Rev. de la Universidad Autónoma Gabriel René Moreno*, Santa Cruz, 1965, y *El habla popular de Santa Cruz*, La Paz, 1975; y Víctor Varas Reyes, *El castellano popular de Tarija*, La Paz, 1960.

Algunos estudios hacen hincapié en las características fonológicas. Mencionemos sólo las más importantes:

Para la zona A: Mantenimiento del fonema /l̬/, linguopalatal lateral, que, en extensas zonas de la América hispanoparlante, ha sido reemplazado por /y/, linguopalatal central fricativa, con variantes según el país.

Marcada pronunciación de /s/, casi sibilante, en posición implosiva o a final de palabra.

Realización de la vibrante múltiple /r̄/ como sonora fricativa linguoalveolar /ž/. Sólo en la pronunciación culta y formalmente cuidada se realiza la vibrante múltiple, aunque de manera menos tensa que en el habla de la norma supranacional.

Alberto Escobar acuñó el término *interlecto,* y José Mendoza aplicó con provecho este concepto para analizar el habla peculiar de bilingües incipientes de lengua aymara o quechua que se expresan en esta variedad idiomática, en transición hacia el castellano popular, con fuerte influjo de su lengua materna.[4]

Sólo para presentar un rasgo característico, mencionemos la alternancia vocálica entre [*i*] ~ [*e*] y [*o*] ~ [*u*], que aparece en el decurso fónico de este sociolecto, recogido y reproducido con frecuencia en la literatura indigenista. Así, dice el soldado de extracción aimara que se finge enfermo y prefiere ser evacuado de la línea de fuego a tener que combatir: «*Pichu doili, cauisa, ispalda doili.*»[5]

En este interlecto —un castellano macarrónico—, que tiene otras características además de las mencionadas, se esfuerza por comunicarse un sector numeroso de la población nativa que se halla en proceso de castellanización. Este proceso no se realiza en la escuela pública —pocos son los habitantes de este estrato que tienen acceso a ella—, sino en otra más abarcadora y más dramática: la de la vida, donde tiene radical importancia el manejo del castellano para procurarse el sustento diario, aun en el ejercicio de los oficios más bajos y marginales.

Para la zona B: Mantenimiento del fonema /l̬/, linguopalatal lateral, de la misma manera que en la variedad de la zona A, a excepción del uso del fonema /y/, linguopalatal central fricativo, con el que lo reemplazan los pocos bilingües que hablan chiquitano o guaraní como lengua materna, porque estos idiomas no tienen el fonema castellano /l̬/. Por ejemplo, en las palabras *peyejo* por *pellejo, cabayo* por *caballo, yanura* por *llanura.*

Leve aspiración de la /s/, como /ʰ/, en posición implosiva, hasta llegar a su elisión a final de palabra. Así, es habitual escuchar: «*eh, que soy de Santa Cruh, pue*», «*su verdá nomáh, eh*».

En la fonotáctica de la cadena hablada, cuando a la /s/ de final de palabra le sigue otra palabra con vocal inicial, se produce una juntura, soldán-

---

4. Cfr. *Variaciones sociolingüísticas del castellano en el Perú* (1978) y *El castellano hablado en La Paz* (1991: 184-203), de José Mendoza.
5. Cfr. el cuento «Indio bruto», de Raúl Leytón, en *El cuento boliviano*, de Armando Soriano Badani, La Paz, 1969.

dose los elementos vocálicos que entran en contacto. Así, *ehalajo* tu cortejo; *sohalegre*.

Sobre todo en el área rural, la /s/ delante de fricativa bilabial se vuelve [f] labiodental, como en *refaloso, defelo* y —en el decurso— *mafién*, por *resbaloso, desvelo* y *más bien*.

También en el área rural, la aspiración de la hache da formas que reproducen y recuerdan al viejo castellano peninsular: *jacha, ajorcado, jorqueta* por *hacha, ahorcado* y *horqueta*.

Y la /x/ velar fricativa se relaja particularmente en Santa Cruz y el Beni, hasta convertirse en mera aspiración.

La aspiración afecta también a la /r/ ante /l/, produciéndose una /x/ postvelar: *mahlo, mihlo*, y también con verbos más formas enclíticas, *hablahle, abrihlo, presentahlo*, etc.

Plena realización de la vibrante múltiple /r̄/, en posición inicial, intervocálica o después de consonante nasal, frente a la realización rehilada de la zona A, sobre todo altiplánica.

Elisión del fonema /d/ fricativo en posición intervocálica, implosiva, o a final de palabra, no sólo en los participios, en función adjetival o adverbial, terminados en *-ado, -ido*, sino también en otras voces no verbales, como *ganao, candao, ahijao*, etc. La *o* suele cerrarse, además, sobre todo en los participios, hasta llegar a *u*. Así, *perdiu, comprendiu*, etc.

La /-e/, a final de palabra, con frecuencia se cierra hasta el punto de ser reemplazada por /i/. Así: *compinchi, trapichi, metichi*, etc.

Aunque los diptongos se mantienen regularmente, suelen perderse en formas verbales como *quebro* por *quiebro, quebra* por *quiebra*; o *apreto* por *aprieto, apreta* por *aprieta*.

Los hiatos, que se pronuncian sin variación, en algunos casos, afectan a algunas diptongaciones, rompiéndolas. Así, en *boína* por boina.

Los fenómenos de diferenciación acentual se aprecian, sobre todo, en algunos estratos del paradigma verbal. En esta zona, lo mismo que en los países del Río de la Plata, se dice *caminás, soñás* y *vivís*, en lugar de *caminas, sueñas* y *vives*.

Otros cambios en la acentuación que afectan algunos puntos de la conjugación se dan en la primera persona del plural del pretérito imperfecto de indicativo, en el que se realiza *cantabamós, teniamós, sufriamós* en lugar de *cantábamos, teníamos* y *sufríamos*.[6]

Para la zona C: Se mantiene el fonema /l̯/, como en las zonas A y B, a pesar del influjo vecino, secante y absorbente, de la variedad dialectal rioplatense, que es yeísta.

La variedad culta y citadina no aspira ni elide la /s/ final de palabra, ni la /s/ implosiva en posición media intervocálica, pero el habla rural campesina presenta marcada aspiración. Se dice y se oye, al modo andaluz, *jarto* por harto, *jecho* por *hecho, ajorcado* por *ahorcado*, etc.

Elisión del fonema /d/ en los participios terminados en *-ado, -ido*, que

---

6.   Algunos ejemplos pertenecen a Sanabria Fernández (1975).

mencionamos para la zona B y que, por otra parte, es común al español de Madrid y otras regiones hispanoparlantes.

En el habla popular de los *chapacos* se registran múltiples deformaciones fónicas que pertenecen a diversas figuras de dicción. Así, oímos muchos metaplasmos por adición, como las prótesis: *endenantes* por *denantes*, *dentrar* por *entrar*; las epéntesis: *leyer* por *leer*, *hayga* por *haya*; paragoges: *naides* por *nadie*. Metaplasmos por supresión, como la aféresis: *hela* por hiela; de síncopa: *tuavía* por *todavía*; de apócope: *tomarís* por *tomaréis*. Y metaplasmos por transposición, como las metátesis: *redepente* por *de repente*, o contracción: *¿qu'ieste? ¿por qué es de...?*; y sustitución y desplazamiento: *alverja* por *arveja*, etc.[7]

La fonología suprasegmental —entonación, acento, segmentación, ritmo melódico y *tempo* del discurso— es, en las tres zonas, muy diferente. Existe un modo, un acento, un aire propio del habla *colla*, *camba* y *chapaca*. Esta manera peculiar de expresarse, de modular la frase y el discurso, permite diferenciar claramente al habitante de cada una de estas regiones, lo cual se presta a sabrosos motes y chistes con los que se cargan unos a otros. Así, los cambas dicen de los collas que hablamos silbando; éstos los critican porque se comen las *eses*; y todos gozamos a los chapacos por su modo cansino y cantarino de hablar. Lamentablemente, no existen aún estudios referidos al plano suprasegmental del castellano boliviano.

Aspectos morfosintácticos

Mencionemos los rasgos peculiares en este nivel para las tres grandes zonas ya señaladas:

Zona A.   En el orden morfológico vale la pena resaltar que el diminutivo es moneda de uso muy frecuente y extendido. Este uso no sólo se aplica a las formas variables del sintagma nominal, el nombre y el adjetivo, sino que se extiende incluso a algunas formas invariables, como el adverbio.

En las zonas A y C se forma, sobre todo con *-ito*, *-ita* (a diferencia del diminutivo castellano peninsular que se forma en *-ico*, *-ica*), como en: *solcito*, *pancito*, *aquicito*, *ahorita*, *denantitos*, *biencito*, etc.

Respecto al plano sintáctico, José Mendoza, en el libro antes citado, parte de un conjunto de hipótesis que confirma luego en su exposición.

El sistema verbal de esta variedad del castellano difiere del que emplea la comunidad hispanoparlante, particularmente peninsular. De los dieciséis tiempos del paradigma verbal que figuran en cualquier gramática del español, como el *Esbozo* (1973: 262-268), sólo se reconocieron, en el uso de hablantes paceños, diez modelos. El pretérito anterior, el futuro perfecto y el condicional perfecto del modo indicativo, y el futuro imperfecto, pretérito pluscuamperfecto y futuro perfecto del modo subjuntivo no funcionan

7.   Los ejemplos pertenecen al libro de Varas Reyes.

en esta variedad dialectal, la cual, en gran medida, refleja el uso de una zona mucho más extensa: el área andina. En cuanto al modo, el espacio reservado para el uso del subjuntivo ha sido ocupado parcialmente por el indicativo. No es extraño escuchar oraciones como: «No creemos que este *es* el camino más correcto para solucionar nuestro problema.»[8]

El aspecto perfectivo es habitualmente expresado mediante el pretérito perfecto en lugar del pretérito indefinido. A esto se agrega el uso cada vez más frecuente de perífrasis verbales del tipo SABER + INF. Ejemplo: «*Sabemos visitarlo* cada fin de semana.» Ésta es una tónica general —al parecer, presente también en otras zonas del continente americano—: el reemplazar las formas simples por las formas compuestas o por perífrasis verbales.

En el imperativo es común, tanto en la variedad culta como en la popular, el desplazamiento del acento a la siguiente sílaba y la modificación morfológica del verbo. Por ejemplo, se dice: *vení* por *ven*; *mostráme* por *muéstrame*; *pedíle* por *pídele*; *comprá* por *compra*; *poné* por *pon*.

Las estructuras divergentes de la variedad paceña pueden clasificarse en cuatro grupos, sobre el fundamento de cuatro transformaciones sintácticas básicas: expansión, reducción, sustitución y dislocación. De la primera, Mendoza ha registrado diversos casos, tanto por duplicación, por ejemplo, del pronombre completivo directo: «Mientras tanto, véme*lo el asado*», como por adición, i. e., de la preposición *en* a los adverbios locativos: «Se vendía más *en* allá que *en* aquí.» Un caso de reducción de preposición lo encontramos, i. e., en la oración: «El director me ha dicho que me va (*a*) colaborar.» En «*Le* he perdido a mi hijo»[9] encontramos un caso de sustitución; y en «Yo *de nada* no me enojo» tenemos un caso de dislocación. Todos estos fenómenos, y otros que por razones de espacio no podemos anotar aquí, son frecuentes en las estructuras de la variedad sociolectal del castellano popular paceño.

Existen, por otra parte, estructuras inéditas, divergentes de la norma supranacional, a las que el mismo gramático llama *neosintagmas*, que señalan pautas de una posible evolución de la lengua por derroteros inimaginables para la norma canónica. El autor ha agrupado estas estructuras, separándolas del resto, porque son muy productivas. Pertenecen a dos grupos: las formadas en torno al verbo y las que emplean otras unidades sintácticas. Al primer grupo pertenecen, por ejemplo: «No *vayan* dici*éndo*le mentiras» (IR + -NDO);[10] «Todo el tiempo *está de sed*» (ESTAR DE + NOMBRE); «Al parque lo *había* lleva*do* mi sombrero» (HABÍA + PARTICIPIO PASADO);[11] «Le *van a* seguir engaña*ndo*» (IR A + INF + -NDO); «No me *sabe* gust*ar* el estudio» (SABER + INF); «En principio *decirles* que la propuesta está incompleta» (INF en uso personal).[12] Al segundo, algunos casos como: «Todos piensan que

---

8.   Los ejemplos han sido tomados de Mendoza (1991; 1992).
9.   En la norma, como en el castellano de Bolivia, el pronombre de complemento directo es *lo*.
10.   De uso habitual en el habla peninsular.
11.   En el ejemplo, *había llevado* no funciona como pluscuamperfecto; tiene un valor de presente con un sema que corresponde a 'no lo sabía, acabo de enterarme (que alguien llevó mi sombrero al parque)'.
12.   De uso habitual en el habla peninsular.

eres *bien lista*» (BIEN + ADJ); «Querer cruzar una curva es *un poco muy* peligroso» (UN POCO MUY); «*En lo que estaba* comiendo se atoró» (EN LO QUE + ESTAR + -NDO);[13] «Está llorando *de lo que te estás yendo*» (DE LO QUE + SUBORACIÓN); «No le quise recibir la plata *tras que ni siquiera lo conozco*» (TRAS QUE + ORACIÓN).

Zona B. Hernando Sanabria Fernández, en *El habla popular de Santa Cruz* (1975), señaló varias características morfológicas que corresponden a esta región. Están entre las principales: la caída fonética de la /-s/. Afecta, naturalmente, al sistema de la pluralización; para reacondicionarlo, la aspiración suple a la /-s/, marca de plural.

En la zona B, los diminutivos se forman con las partículas *-ingo, -inga,* sufijo extraño a la morfología castellana, porque proviene, presumiblemente, de las lenguas tupí-guaraníes. Se aplica tanto a sustantivos como a adjetivos y a adverbios. Así, *sabad*ingo, *fiest*inga, *aquic*ingo, *ahorit*inga, *denant*ingos, *bienc*ingo, etc.

En esta misma zona, el aumentativo resulta también curioso por el empleo de los sufijos *-ongo, -a; ango, -a*: *cas*anga, *tronc*ango, *feong*o, *aquiz*ango, *ahorit*anga, *bienz*ango, etc.

Los diminutivos, que ya lo eran de suyo, a menudo son reforzados, como *chiquit*ingo o *poquit*ingo. Otros se forman por reduplicación interna, como *chiqui*ti*tingo* o *poqui*ti*tingo*; fenómeno que ocurre, del mismo modo, en la formación análoga de superlativos con el infijo -nini-: *floj*ini*nísimo, riqu*inin*ísimo, lej*inin*ísimos.*

También, en este mismo nivel lingüístico, cabe señalar la presencia de algunos sufijos que provinen del guaraní, chané o chiquitano, como -(i)*chi,* -*qui,* que tienen el rasgo semántico de señalar defectos físicos, por ejemplo: *oj*ichi, *man*ichi, *met*ichi, *joñ*iqui, *cuchu*qui, 'que tiene los ojos pequeños o hinchados', 'tullido de una mano', 'que se mete en lo que no debe o no le compete', 'que tiene labio leporino', 'sucio, desaseado', respectivamente.

En el habla, el paradigma verbal ha sido reducido, habiéndose eliminado el pretérito anterior de indicativo *(hube amado),* la segunda forma del pretérito imperfecto *(amase)* y los dos futuros de subjuntivo *(amara, hubiere amado).*[14] Claro que en España algunas de estas formas sólo se emplean en la comunicación escrita.

Otros cambios con respecto a la norma culta se producen a nivel suprasegmental o en los formativos desinenciales. La segunda persona singular de indicativo y subjuntivo transfiere el acento a la última sílaba. I. e.: *amás,* por amas, *amés* por ames. En el verbo ser, *sos* sustituye a *eres.* Y en el imperativo, de la misma manera que en las otras dos zonas, el acento es agudo: *amá, partí, corré,* que eran formas corrientes en el castellano del siglo XVI. A estas formas arcaicas se añaden, entre otras, *vide* por *veía* y *trujo* por *traía.*[15]

Cabe apuntar que esta variedad del castellano boliviano prefiere tam-

---

13. De uso habitual en el habla peninsular.
14. Tiempos que no se emplean tampoco en el habla peninsular.
15. Arcaísmo de uso regional en España.

bién las formas perifrásticas del tipo IR + INF, que reemplazan al futuro imperfecto. Así: *Voy a cantar* por *cantaré*.

La *consecutio temporum* también sufre diversas modificaciones. Así, la segunda forma del pretérito imperfecto de subjuntivo es sustituida por el imperfecto de indicativo en la proposición principal. Por ejemplo: «si vos me acompañaras, *yo iba*», en lugar de *yo iría*.[16]

La segunda persona singular es *vos*, incluso en el habla culta. *Ti* y *contigo* están descartados en el habla de los cruceños —lo cual no ocurre en la zona occidental—, y son sustituidos por *vos* más la correspondiente preposición. Usted, que se pronuncia *usté*, como en gran parte de España, es de empleo formal, pero, curiosamente, es la forma apelativa predominante en el trato entre padres e hijos. *Vosotros* es de uso literario o protocolar; en el plural, siempre se emplea *ustedes*.

Zona C.   Víctor Varas Reyes se ha ocupado del castellano popular de Tarija,[17] pero su estudio se refiere sobre todo a las variaciones fónicas y del habla de la región, a aspectos folclóricos, históricos y culturales. Para esta zona no existen aún estudios morfosintácticos. Sin embargo, tiene algunos rasgos comunes con la zona A, por influencia del sustrato quechua e incluso aimara, de carácter ancestral e histórico.

También se da reducción del número de tiempos y usos verbales y el voseo como forma de tratamiento familiar.

El aspecto léxico-semántico

Zona A.   La variedad diatópica del castellano boliviano de la zona A forma, en realidad, parte de otra más extensa que ha sido designada con el nombre de *castellano andino*.[18] Sobre esta variedad ejercen influjo más o menos marcado las lenguas originarias de la región andina, como quedó ya dicho: el aimara y el quechua. En extensas regiones, estas lenguas son lenguas en contacto con el castellano y hacen pesar su influencia sobre éste, marcándolo en sus distintos niveles lingüísticos, pero, sobre todo, en el léxico.

Muchos términos del aymara se han incorporado al habla popular y a la literatura realista y costumbrista bolivianas. Antonio Paredes Candia ha realizado un inventario parcial.[19] El glosario registra de tres a cuatro centenares de palabras que proceden de esa lengua. Nosotros tenemos un inventario, no exhaustivo, de más de 2.000 entradas para el aimara; y de más de 3.000 para el quechua, que pertenecen al habla popular.[20]

Nicolás Fernández Naranjo y Dora Gómez de Fernández han puesto de

16.   De uso habitual en el habla de Madrid.
17.   Cfr. Varas Reyes (1960).
18.   Cfr. *Variaciones sociolingüísticas del castellano en el Perú*, Lima, 1978, de Alberto Escobar, y *Variations sociolinguistiques de l'Espagnol à Puno-Perou*, París, 1985, de Juan Carlos Godenzzi (1986).
19.   Cfr. *Vocablos aymaras en el habla popular paceña*, La Paz, 1963, de Antonio Paredes Candia.
20.   Materiales para un nuevo diccionario de bolivianismos.

relieve el «hecho capital de que, junto al idioma oficial y culto... existe, vigoroso, proteico, dinámico, un idioma en constante evolución y asimilación de los aportes autóctonos».[21] Líneas abajo agregan que «el pueblo, para quien el idioma castellano es una lengua imperial, foránea, segunda, vuelve por instinto a las lenguas primordiales —el aymara y el quechua—, para expresar lo más íntimo de su sentir. En efecto, el pueblo boliviano —añaden— habla español, sin *vivirlo*; en cambio, *vive* las lenguas autóctonas, y éstas responden vital y profundamente a las necesidades fundamentales de su pensamiento, de su pasión, de su emoción y de su expresión; las saborea. Sin saberlo, halla en las lenguas aborígenes mayores, mejores y más naturales recursos de expresión. El castellano se le antoja artificial, solemne, impersonal, opaco o chirle e insípido».

No es posible olvidar que el 60 % de los bolivianos habla alguna lengua nativa y que para un alto porcentaje de la población el español es su segunda lengua.[22] Ya Ciro Bayo, a principios de siglo, decía: «Declaro paladinamente que no conozco en castellano palabras que expresen con más propiedad la idea que representan, como *empamparse*, *apunarse*, *yapa*, *jacú*, etc.»[23]

Por cierto, muchos préstamos de nuestras lenguas nativas expresan conceptos complejos, sintetizan un conjunto de *semas* que en el castellano sólo se puede expresar por perífrasis. Por ejemplo, la palabra *k'asa* sust(m/f)/adj. 'persona a la cual le falta uno o más dientes incisivos'; *llint'a* adj. 'persona con el labio inferior grueso, carnoso y caído'; *muruk'ullu* sust(m/f)/adj. 'persona que tiene el pelo de la cabeza cortado al ras'; *paltaquiru* adj. 'persona que tiene un diente encima del otro'; *apallar* v. 'recoger con las manos cosas dispersas, generalmente, fruta'; *arir* v. 'impermeabilizar una vasija de barro antes de usarla por primera vez'; *ayni* m. 'prestación de un servicio comunitario en beneficio de alguien'; *chawararse* v. 'quedarse una persona a medias, sin haber satisfecho completamente las ganas de beber hasta embriagarse'; *khurku* sust(m/f)/adj. 'persona que acostumbra colarse de rondón en una fiesta a la cual no ha sido invitada, para comer y beber'. Y la relación sería muy extensa.[24]

La variedad popular del castellano está enriquecida o empobrecida, según como se vea, por las jergas. Del coba, jerga del hampa boliviana, se han filtrado varios centenares de voces en el habla cotidiana de los paceños.[25] De un pequeño glosario,[26] de 1.500 palabras aproximadamente, 475 fueron consideradas de uso coloquial frecuente por los informantes.

Dejando de lado los bolivianismos histórico-genéticos de voces originarias de América, que han pasado a engrosar los veneros léxicos que de-

21. *Op. cit.*, p. 6.
22. Datos del censo de 1992.
23. Ciro Bayo, *Vocabulario Criollo-Español Sud-Americano*, Madrid, Librería de los Sucesores de Hernando, 1911.
24. Cfr. «La influencia de los idiomas indígenas y extranjeros en el español boliviano: El léxico del cuerpo humano», en *Español actual*, Madrid, ICI, 53/1990, de Nila G. Marrone.
25. Cfr. nuestro trabajo «Influencia del coba, jerga del hampa boliviana, en el habla popular de La Paz», en *Anales*, de la Academia Boliviana de la Lengua, n.º 4, La Paz, 1987.
26. Cfr. Víctor Hugo Viscarra, *Coba, jerga del hampa boliviano (sic)*, La Paz, 1981.

sembocan en la mar de vocablos que forman el tesoro de la lengua española; dejando de lado los llamados *indigenismos* y los *extranjerismos*, que se acomodaron plácidamente en el español americano —y que resultan fácilmente identificables por su inconfundible rostro, estampa y gracejo—, quedan aquellas palabras y construcciones que a partir de constituyentes españoles se generaron por desarrollo morfo-semántico interno. Muchas de estas unidades, uni y pluriverbales, son empleadas en América y no se conocen ni usan en España, aunque tienen una máscara que les da la apariencia del más acendrado castellano.

Y, por el contrario, otras voces incluidas en los diccionarios generales de americanismos, que se fundan en el criterio de contrastividad —como los de Malaret, Santamaría, Moriñigo, Neves, e incluso otros más recientes—, contienen incontables voces peninsulares. Lo propio cabe decir de los diccionarios regionales, por países, y otros glosarios menores. Son excepcionales los vocabularios que sortean con acierto el escollo de la contrastividad.

Este criterio, el de contrastividad, resulta de difícil aplicación para los hispanoamericanos, porque sucede que un hablante boliviano, por ejemplo, tiene la certeza de estar utilizando términos de hechura nacional, cuando en realidad éstos son españoles; y otras veces piensa que está empleando vocablos castellanos, cuando se trata de voces pergeñadas tierra adentro, más criollas que el *chuño* o la *jallpawaika*.[27] Pero de cuando en cuando resulta que alguien, que cree estar escribiendo en rabioso castellano, consulta el *DRAE*, para aclarar una duda o para afinar el matiz de una palabra, y se sorprende de no encontrarla ni debajo del forro.

Naturalmente, están al abrigo de esta deficiencia el Diccionario Académico, porque las voces americanas que registra han sido filtradas por hablantes peninsulares; o inventarios léxicos como el mencionado *Vocabulario* de Ciro Bayo,[28] que con su conciencia lingüística de hablante castellano nativo recogió personalmente en el campo de trabajo los vocablos contrastantes; o los inventarios léxicos que son deudores del *DRAE*; o el *Nuevo Diccionario de Americanismos* que ha encarado el problema de la contrastividad con el concurso de hablantes peninsulares incontaminados que hacen las veces de filtros léxicos.[29]

Zonas B y C.   Las peculiaridades léxico-semánticas de las zonas B y C se presentan en extensas áreas geográficas con bajo índice demográfico y en las ciudades capitales de departamento, en las que se concentra la población que habla castellano con las características ya señaladas. La influencia de las lenguas nativas en estas zonas es mucho menos significativa que la que ejercen las lenguas andinas sobre el castellano de la zona A. Sin embargo, en el campo del léxico, sobre todo, las lenguas nativas han

---

27.   La patata deshidratada y una salsa de tomate con ají picante, respectivamente.
28.   *Op. cit.*
29.   El Proyecto de Augsburgo contempla la elaboración de una serie de diccionarios por países. Los *Nuevo diccionario de colombianismos*, *Nuevo diccionario de argentinismos* y *Nuevo diccionario de uruguayismos* vieron la luz en 1993. En 1995 concluyó la redacción del *Nuevo diccionario de cubanismos* y en el mismo año se comenzó con la redacción del *Nuevo diccionario de bolivianismos*.

dejado huella, y se puede seguir su rastro en la toponimia y en la terminología de la fauna y flora, en la de objetos, utensilios y otras voces que pertenecen al terreno enciclopédico, propias de las zonas rurales.

Otro rasgo que no se puede omitir, y que se presenta en mayor cantidad y con mayor frecuencia en las zonas B y C es la persistencia de voces arcaicas, que en España cayeron hace tiempo en el olvido, que ya no se usan ni reconocen, o son sólo de uso regional: *vide, trujo, haiga, dizque, endenantes, malaya, acasí*, etc.

Apuntemos, finalmente, que en el nivel diastrático corren paralelamente dos variedades de lenguaje que, para simplificar, podemos designar así: la variedad culta y la popular. Todos los rasgos señalados en este breve ensayo de aproximación lingüística al castellano boliviano corresponden a la primera, pero tienen un alto índice de frecuencia en la segunda, sobre todo si es informal.

Síntesis

En la zona A, los conquistadores españoles, que vinieron del Perú, fundaron las ciudades y crearon las instituciones coloniales del Alto Perú. A la sombra de la riqueza de las minas de Potosí, crecieron La Plata y su principal centro político y administrativo: la Audiencia de Charcas. Los pobladores nativos de esta región andina, del Collasuyo, los *collas*, hablaban quechua, la lengua imperial de los incas, y aimara, la lengua de sus antepasados. Esta región del occidente de la actual Bolivia se ha mestizado en un alto porcentaje, y, en los pueblos donde no se habla exclusivamente una de las lenguas nativas, el castellano convive con el aimara o con el quechua en una situación de bilingüismo. En las ciudades se habla, sobre todo, castellano.

En la zona B, los colonizadores españoles, que vinieron del Paraguay, fundaron las ciudades del oriente y se sometieron a la autoridad de la Real Audiencia de Charcas. La mayoría de las tribus que habitaba la región de los Llanos se replegó, internándose en la selva o concentrándose en la vera de los ríos. Pero, principalmente, chanés, chiriguanos, itonomas, ignacianos, moxeños y movimas, que recibieron el nombre genérico de *cambas*, dejaron honda huella de sus etnias en la sangre, por el mestizaje, y en la lengua de los hombres blancos, sobre todo en el vocabulario y en la fonética. En las ciudades se habla exclusivamente castellano.

Hacia el occidente, en la frontera de los *collas*, un pueblo de tránsito, Vallegrande, sufrió el influjo de ambas vertientes, y se hizo *camba-colla*. En esa relación, el quechua, más fuerte o necesario, dejó su sello en la lengua.

En la zona C, la ciudad de Tarija, fundada por Luis de Fuentes, osciló entre la Audiencia de Charcas y la Gobernación de Tucumán, y después se fue aislando. El mestizaje ha producido, allí, un nuevo tipo étnico, parecido al andaluz, el *chapaco*, nombre que viene de los pobladores nativos, y la lengua ha adquirido peculiaridades, sobre todo en el acento y en el léxico, que la hacen singular. Sólo se habla castellano.

Ese abigarrado conjunto de hablas y tipos humanos —*collas, cambas* y *chapacos*—, más las etnias originarias, son, en síntesis, la nación boliviana.

ECUADOR

por CARLOS JOAQUÍN CÓRDOVA

Primero es la historia

Fue el 21 de septiembre de 1526 el día en el que por primera vez se escuchó la lengua castellana en lo que hoy es la República del Ecuador.

Bartolomé Ruiz, el piloto de Moguer y sus hombres de mar, en una mañana tibia y húmeda fondearon su destartalado navío en una bahía con tierra poblada de aborígenes. Aquí, en este día y en esta playa de la hoy provincia de Esmeraldas, se afirma el principio de la ruta de la palabra viajera del castellano en el Ecuador. No es posible saber hoy si las palabras del piloto Ruiz fueron las de la declaración gozosa de acción de gracias al Altísimo por la ventura de la travesía y arribo, o si fue la fórmula seca e impositiva del conquistador al proclamar los derechos de la corona de Castilla sobre las tierras y las gentes que en ella habitaban. Sea la primera apelación, o, sea el segundo acto establecido como mandato de autoridad, o acaso ambas sucesivas acciones de la retórica exigida por el grave momento, el hecho primero y final fue siempre la resonancia magnífica de la lengua castellana en este mundo nuevo. Mundo nuevo, sí, para los exploradores y letrados del viejo continente, pero mundo intemporal propio y bien conocido y cuidado por su gente nativa, pese a las limitaciones propias de la época y al grado cultural imperante entonces. Si en aquel día de septiembre el piloto Ruiz llamó Bahía de San Mateo al fondeadero donde echó anclas, ya puede decirse que hubo el primer cuño de las cuatro voces en lengua castellana. Nació así la designación del accidente geográfico referido a aquel tramo costanero del suelo ecuatoriano en el extremo noroccidental ribereño del que se llamaría océano Pacífico. Después se suceden otras exploraciones siguiendo el perfil de nuestras costas para luego aventurarse tierra adentro, trepando por los contrafuertes de la cordillera de los Andes y llegar a las mesetas frías de las alturas. Vienen los esforzados españoles y suenan sus nombres conocidos: los Almagro, los Pizarro, Luque, Benalcázar, Alvarado y cuantos otros más seguidos de gente llena de coraje y ambiciones, sedientos de fama y poder. Con su fuerza conquistadora son portadores de la lengua de Castilla, la religión de Cristo y su cultura con virtudes y vicios. Los españoles conquistan el imperio de los incas, Benalcázar es el conquistador del reino de Quito, el que más tarde, durante la colonia será la Real Audiencia de Quito. La palabra viajera entra en acción. En esta sucesión tan rápida de episodios arranca la historia ecuatoriana. Asimismo es el comienzo sutil de los fenómenos lingüísticos que se sucederán en el curso del tiempo y en la dispersión del espacio.

Entrar de lleno en el tema del español de los ecuatorianos conlleva forzosamente hablar de las regiones que componen el país. Son cuatro bien diferenciadas: costa, sierra, región amazónica u oriente e insular, el de las islas Galápagos o archipiélago de Colón. En esta geografía se reparte la masa lingüística nuestra, susceptible de clasificación en leves variedades dialectales debido a sus matices diferenciales en áreas más o menos bien definidas, aptas para la conformación del mapa lingüístico del Ecuador. Las dos grandes áreas lingüísticas son las que corresponden al habla de la costa y al habla de la sierra. La región oriental o amazónica conforma un segmento lingüístico indiferenciado por heterogéneo, comparable a lo que también acontece a las islas Galápagos.

Sí existe el castellano o el español de los ecuatorianos. Tenemos nuestros propios modales lingüísticos como también las características comunes al español americano y por supuesto la médula primera del español peninsular. Estos factores por una parte nos igualan al ámbito general del hablante americano, pero también, por otra, nos segregan y particularizan en nuestra propia identidad lingüística. Consiguientemente, nos toca también a nosotros lo que, entre tantos otros más, Lapesa sentó al referirse al español del siglo xv instalado en América: «... fue llevado a Indias por gentes de abigarrada procedencia y desigual cultura.»[1] A este pensamiento gentil agrego este otro algo severo y tan exacto el uno como el otro. Me refiero a las líneas de Manuel Seco sobre el español de América: «Hay que considerar, además, que la lengua de España penetró en aquellos territorios a través del habla de hombres poco letrados que llevaban consigo sus peculiaridades populares y regionales.»[2] Nuestro Isaac Barrera, al referirse a los orígenes del español en América hermosea el concepto en esos términos: «Los pobres labriegos que recorren por esos caminos de la península, salieron para convertirse en las Indias, en guerreros y en hidalgos, que no hay mayor hidalguía que el esfuerzo propio. Somos producto híbrido del aborigen americano, del labrador de Castilla y de Andalucía, del clérigo andante y del pícaro español.»[3] Tal es, entonces, el inventario y legado histórico del cual no es posible desprenderse, como tampoco es de olvidar y de desconocer otro ingrediente lingüístico de permanente presencia y de innegable peso: el quichua.

Atrás he dicho variedades dialectales. En efecto, el apunte fue por la clasificación en áreas geográficas que determinan variantes fácilmente reconocibles. Pero es preciso subrayar que en el estricto sentido lingüístico de la palabra *dialecto*, no existen dialectos en el Ecuador. Para que haya

---

1. Rafael Lapesa, *Historia de la lengua española*, 9.ª ed., Gredos, 1981, Madrid, p. 535.
2. Manuel Seco, *Gramática esencial del español*, 1980, Madrid, p. 16.
3. Isaac J. Barrera, *Marcelino Menéndez Pelayo (Memorias)*, Academia Ecuatoriana de la Lengua, 1957, Quito, p. 50.

uno o más habría que reconocer la existencia de la fragmentación dialectal —cosa inexistente en el Ecuador—, fragmentación notoria de la multiplicación expresiva de diferencias en los rasgos fonéticos, sintácticos, morfológicos y de léxico. Y el fenómeno no se registra entre nosotros. En medio de la unidad, hay variedad.

No debe pasar por alto un hecho que, por ser tan íntimo y objetivo a la vez, puede llevarnos a descuidar su mérito. Me refiero a que nuestro castellano vino ya hecho. Su naturaleza se mostraba ya con sus caracteres robustecidos y aproximándose a la firmeza y prestigio de la madurez que le permitiría gozar con el paso del tiempo, a partir del siglo XVI, de las bien ganadas glorias literarias españolas.

El tramo histórico de la colonia podría considerarse como una suerte de Edad Media con sus signos positivos y negativos. En lo positivo anotaré aquí solamente la vertiente literaria. Y sólo voy a citar tres nombres: Antonio de Alcedo (Quito, 1734-1812), Juan de Velasco, S. J. (Riobamba, 1727-1792) y Eugenio de Santa Cruz y Espejo (Quito, 1747-1795). Alcedo es el autor del *Diccionario geográfico-histórico de las Indias* (Madrid, 1786). En el apéndice del V tomo se encuentra el vocabulario de los nacientes americanismos. Contiene además buen número de los provincialismos del hablante de la Real Audiencia de Quito. El padre Velasco, con su libro capital *Historia del Reyno de Quito*, ofrece en el campo lexicográfico la enumeración de las *naciones* y lenguas aborígenes, además de la descripción minuciosa de la fauna y la flora regionales con rico vocabulario. De valor lingüístico es también su *Vocabulario de la lengua peruana-quitense* (1787), primer libro de esta clase escrito en la Audiencia de Quito. Espejo es figura descollante de la Colonia. Indio sobresaliente. Es el precursor de la independencia. Escritor, polemista, médico, periodista, político insurgente, marcó con sus obras y actitudes el espacio iluminado de la Ilustración europea en la Real Audiencia de Quito. Espejo fue el primero en valerse de los *graffiti*, hoy tan en boga, es decir la pintada que bien puede ser sapiente, severa, cáustica, traviesa, atrevida o brutal. En 1794, próxima al frontispicio de una iglesia de Quito, la inscripción grabada por Espejo y considerada subversiva decía: *Salve Cruce Liber Esto, Felicitatem et Gloria Consecunto.*

La vida colonial. Presentes están las formalidades burocráticas de altas autoridades, jueces, alcaldes, notarios y curiales de la más variada condición. El clero es importante, su obra misionera, capital y en el campo lingüístico es de reconocer la elaboración de diccionarios, artes y vocabularios en lenguas vernáculas y en especial sobre el quichua.[4] Los archivos coloniales son voluminosos y de importancia histórica. En la parte literaria de esta documentación habrá que recordar el estilo. Éste, a no dudar, el mismo de la Península y de la época, heredado, imitado y reproducido primero por los españoles y luego por criollos, a los que llamaré *protoecuatorianos* como el caso de los tres varones nombrados en el párrafo anterior,

---

4. Luis Cordero, *Diccionario Quichua-Español y Español-Quichua*, CCE, 1955, Quito; Justino Cornejo, *El quichua en el castellano de Ecuador*, 1967, Quito.

estilo que, con el andar del tiempo, imprimirían en sus escritos los ribetes lingüísticos locales.

Se va formando la sociedad ecuatoriana. Hay nombres de lugar, hay nombres de personas. Se mezcla lo vernáculo con lo español. Topónimos nativos, estos de las provincias del Azuay y Cañar provenientes del extinguido idioma cañari: *Pindilij, Burgay, Güintul, Shullín, Silván.* Topónimos quichuas éstos: *Cusubamba, Tomebamba, Rumicucho, Carapungo, Yahuarcoha, Chimborazo.* En la costa, estos topónimos de las lenguas nativas de la región: *Guayaquil, Cojimíes, Chongón, Jama, Puná.* Por contraste tenemos nombres impuestos por los españoles de ciudades, ríos, lugares, etc. Ejemplos: *Esmeraldas, Bahía de San Mateo, Ibarra, Cuenca, Loja, Santo Domingo de los Colorados.*

Habiendo el lugar y el sujeto oriundo de él, nace el gentilicio. Éste lleva la variedad de sufijos que la gramática señala como corrientes: *-ano, -ejo, -eño, -ense.* Ejemplos: *lojano, cañarejo, guayaquileño, quiteño, mantense.*

Se conforma la sociedad. Suenan apellidos tales como *Guzmán, Solís, Zúñiga, Castillo, García* y miles de nombres más. También brotan los del mismo suelo como estos apellidos de la costa: *Toalá, Piguave, Anangonó.* Y en la sierra los nombres nativos son legión: *Chumbi, Quishpi, Llumiquinga, Pilataxi.*

NUESTROS LEXICÓGRAFOS

Contamos con personajes propios dedicados al estudio de nuestro lenguaje. A este grupo he venido llamando «nuestros lexicógrafos». Su ocupación se centró en la dialectología, aunque con mayor intensidad en la lexicografía ecuatoriana. De aquel grupo mayor, aquí me referiré a quienes han sido siempre mencionados por los maestros de lingüística hispanoamericana. Ellos son Pedro Fermín Cevallos, Carlos R. Tobar, Honorato Vázquez, Gustavo Lemos, Alfonso Cordero Palacios, Justino Cornejo y Humberto Toscano.[5] De este último, el profundo e infatigable trabajador del taller del idioma, la bibliografía lingüística de lengua española cuenta con su libro capital: *El español en el Ecuador.* En este texto universitario está quizá comprendido todo lo que habría que señalar en un tratado de lingüística regional. Cuando se esperaba de Toscano lo mejor de su capacidad para llevar a cabo un trabajo monumental sobre la lengua española, la muerte traicionera le sorprendió en Madrid en 1967.

De aquel grupo inicial, una renovación completa de nuevas generaciones universitarias ha continuado la tarea del estudio de la lingüística ecuatoriana, esta vez robustecida por el empeño de las facultades de nuestras principales universidades en preparar profesionales formados académicamente según la orientación de las modernas escuelas de la ciencia del lenguaje.

5.   Justino Cornejo, *Fuera del diccionario,* 1938, Quito; Luis Cordero, Diccionario *Quichua-Español y Español-Quichua,* CCE, 1955, Quito; Gustavo Lemos R., *Semántica. Ensayo de lexicografía ecuatoriana,* 1920, Guayaquil; *Fonética histórica y lexicogenesis,* 1922, Guayaquil; Carlos R. Tobar, *Consultas al diccionario de la lengua,* 3.ª ed., 1911, Barcelona.

PATRIMONIO

Según datos del censo nacional, la población del Ecuador en cifras redondas es de 11,5 millones. Su distribución está concentrada mayormente en la costa, con cerca de seis millones, y en la sierra, con más de cuatro millones y medio. El resto se reparte en unos 50.000 habitantes en la región amazónica y un cabo de 4.000 insulares en las Galápagos.

El idioma español es la lengua oficial, además del reconocimiento constitucional de las lenguas y culturas aborígenes. Por su naturaleza histórica y literaria tradicional, el castellano es la lengua de prestigio y el medio de comunicación natural de la mayoría abrumadora de los ecuatorianos. Entre los idiomas nativos, el quichua es el más importante y se habla en la sierra y en un enclave selvático de la Amazonia. Los otros grupos selváticos son: en la costa el *colorado* o *tsáchila* y el *cayapa* o *chachi*. Son grupos marginales debilitados. En el oriente amazónico los más importantes son el grupo *shuar* y *achuar* los más progresistas, y estos tres: *canelo, siona, waorani*, etnias con índices demográficos negativos.

DEL QUICHUA

Quichua decimos los ecuatorianos; es la forma apropiada. A la vez, *quechua* dicen los peruanos, y hacen bien. Lo correcto al decir *quichua* se debe a que el dialecto del quichua ecuatoriano tiene originariamente tres vocales: *a, i, u*. Los hablantes peruanos cuentan con las cinco vocales básicas. Quienes en nuestro medio ecuatoriano van por la forma *quechua* en lugar de *quichua*, simplemente están confundidos.

Humberto Toscano escribió, en lo tocante a la importancia del quichua en nuestro medio, ser idioma sobre el cual podría escribirse un grueso volumen. Su peso está en el habla de la sierra. Es frecuente la invasión del quichua en nuestra comunicación vulgar y coloquial. Pruebas fonéticas, morfológicas, sintácticas y de léxico hay en número apreciable. Tenemos voces que bien pueden reemplazarse con otras, las justas del castellano, mientras que en otros casos, no. Ejemplo de lo primero tenemos en *chaquiñán* (*chaqui* 'pie', *ñan* 'camino'), que puede reemplazarse por *sendero*. Del segundo ejemplo: *minga*. No tiene sustituto castellano. Significa «trabajo colectivo no remunerado». Otro más: *pucón*. Su significado: «envoltura de hojas que cubre la mazorca de maíz». En el quichua del norte se dice *cutul*, lo que en el sur es *pucón*.

Son múltiples los estudios sobre el quichua. Los primeros se remontan al último tercio del siglo XVI. Son vocabularios y diccionarios bilingües y artes o gramáticas. Buena parte de ellos son fruto del trabajo de misioneros católicos y modernamente de los de la vertiente evangelista con proyección al estudio lingüístico profundo. El quichua frente al español es idioma en retirada pese a los esfuerzos de la política educativa de la enseñanza bilingüe.

De los anglicismos

No he titulado esta sección *de los extranjerismos*. La razón, el anglicismo es el dominante.[6] La invasión es planetaria. Y, por lo que toca al Ecuador, el fenómeno lingüístico es parejo con lo que ocurre por todas partes. El dinamismo del anglicismo es incontenible. Se explica por la época en que vivimos. La informática prodigiosa, los *multimedia* envolventes, la intercomunicación geográfica veloz, sobrepasada desde luego por *Internet*, no sólo acortan el tiempo y estrechan el espacio sino que amplían la relación humana. Medio expedito y eficaz para lograr este fin es haber encontrado en el inglés la lengua de intercambio máximo y comprensión para la ciencia, comercio, deporte, relaciones internacionales, etc. Pero junto a los elementos positivos pende de manera constante la influencia que bastardea el español.

Dato estadístico. Voy a verme forzado a recurrir a la autoayuda bibliográfica con mi libro *Un millar de anglicismos* (Cuenca, 1991). Registro 1.481 anglicismos y para una segunda edición tengo el aumento de alrededor de 150 neologismos recientes originados en el inglés. Quien vaya por las páginas del *Diccionario de anglicismos* de Ricardo Alfaro —guía soberana del anglicismo en el español— y la compare con mi obra, encontrará semejanzas por la identidad del tema, pero existe también una que otra diferencia formal porque no me ocupo de los anglicismos del ámbito caribeño y mexicano, sino dedico mi atención al medio ecuatoriano.

Del habla ecuatoriana

No es fácil la síntesis, pero aquí voy por el intento de reunir algunas de las características del habla ecuatoriana.[7] Se juntan las experiencias personales con la consulta bibliográfica y en la consulta, la que ofrece Toscano en su obra ya citada. Las observaciones son sobre el habla culta, estándar y vulgar. Puede ser que en las observaciones sobresalga lo que sale de la norma, pero esto no significa que el lenguaje de los ecuatorianos se encuentre plagado de imperfecciones.[8] La deficiencia es un hecho aislado en medio del cúmulo de aciertos. Además, buena parte de los defectos son comunes al hablante español y americano. Por esto, como en cualquier otro idioma, en el ecuatoriano, ya en la expresión oral como en la escrita, se cuentan los naturales fenómenos de la variedad expresiva, signo inequívoco de riqueza y no de inmovilismo producidos por los diferentes grados de cultura en los estratos sociales. A las imperfecciones y modalidades típicas

6. Carlos J. Córdova, *Un millar de anglicismos*, 1991, Cuenca.
7. Carlos J. Córdova, *El habla del Ecuador*, 1995, Cuenca; Humberto Toscano, *El español en el Ecuador*, 1953, Madrid.
8. Pedro Fermín Cevallos, *Breve catálogo de los errores...*, 1861, Quito; Gustavo Lemos R., *Barbarismos fonéticos del Ecuador*, 1922, Guayaquil; Honorato Vázquez, *También en España*, 1926, Cuenca; *Reparos sobre nuestro lenguaje usual*, 1940, Quito.

que se van a señalar queda por contraste el testimonio lúcido de las excelencias de la literatura ecuatoriana.

El campo del habla ecuatoriana es tan amplio y la limitación de espacio es poderosa. Voy a exponer sólo una parte de la amplitud lingüística en las páginas siguientes. Trato brevemente en fonética el tratamiento de las consonantes y en las hablas de la costa y la sierra algunos signos peculiares regionales. En morfología, sobre el artículo. Quedan en silencio puntos importantes como son los usos del verbo, los pronombres, el adverbio, el género, la formación de palabras, los compuestos con todas las modalidades peculiares del hablante ecuatoriano.[9]

El habla de la costa y de la sierra

Concentrada la atención en las dos principales regiones —costa y sierra—, se encuentran el par de masas lingüísticas bien diferenciadas dentro de la unidad del hablante ecuatoriano. Así, la expresión del costeño es fácilmente reconocible por su modalidad particular y distintiva del hablante serrano. Tomando como base el habla culta, en lo general, el medio de expresión del costeño es más elegante que la expresión del oriundo de la sierra por la elocución misma, esto es, tonalidad y articulación correctas. Las *eres* y *erres* son fuertes y vibrantes en contraste con la pronunciación serrana relajada por la asibilación: las *eres* y *erres arrastradas*. El grupo -TR- del costeño merece aprobación; en cambio, la articulación del serrano es deficiente por relajada, modalidad que le resta elegancia. El costeño, en la conversación estándar y vulgar, resalta la abundancia de vocales y la aparente o real desaparición o relajación de consonantes en el curso rápido del discurso. Si he dado nota superior al costeño sobre el serrano no quiere decir que éste hable mal, o sea deficiente y reprensible su hablar. Lojanos y tulcanejos, situados en los extremos del país, al sur los primeros y al norte con vecindad colombiana los de Tulcán, llevan el premio de articular la *R* y la *RR* correctamente. Además, el hablante culto de la sierra, al expresarse oralmente lo hace de manera acertada, con ritmo más lento que el costeño. «La lengua de Guayaquil es el modelo de los costeños, mientras que la de Quito no goza el mismo prestigio. Por la entonación y por la correcta pronunciación de la *ll*, de la *r* y la *rr*, el habla de Loja suele considerarse como la más elegante del Ecuador. En esa provincia, hasta los indios campesinos, que visten sus trajes peculiares hablan un castellano sorprendentemente correcto» (Toscano, *ibid.*, p. 37). Esta precisión sobre el habla rústica de Loja tiene validez histórica. Hoy ha cambiado un tanto el panorama. Toscano escribió tal observación hace más de cuarenta años. Tanto los elementos lingüísticos como los extralingüísticos se han modificado. Desde 1949 o 1950, el campesino no sólo ha cambiado su indumentaria tradicional; hoy viste *chompa* (la variante inglesa de *jumper*) con inscripciones estrafalarias en el pecho o en la espal-

9.   Justino Cornejo, *El anuncio enemigo de la lengua*, 1943, Quito.

da, tales como *University of Utah*, o la leyenda *New York* con la ilustración de la estatua de la Libertad. Aquel vestido se completa con los recios pantalones *vaqueros*, los comunísimos *blue jeans* para hombres y mujeres. Para completar la indumentaria campesina viene el gorro de fibra sintética con cualquier leyenda en inglés: *Eagle, Rambo*, etc., y el calzado, de lona y caucho con visible letrero con marca extranjera. A este medio circundante que no se aleja ni es extraño al tema lingüístico sino compatible con él, el sujeto, si se halla conforme con algo o alguien, va a decir el consabido *oquey (O.K.)* de otras latitudes y la gente menuda nombrará *papi* y *mami* a sus progenitores. La palabra viajera con su dinamia está presente.

En la entonación hay características particulares que distinguen al hablante de las provincias del Azuay y Cañar de las demás. Se siente el tono, dejo o *cantado* cuencano. Viene el «retroceso del acento», una especie de esdrujulización: *támbien nósotros cáminamos por la órilla délrío*. También el cuencano con su área de influencia se descubre por la articulación correcta de la *ll*, palatal, lateral, sonora *(l)* y la pronunciación típica de las palabras que llevan el prefijo de negación o inversión *des-* colocada delante de sílaba que comienza con vocal o con *h: des-atención, des-unir, des-ayuno, des-habitado*. La /s/ de *des-* se vuelve consonante larga, y de sorda se torna en una sonora fricativa. Además, al fonema *des-* como que se le quiere arrancar del resto de la palabra porque media una pausa mayor que la normal en la silabización corriente. El DES-*ayuno*, o el DES-*amparo* en boca de un cuencano son únicos.

El costeño habla rápidamente; el serrano tiene dicción lenta. El costeño aspira o suprime la *s* como en *mimo* 'mismo', *dejde* 'desde', *rejfrío* 'resfrío', *fóforo* 'fósforo'. También suprime la *s* final de palabra. «En la costa se pronuncian correctamente las vocales... pero las consonantes se articulan menos bien» (Toscano, *ibid.*, p. 37).

DEL ARTÍCULO

El costeño prescinde del artículo definido para nombrar a persona: *María, Alfonso, José, Matilde*. Otro es el modo del serrano, culto o no: *la María, la Luisa, el Antonio, el Rómulo*. Por esto el costeño tacha y moteja al serrano por el vulgar tratamiento.

Vemos algunas veces «el Ecuador», «del Ecuador» y otras, así: «Ecuador», «de Ecuador». Gramaticalmente hablando, no hay regla fija para el empleo o la omisión del artículo con el nombre geográfico. El uso ha dado la pauta: *el Japón, el Ecuador, la Meca, el Ferrol*. Lo corriente entre nosotros es colocar el artículo antes de la palabra *Ecuador*; el forastero generalmente omite el artículo. Ocurre una singular norma en este punto. Sea oralmente, sea por escrito, la omisión del artículo aparece cuando el origen del texto es de fuente extranjera; pero cuando no lo es, siendo entonces ecuatoriano el sujeto que se refiere a nuestro país y menciona al Ecuador vinculándolo con el exterior, internacionalmente, omite el artículo. Así se ve en una nota de prensa de periódico ecuatoriano que dice: «La posición de Ecuador es inamovible en el régimen de las 200 millas»; «Los diplomáticos de Ecuador y de los países garantes se reunirán próximamente»; «El banano de Ecuador entra ya en los mercados asiáticos».

DE LA ELLE

Con esta consonante se genera más de un proceso fonético. En la costa se practica el *yeísmo*: *poyo* 'pollo', *gayo* 'gallo', *caye* 'calle' y en la sierra hay tres articulaciones notables. Al respecto, Toscano dice: «El fonema clásicamente castellano se emplea en el Ecuador en las provincias australes de la Sierra: Cañar, Azuay y Loja. En el resto de la Sierra se pronuncia *z* y en la costa *y*» (*ibid.*, p. 99). Estamos entonces con la *ll*, la consonante palatal lateral sonora *(l)* el fonema castellano clásico; luego, la «elle quiteña» bien nombrada así por Toscano a la *z*, a la que es usual entre nosotros la transcripción *zh* para este fonema palatal alveolar fricativo sonoro. La voz quichua *lluro*, pero, desde luego, la fricación y carácter sonoro de la «elle quiteña» está presente. Pero encuentro un tercer fonema, esta vez fricativo sordo, es decir la variante *sh (s)*. Su presencia la encontramos frecuentemente en el lenguaje rústico con la señal de reconocer sustrato quichua, pero sin que el hablante sea necesariamente quichuahablante. Así, se oye *shave* 'llave', *cashe* 'calle', *cabasho* 'caballo'. Lo sorprendente en el tratamiento de la *elle* con las dos variantes fonéticas de la sierra es que van parejas las articulaciones tanto en el castellano como en el quichua, según sea la región. Así, la *ll* castellana y la quichua se oyen en Loja, Azuay y Cañar; en cambio, la *z*, la «elle quiteña», se escucha por igual en el castellano como en el quichua de los hablantes del norte.

DE LA S-X-SH

La *s* ecuatoriana difiere de la clásica española ápico alveolar cóncava, a la que Toscano compara con articulación aproximada a la *sh* inglesa. La *s* ecuatoriana es «prealveolar, plana, de fricación suave y timbre agudo» (*ibid.*, p. 77).

La *s* cuencana nos delata el origen. Es frecuente la articulación sonora como la *s* francesa de *poison*. Otros ejemplos de *s* sonora vienen del quichua, idioma en el que hay franca existencia del fonema en cuestión. Vulgarismos tomados del quichua son estos con la *s* sonora, a la que ordinariamente —arbitrariamente— se transcribe *z*, pero, desde luego, no se pronuncia tal consonante dental alveolar sorda como lo hace el español. Ejemplos del vulgarismo son estas voces quichuas: *puzun* 'barriga', *jizi* 'risueño' y este verbo de clara etimología castellana: *cazarana* 'casarse'.

Ahora con la *x*. Son dos articulaciones parejas, la una la conversión a *s*, y la otra, *cs* y *gs*, la articulación entre vocales. En el primer caso, el de la reducción a *s*, se observa de modo general el uso en todos los estratos sociales en palabras como *ausilio* 'auxilio', *escusado* 'excusado', *escursión* 'excursión', *estrañar* 'extrañar'. En segundo término, las articulaciones *cs*, *gs* también son corrientes en nuestro medio: *ecsamen, egsamen; écsito, ég-sito*.

El fonema *sh (s)* es de claro tronco quichua. Su pronunciación tiene ambiente mayoritario en el hablante de la sierra. Contamos con estos qui-chuismos vulgares corrientes: *shigra* 'bolsa, bolso de tejido de red', *shúa* 'la-drón, ratero'. En la costa hay hablantes que no atinan a pronunciar el fo-nema *sh*, pues lo sustituyen con la simple *s*. Ejemplo: *Wasinton* en lugar de la correcta *Washington*. Este tratamiento fonético nos lleva a recordar el *shibolet* bíblico pronunciado erróneamente *sibolet*.

En el párrafo anterior ya se tocó el fonema *sh* al tiempo de señalar las variantes ecuatorianas de la pronunciación de la *elle*. Sin embargo, para completarlo diré que *sh* de la vertiente quichua o de otra lengua vernácula está presente en numerosos apellidos autóctonos: *Shañay, Shiguango, Shi-nín, Quishpi*. También en topónimos de la sierra: *Shumir, Shucus, Casha-pamba*. Asimismo, acaso por influencia quichua, se transforman nombres de pila en hipocorísticos familiares como *Ashuca* 'Asunción', *Cunshi* 'Con-cepción', *Ushi* 'Lucía'.

De la b-v-p

Las *b* y *v* no son diferenciadas en nuestro hablar corriente. Y está bien. Por excepción, y como manera de ultracorrección fonética hay unos pocos hablantes que hacen el gesto distintivo de la labial *b* en la labiodental *v*. Entre nosotros generalmente se desconoce la nomenclatura española de *be* y *uve*. Más bien, en boca de escolares se oye el vulgarismo humorístico —festivo— bien extendido de «be grande» o «be de burro», la *b*, y «be chi-ca» o «be de vaca», la *v*.

Porque la *p* a veces queda como *b*, entra en esta sección. El cambio obedece a influencia quichua al modificarse el fonema original del quichua peruano, *p* en *b*. Así: *pampa > bamba; callampa > callamba* (Toscano, *ibid.*, p. 111). Por analogía, la palabra española *jampa* se convierte en *jamba*. En no pocos topónimos tenemos el sufijo *-bamba*, significativo en quichua de *campo, planicie, lugar*, para la formación de numerosas compuestas como *Cusubamba, Challuabamba, Riobamba, Tomebamba*.

De la d

Toscano, hacia 1950 escribió: «La *d* intervocálica de *pasado, cuñado*, etc., no se pierde nunca en la Sierra... en cambio en la Costa se suprime» (*ibid.*, p. 113). Cierto, así es la conducta expresiva de los hablantes ecuato-rianos en el momento presente; pero asoma el pero. Se trata de la excepción. Los *multimedia* contemporáneos acaso son los causantes del fenómeno. Pues hay contados locutores de radio y TV, los ágiles y versátiles comentaristas deportivos y algunos presentadores de noticias y animadores también, todos ecuatorianos, que dicen con aplomo *pasao, cuñao, diputao, preocupao*, bajo la equivocada idea de mostrarse cuidadosos y fieles a la prosodia. La tendencia a imitar usos lingüísticos caracterizados por la relajación y la caída de la *d* intervocálica al fin de palabra —los participios de preferencia— es notoria en el Caribe y según Lapesa: «la pronunciación -*ao* por -*ado* es demasiado plebeya en Méjico y Argentina» (*ibid.*, p. 601). Con este toque ya pueden cambiar de tono quienes han pensado que la relajación, y más todavía, la supresión de la *d* intervocálica en la instancia antes descrita, es muestra de cumplir con refinamiento gramatical en la elocución. No es así.

Montubio es el campesino de la costa. Su lenguaje es muy particular. Suprime la *d* intervocálica: *venío* 'venido', *vendío* 'vendido'.

Como fenómeno inverso al anterior se presenta en la ultracorrección. Vemos: *Cabo Pasado*, accidente geográfico del norte de nuestra costa, en vez del correcto nombre de *Cabo Pasao*. Se trata de nombre vernáculo como es también *Balao* en el litoral, *Alao* en la sierra central y *Cotocollao* en la proximidad de Quito. Hay más.

En la costa, con su foco mayor en Guayaquil, el hablante cambia la *d* final en *t*. Así, se oye *bondat, ciudat, virtut, honestidat*. Este cambio de sonora en sorda se observa en grupos cultos. El origen se remonta al mismo español arcaico peninsular. Pero también ocurre el fenómeno inverso: la supresión de la *d* final. Escuchamos *verdá, ciudá*, entre otras más, siempre en boca de hablante culto.

DE LA CH

Sobre esta consonante tan castellana, pero disuelta por autoridad competente y por lo tanto ausente del abecedario español desde 1995, Toscano tiene esta breve línea: «nada especial hay que anotar respecto a la pronunciación de la *ch*» (*ibid.*, p. 105). Pues sí tengo que añadir algo más sobre la *ch*. Existe la *ch* clásica, la de un fonema-grafía doble de esta típica africada sonora, la que describe Toscano; pero hay una segunda articulación que, además de exagerar la fricación y aumentar su condición palatizada, produce el redondeo de los labios en el momento de la expulsión del aire. Se prueba así lo que la escuela francesa nos habla de la consonante *mouillé*, o *mojada*. Esta *ch* especial está en boca de muy reducido número de hablantes. Pero en todo caso existe la variante.

De paso, el quichua tiene también la *ch*. Es fonema abundante en el vocabulario de esta lengua. Ya en fonema inicial como en interior de sílaba, la africada con las variantes vocálicas llena las páginas de un diccionario quichua. Muestra reducidísima de ecuatorianismos de origen quichua con esta consonante veremos aquí: *chachay, chapo, chasqui, chuchaqui, cachullapi*.

De la m-ñ

La bilabial sonora *m* desaparece en lenguaje vulgar y descuidado como en *miso* 'mismo'. En el grupo *mb* también desaparece: *tamién* 'también', *alunno* 'alumno'.

En cuanto se refiere a la *ñ*, es frecuente observar la palatalización del grupo *ni* seguido de vocal. Así, tenemos estos barbarismos fonéticos: *ñeto* 'nieto', *ñeve* 'nieve', *Antoño* 'Antonio', *matrimoño* 'matrimonio'. Pero por vía inversa tenemos la despalatalización con estos pocos ejemplos: *companía* 'compañía', *alfenique* 'alfeñique', *ninio* 'niño', *danino* 'dañino'.

PARAGUAY

por Manuel Alvar

El marco histórico y geográfico

La ciudad de Asunción se estableció el 15 de agosto de 1537 por Juan de Salazar (nacido en Espinosa de los Monteros, 1508, muerto —pobre— en la ciudad por él fundada, 11 de febrero de 1560). Los franciscanos acompañaron a Pedro de Mendoza, primer adelantado del Río de la Plata (1536), e iniciaron sus actividades en los territorios que hoy son Paraguay y que estuvieron unidos (1575) a los de Santiago del Estero y de San Miguel de Tucumán. Desde 1585 tuvieron noviciado en Asunción, aunque sin local propio.[1]

Los jesuitas llegaron en agosto de 1587 y el 9 de febrero de 1604 hicieron de estos territorios una provincia independiente, que en 1609 tenía asentados los cimientos de su más antigua reducción, la de San Ignacio. Un año después empezó a funcionar su colegio. Fue en los asentamientos de la Compañía de Jesús donde se animaron, principalmente, las representaciones teatrales de los cabildos y se tiene noticia que entre 1615 y 1631, las piezas se hacían en guaraní. Este pueblo había sido pacíficamente sometido por el gobernador Hernando Arias de Saavedra (1601), a pesar de que su nombre en lengua carihó significa *guerrero*. Todo cambió con la dictadura de José Rodríguez de Francia, que despojó cuanto se había formado: aniquiló a las minorías cultas, destrozó la enseñanza, expulsó a las órdenes religiosas, arruinó las misiones y cerró el país al exterior. Cuando murió en 1840, hubo que comenzar desde un principio desolador: le sucedió Carlos Antonio López, a cuyo mensaje (2 de noviembre de 1841) pertenecen estas palabras: «los instrumentos de la educación estaban en completa ruina [...] En efecto, en Asunción no funcionaban sino escuelas primarias, pocas y mal dotadas». Poco hizo, sin embargo, el nuevo mandatario y la terrible guerra del Chaco (1865-1870) arruinó cuanto quedaba y, lo que es peor, inmoló al 90 % de la población masculina adulta (unos 225.000 hombres) y el país perdió 156.000 kilómetros cuadrados de su superficie.[2]

1. Carlos R. Centurión, *Historia de la cultura paraguaya*, t. I, Asunción, 1961.
2. *Vid.* Justo Pastor Benítez, *Formación social del pueblo paraguayo* (2.ª ed.), Asunción-Buenos Aires, 1967.

Paraguay se considera dividido en dos zonas muy diferenciadas: la oriental y la occidental o Chaco, región ésta que «se incorporó tarde a la actividad económica: como campo de pastoreo y por la explotación del quebracho». Moisés S. Bertoni divide el país en tres regiones: Chaco, inmensas llanuras donde crecen variedades de palmas; parte central, o del río Paraguay, la más habitada y cuyo símbolo es el *mbocaya* 'palmera'; y el Paraná o Caaguazú con las selvas en las tierras altas y boscosas.[3] Que esto se proyecte en la lingüística actual es más relativo, pues el país está bajo una gran capa unitaria.

El bilingüismo

Paraguay es la única nación que, junto al español, tiene como oficial una lengua indígena, el guaraní.[4] Llegar a esta situación ha exigido tiempo y ha planteado no pocos problemas que aún siguen en pie. Porque se suscitan multitud de cuestiones a las que debemos atender. En 1968 Joan Rubin publicó un buen libro sobre el *National Bilingualism in Paraguay* al que podríamos hacer algún reparo: la recogida de materiales se hizo en una zona rural de Luque (60 km al noreste de Asunción) con visitas a Concepción (norte del país) y Avaí e Itakyry (en el este). Tenemos ya un primer planteamiento: el estudio del bilingüismo podía llevarse a cabo mejor en zonas campesinas que no en las urbanas, donde el prestigio y necesidad del español era mayor. Sus conclusiones fueron éstas: un 52 % de los hablantes decía ser bilingüe y un 92 % puede hablar la lengua de Castilla. Pero una primera objeción: ¿en qué se basan estos hechos? He llevado a cabo en el país todas las encuestas del futuro atlas de español en Hispanoamérica y mis informantes, elegidos como hispanohablantes sin otros prejuicios, me facilitaron una información que pienso sea objetiva. En otro momento me detendré en las condiciones sociolingüísticas de mis interrogados. Los puntos de encuesta se proyectan en el mapa adjunto.

Pensemos que en la dictadura del doctor Francia (muerto en 1840) se suprimió casi toda la enseñanza, se cerró el comercio y se castigó el uso del guaraní, que sólo fue admitido a partir de 1932,[5] cuando se le identificó con el nacionalismo pujante. Vino la paz, y el español, por las relaciones con otras naciones, se sintió necesario. Pero había surgido el enfrentamiento de las dos lenguas y la batalla en favor del guaraní empezó por 1934: las valoraciones de la lengua indígena fueron muchas veces retóricas y no científicas, que son las únicas que debieran contar; surgieron así libros apologéticos en los que hubo no pocas inexactitudes. Pero el hecho cierto es que el guaraní «no fue exterminado sino —se ha dicho— incorporado». A pesar de cuanto sentimentalmente han afirmado que los guaraníes tenían la *inor-*

---

3. Moisés S. Bertoni, *La civilización guaraní*, 3.ª parte, Puerto Bertoni, 1927.
4. *Vid.* Graziella Corvalán y Germán de Granda, *Sociedad y lengua: bilingüismo en el Paraguay* (2 vols.), Asunción, 1982; Natalia Krivoshein de Canuse, *Educación bilingüe para el Paraguay*, Asunción, 1989.
5. Josefina Pla, *Apuntes para una historia de la cultura paraguaya*, Asunción, 1967.

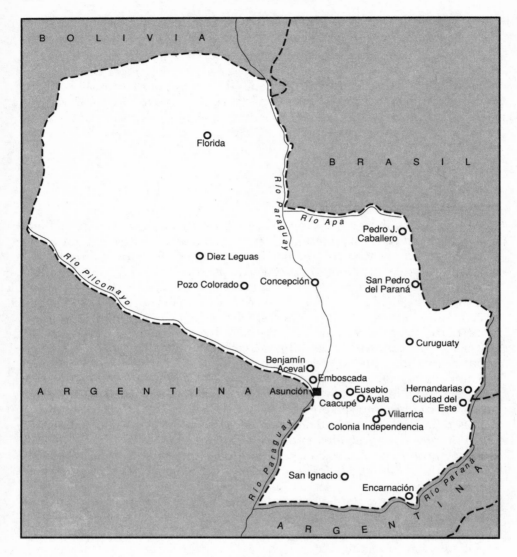

Paraguay, puntos de encuesta.

ganización (con esctructuras tribales, sin organización jurídica, sin división
numérica del tiempo e incapacidad para la cronología). Poco pudo trasla-
dar a la lengua de los conquistadores, y así no hay elementos de su cultura en español, si acaso algo de medicina popular.[6] Entonces el español fue
la lengua de la cultura, pero el pueblo hablaba guaraní.

Mi información es sistemática y rigurosa y ajena a cualquier inclina-
ción afectiva o en busca del prestigio para el débil. Si la morfología del español paraguayo tuviera todos los préstamos que se ha dicho y la sintaxis

6.   Pastor Benítez, *op. cit.*, pp. 20-23 y 36.

cuantos calcos se han apuntado, la lengua sería ininteligible. Y no es cierto. Se habrá oído lo que se ha transcrito, es posible, pero a qué hablantes, a qué nivel, con qué frecuencia. Mis informes son muy otros. Y una cosa es el español del Paraguay, es decir, hablado por paraguayos cuya lengua, única o no, sea el español, y otra, muy distinta, que usen de ciertos elementos gentes que no saben la otra lengua nacional. En estas valoraciones soy mucho más escéptico y mucho más objetivo. Me basaré en trabajos ajenos. Beatriz Usher de Herreros escribió un buen estudio, que venía a ser una «gramática contrastiva castellano-garaní». Pues bien, tomando como punto de partida casi tres mil ejercicios de estudiantes de enseñanza secundaria y de escuelas superiores, los resultados obtenidos son, a mi modo de ver, descorazonadores: «El castellano paraguayo se nos presenta como una lengua simplificada en cuanto se lo compara con la lengua general de los hispanohablantes. No sólo se ha resentido en él el vocabulario y la sintaxis, sino también la expresión oral y escrita, que es pobre y torpe, así como ha menguado la sensibilidad para percibir matices de significación.» Si las cosas sólo fueran así no podría caber mayor desconsuelo, pero resulta que en Paraguay hay una espléndida floración literaria —muy injustamente ignorada y de la que me he ocupado más de una vez—. Pues bien, esta literatura está escrita en un envidiable español. ¿Qué podemos inferir? Mala enseñanza de una lengua, y supongo que también de la otra. Se ha hablado de «tercera lengua»: creo que es mal español o mal guaraní. A estas alturas me parece que vivir en el gueto es harto doloroso.

Pero no acaban aquí las cosas, María Cristina R. de Welti escribió un trabajo que puede complementar el anterior: «Bilingüismo en el Paraguay. Los límites de la comunicación.»[7] Se hizo una encuesta con unos planteamientos muy minuciosos (p. 64b), a unos alumnos que tenían terminados los estudios primarios (muchachos entre 12 y 18 años). Al llegar a unas conclusiones, tras un riguroso método, se tiene conciencia de la anomalía de los mensajes obtenidos, la inseguridad de los contenidos y, como resultado: «estos informantes, con rarísimas excepciones, tienen serias dificultades en el uso del sistema morfosintáctico español» (p. 89b). ¿Es esto bilingüismo? Evidentemente, no, pues lo que hace es perjudicar las relaciones del individuo con la comunidad (p. 91a). Entonces resulta que tendremos que buscar unas nuevas formulaciones para eso que llamamos bilingüismo y que nos llevan a un marco teórico que no es de este lugar.

Estos informes reavivaron la polémica entre los partidarios de un bilingüismo impuesto a ultranza o la preferencia por la lengua de cultura que es el español y el aprendizaje secundario del guaraní. Se suscitan cuestiones que van más allá de la lingüística. Es notorio que Joan Rubin dé unas observaciones sobre las emisiones para difundir o enseñar guaraní,[8] es notorio no porque su información sea objetivamente científica sino por in-

7. *Revista Paraguaya de Sociología*, XVI, 1979, pp. 63-97. *Vid.* también Graziella Corvalán, *Competencia lingüística en español y actitudes de las maestras hacia el guaraní*, Asunción, 1991; *id.*, *La educación bilingüe para el Paraguay*, Asunción, 1992.

8. *Op. cit.*, p. 59. Véase ahora Bartomeu Melià, *La lengua guaraní del Paraguay*, Madrid, 1992, pp. 60-62, especialmente.

formarnos sobre el interés de la Embajada de Estados Unidos por la lengua aborigen. Me parece que esto va contra esa *lingua franca* aséptica que, en un espléndido trabajo, señaló el marqués de Tamarón para el inglés.[9] Tal vez haya que esperar la lengua de los manipuladores de las lenguas.

Vocalismo y traslaciones acentuales

El vocalismo del español paraguayo es de tipo medio. Incluso cuando una vocal queda en posición final por pérdida de la *-s (los toro)* la *-o* se mantiene uniforme. Sólo al encontrarse dos vocales puede producirse algún cambio, pero es raro en la totalidad de los materiales allegados: *peor, teatro, maestro, poeta, cohete* sólo presentan el mismo tratamiento que en Castilla; únicamente transcribí una vez el cierre del primer elemento en *pior*.

En 1930, Amado Alonso puso unas importantísimas adiciones al tomo I de *El español de Nuevo Méjico*, de A. M. Espinosa y en el libro cupo un estudio sobre «Cambios acentuales.» Se ocupó de vocales concurrentes *(páis, ráiz, bául)*, de formas verbales *(váyamos, váyais)* y de voces del tipo *méndigo, périto*. El español de Paraguay —como han señalado todos los autores— no conoce las traslaciones del primer tipo (sólo *maizal*, general, en un conjunto de *maíz*, también universal) es lo que puedo señalar en los materiales del atlas, porque nada significa un *máiz* en la uniformidad del tratamiento. *Raíz* y *baúl* se mantienen inalterables y *almohada* presenta rasgos fonéticos que no son de esta ocasión *(almoada, almoá, almwada* alternante con *almoada*), y nada más. Por último, *diarrea* convierte en yod a la *í* pero en nada afecta a nuestro planteamiento *(diarrea* en uno de los informantes de Emboscada, en otro de Florida y en otro de Concepción). En Ciudad del Este, donde hay gentes venidas de todas partes, se oyó *cwete* 'cohete' y *pweta* 'poeta'. Reuniendo los casos anómalos, hay que considerar su escasísima significación dentro de un conjunto de gran uniformidad y otro tanto habría que decir de la terminación verbal *-ear* mantenida siempre (salvo un ejemplo de Encarnación).

Por lo que respecta al tercer grupo, tenemos *áxila* y *pábilo* en Florida y Diez Leguas, otro pobre testimonio en un conjunto uniforme.

El atlas viene a coincidir con lo que ya se ha señalado en otras ocasiones. No creo que se trate de una influencia del guaraní, sino que son hechos del castellano normal que, como otros, se mantuvieron en una región arcaizante.[10] Los ejemplos considerados se dan en Andalucía y Canarias, donde *maíz, raíz, maestro, almohada* o *diarrea* y *pabilo* tienen correspondencia con los hechos paraguayos.

Por otra parte, los traslados acentuales en el verbo *(véngamos*, etc.) se documentan en Andalucía y Canarias, con lo que obtenemos unos resultados que hay que tener en cuenta, pues como quiera que los hechos anó-

---

9.   *El peso de la lengua española en el mundo*, Madrid, 1965.
10.   Amado Alonso, *Problemas*, p. 326, pensó en acción del sustrato; Malmberg, en «el carácter culto» del español paraguayo; Granda, en un hecho hispánico (*Sociedad, historia y lengua en el Paraguay*, Bogotá, 1988, p. 116).

malos del Paraguay se dan también en las dos regiones que tanto aportaron a la colonización del Río de la Plata, no estamos autorizados a separar hechos paralelos. Por ello no podemos inferir que la situación del español paraguayo discrepe del mundo que lo generó, sino, al contrario, atestigua una fidelidad que continúa los hechos de la España meridional, sin que haya habido ningún otro tipo de influencias.

Bilabiales y labiodentales

La *b* no plantea discrepancias con respecto a la articulación castellana. En posición intervocálica podía perderse *(taurete)* y ante *s* documentamos realización oclusiva y, en no pocas ocasiones, su desaparición *(osequio* 'obsequio', *oservar* 'observar'). Como siempre, la desaparición tiene carácter vulgar y la oclusión está dentro de una serie de realizaciones que se enmarcan en cierta tendencia que hemos encontrado con frecuencia *(absorber, observar)*. Vulgarismos son también el paso de *b* a *l (alsorber* 'absorber'), a *u (ausorber, ausequio, neulina)* y la aparición de una *u* ante la bilabial *(taubla, cauble)*. Paralela a la vocalización de la *b* que acabo de señalar es la *p* en la palabra 'cápsula' *(cáusula)*, que se documenta con harta frecuencia.

La *f* es siempre bilabial, como documento hasta la saciedad por toda América y es también frecuentísima en España.[11] Esta φ se presenta como aspirada en casos de carácter rural, y en palabras empezadas por *we*. Válgannos como ejemplos *huente* 'fuente', *huera* 'fuera', *huerza* 'fuerza'.

Por último, señalaré que he registrado pocos casos de *v* labiodental. Ni con mucho tantos como se ha dicho, ni tan reiterados. Escuché las cintas transcritas y creo que en nada modificaban mi transcripción directa. Pienso que Malmberg acaso tenga alguna razón: no se puede desdeñar que el rasgo se dé en gentes con alguna cultura.[12]

La D

La *-d-* intervocálica se pierde con frecuencia en la terminación *-ado* *(nublao, mojao)*, y en posición final *(verdá, ciudá)*. En el grupo *-dm-* las soluciones fueron muy heterogéneas y no creo que siempre se puedan establecer niveles culturales; recogí *administrar*, etc., con *d* oclusiva, y con *d* fricativa, *a(m)misión*, en hablantes de Florida, Pozo Colorado, Concepción, Emboscada, Eusebio Ayala, Hernandarias; *alministrar* y *almisión* en un hablante de Villarrica; *arministrar, armisión* en Ciudad del Este. Creo que se trata de un caso de polimorfismo como el que he señalado en otros puntos del mundo hispánico. De todos modos hay que anotar el carácter un tanto

11. *Vid.* mis «Comentarios a la gramática japonesa del padre Oyanguren» (en prensa en la *Nueva Revista de Filología Hispánica*) y «Muestras de polimorfismo en el español de la Argentina» (*La lengua española y su expansión en la época del Tratado de Tordesillas*, Madrid, 1995, pp. 129b-130b).
12. *Notas sobre la fonética del español en el Paraguay*, Lund, 1947, pp. 15-16.

arcaico de estas hablas que conservan la -*d*- en casos en que va en situación distinta de la considerada (por ejemplo, -*ido: nido, marido*).

La *s*

La articulación de la *s* es predorsal fricativa sorda. Su tratamiento en posición implosiva da lugar a no pocas realizaciones. Cuando es final absoluta puede desaparecer por completo (*do gayina, la vírhene, rosa* 'rosas', *hueve* 'jueves'), pero el mismo hablante podía conservarla también; es pues un claro caso de polimorfismo que se repite cuando la consonante queda en posición intervocálica por causas fonético-sintácticas. Así, dirán *los- espejo* o *las- oreja*, pero también *lah- oreja* o *loh- espejo* e incluso *la huerza* 'las fuerzas'. Otro motivo de consideración es el tratamiento de la *s* ante consonante: si es sorda *(pasto, hospital, descalzo)* se aspira simplemente, o desaparece *(mordico)*, rasgo no siempre de carácter rural. Pero si la consonante es sonora *(desdoblar, resbalar, rasguño)* se oye *dedoblar, rebalar* y *degracia*, siendo muy excepcional la aparición de algún caso de metafonía como *rahuño*. Creo que es cierta la afirmación de Malmberg y Granda de la no inflexión de la consonante sonora por la pérdida de la *s* precedente en el español del Paraguay. De donde resulta lógico que en los casos de fonética sintáctica se repita el fenómeno con los mismos caracteres *(loh diente, lod diente / los dientes, la barba(s) / las barbas, lo gato / los gatos)*. Ante consonante *(rebuznar, fantasma / las moscas, los machos)* se reiteran las mismas soluciones: *rebunar, rebuhnar, fantahma*, pero *rebusnar, fantasma; loh macho(s) / los machos, loh niño(s) / los niños* y *durano* o *calotro*.

Ante otras consonantes, la -*s* se comporta de manera bien sabida: desaparece ante *rr [lo rico(s)]* o ante φ *(fóforo, blafemar, la fuerzas)*. Mientras que el tratamiento ante *y* sólo debe señalarse en tanto se realiza la palatal con mayor o menor grado de rehilamiento, pues es africada habitualmente y por tanto la presencia de ŷ me parece muy poco significativa. Para concluir, consideraré dos ejemplos del grupo culto -*nst*- *(transparente, instrumento)* que vuelve a manifestar una serie de realizaciones polimórficas que van desde la literaria *(transparente, instrumento)* a otras en las que se pierde la *n*, pero persiste la *s (trasparente, istrumento)*, o se pierde la *s* y persiste la *n (tranparente, intrumento)*, o hay aspiración de la *s (ihtrumento)* o, por último, caen ambas consonantes *(traparente, itrumento)*. Esta pluralidad de soluciones polimórficas en el tratamiento de la -*s* me permite copiar algo que escribí a propósito del habla de las Palmas de Gran Canaria: «Los resultados del polimorfismo impiden hablar de distribución espacial de los fenómenos. Se trata —sobre todo— de hechos que se cumplen de manera indiferente, sin asomo de pretensión selectiva entre los hablantes más espontáneos.»[13]

Por último hay que consignar la presencia abundantísima de una θ

---

13. *Las Palmas*, p. 105, § 41.3. Para bibliografía posterior, *vid*. mi *Polimorfismo Argentina*, pp. 136*b*-139*b*.

postdental, de timbre totalmente distinto del de la *s* según he señalado en muchas ocasiones e incluso publiqué palatogramas que no dejaban el menor asomo de duda.[14] Conste esta realización, señalada por Malmberg y Granda y tomada en consideración por Guitarte. La bibliografía de este rasgo ya va siendo muy abundante y creo que obliga a replantearse la historia del seseo en Canarias e Hispanoamérica.

Las realizaciones de R simple y compuesta

Hay realizaciones como las del español común, pero también tratamientos discrepantes que dan personalidad diferente al español del Paraguay. Malmberg y Granda señalaron diversos motivos sobre los que he de volver, confirmándolos y matizándolos. En primer lugar, aparece una *r* asibilada simple en posición final de palabra. La *rr* vibrante múltiple suele perder sus vibraciones tanto en posición interior (aɹastrar, caɹo, teɹeno) como inicial (ɹata, ɹana), pero, como la *r* simple, mantenía su carácter asibilado (ɹegar, enteɹar). Muy frecuente es la asibilación del grupo -*tr*- en cualquier posición: *ťranco, ťripa, ťres; cuaťro, poťro*.

La *r* ante consonante presenta tratamiento polimórfico, pues junto a la forma estándar *rl (perla)* hay realizaciones con *ř* múltiple en Caacupé; asimilada *(peḷ·la)* en Ciudad del Este y Encarnación, o pérdida *(matala, tenela, subila)* en Eusebio Ayala.

El orden de las palatales

La palatal africada sorda es semejante a la castellana. Su realización como *š* no la tengo documentada y Germán de Granda habla de su decadencia.[15] Que esta *š* nada tiene de extraña en el mundo hispánico se desprende con mirar el *ALEA* (VI, 1709).

La *ll* se conserva con su valor de palatal lateral sonora. Es un rasgo del que los paraguayos se sienten orgullosos y no admiten discrepancias. Es casi universalmente cierto, pero creo que el bloque monolítico empieza a cuartearse: encontré hablantes yeístas, hubo alguna mujer culta que, en las primeras preguntas, respondió con yeísmo, pero pronto volvió a su norma habitual. ¿Podría creer en el yeísmo como rasgo elegante? Acaso se convenciera de lo contrario cuando escuchaba la «agresividad» de mis *elles* septentrionales. Pero quiero dejar constancia de la generalización distinguidora de *ll / y*, y de los asomos yeístas: tuve algún informante que neutralizó, como los de Florida, Diez Leguas, Curuguaté, el de Asunción que alternaba, el de Ciudad del Este y una de las mujeres de Encarnación, que realizaban como *y* o como *ŷ* a la *ll* evolucionada. La distinción no es ex-

14. *Estudios canarios*, Las Palmas, 1967, t. I, lámina ante la p. 71.
15. Páginas 92-93 de *Sociedad, Historia*, etc. Que el rasgo debe estar sumamente debilitado acaso se infiera de un hecho: un gran poeta que fue paciente informante de una larguísima encuesta en la que me dio no pocas informaciones marginales, nunca me habló de esta *š*.

clusivamente paraguaya; se da también en el noreste argentino (por ejemplo, en Misiones). Germán de Granda da razones para explicar la conservación de la *ll*, pero no todas deben tener el mismo peso.

Tal vez tengamos que atenernos al carácter septentrional de los primeros colonizadores y, sobre todo, del aislamiento de la provincia para que valgan esas explicaciones.[16]

La *y* es oclusiva tanto en posición inicial (*ŷema* 'la yema', *ŷegua*, *ŷunque*) como intervocálica (*maŷo, raŷa, ŷuŷo* 'hierba'), pero también se transcribió, rara vez, una consonante algo rehilada *(maẙo)*. En los hablantes yeístas la articulación resultante del paso *ll > y* carecía de oclusión *(caye, tortiya, gayina)* y, tras *-s*, la oclusión podía rehilarse *(la ŷema* 'las yemas', *dežuyar* 'quitar hierbas'). Tenemos, a pesar del polimorfismo, otro rasgo arcaizante del español paraguayo, en el que la *ŷ* forma pareja con la *ŝ*, ambas oclusivas, africadas, pero una sonora y otra sorda. La persistencia de la *ll* queda fuera de esta oposición dual.

Las aspiraciones

La articulación de la aspirada da lugar a los siguientes sonidos:[17]

1. Aspirada sorda en posición inicial o ante consonante sorda, y sonora cuando va en posición intervocálica o ante consonante sonora (*huzgado, habổ, dehcalzo, aguȟa, kaȟốn, deȟgracia*, etc.). Se documenta salvo en las excepciones que siguen:

2. $\overset{h}{x}$: fricativa velar sorda, más abierta y suave que *x* normal castellana; su timbre se aproxima al de una simple aspiración^{ñ}: $\overset{h}{x}ui\theta io$, $me\overset{h}{x}i\underline{l}a$, $pa\overset{h}{x}ita$, etc. (San Pedro de Paraná, Asunción).

3. h^x: aspiración velar sorda; la abertura en que se produce la aspiración es sensiblemente mayor que en $\overset{h}{x}$: $h^x ente$, $leh^x os$, $teh^x er$, etc. (Curuguaté, Florida, Diez Leguas).

La situación del Paraguay en este aspecto es harto semejante a tantísimos sitios de España y América y apunta, una vez más, hacia el carácter meridional de las hablas que estamos estudiando.

Breve nota sobre el polimorfismo

Desde que en 1954, Jacques Allières publicó su importante estudio,[18] tenemos una definición a la que, tácitamente, he venido haciendo referencia:

16. *Vid.* Juan Antonio Frago, *Historia de las hablas andaluzas* (Madrid, 1993, p. 507). Este autor demuestra que el yeísmo estaba muy difundido a mitad del siglo XVI.

17. Aurelio M. Espinosa (hijo) y Lorenzo Rodríguez-Castellano, «La aspiración de la *h* en el sur y oeste de España» (*Revista de Filología Española*, XXIII, 1936, p. 344) y *Polimorfismo Argentina*, p. 136*a*).

18. «Un exemple de polymorphisme phonétique: le polymorphisme de l' *-s* implosif en gascon garonnais» (*Via Domitia*, I, 1954). El texto que traduzco está en las páginas 71-72.

«coexistencia en la lengua de un hablante, de dos o más variedades fonéticas o morfológicas de una misma palabra, utilizadas concurrentemente para expresar el mismo concepto; la selección de cualquiera de ellas es independiente de cualquier búsqueda de expresividad».

Es lógico que el polimorfismo se dé en las hablas populares, más libres de la acción coercitiva de los modelos de ejemplaridad. Y, si pensáramos en las descripciones que hemos hecho, los hablantes más cultos están dentro de la norma panhispánica, mientras que los de instrucción inferior, horros de modelo, realizan sus posibilidades dentro de lo que es el espíritu espontáneo de la lengua y, diré más, serán los cultismos los que abundarán en esa presencia sin nivelar, e irán concordes con variantes de ese tipo que, dentro del espíritu de la lengua, se dan en todo el mundo hispánico.

Morfología y sintaxis

Voy a fijarme sólo en unos rasgos muy sobresalientes, digamos el pronombre *ustedes* (sustituto de *vosotros*), la persistencia en algunos sitios del arcaísmo *vos* 'os' y el *che* como pronombre de primera persona.[19]

El empleo de *le(s)*, *la(s)* y *lo(s)*: «al ladrón *le* llevaron a la cárcel», «a los niños *les* recogieron los vecinos», «a la madre *le* vimos llorando», «vi un libro y *le* compré», etc. Construcciones que fueron estudiadas con su habitual saber por Germán de Granda,[20] que las juzga resultado de una «causación múltiple» en la que han participado la pérdida del carácter morfológico de *les*, analogía con *se* y, acaso, acción del guaraní.

La posición del pronombre con formas impersonales de la conjugación es la propia del español («al venir *yo*» por «al *yo* venir», «sin decir nada *tú*» por «sin *tú* decir nada», «cuando *yo* llegue» por «en *yo* llegando», etc.) y otras construcciones como *nunca más*, *nadie más* por *más nunca*, *más nadie* (propias de América y del sur de España).[21]

En cuanto al verbo, la acentuación es la castellana: *estábamos*, *andábamos* y *vengamos*; no suele aparecer *vide* por 'vi', ni *truje* por 'traje'; las desinencias del perfecto son *-iste* (*viniste*), *-aste* (*llegaste*) y el futuro suele ser sustituido por *voy* + *a* + *infinitivo* (*voy a salir* = 'saldré'). Por último, la conjugación participa universalmente del fenómeno conocido por *voseo*: *vos cantás*, *vos cantarás*, *cantá vos*, *vos cantes* y así las conjugaciones en *-er* y en *-ir*.[22] Las encuestas del atlas de América no me autorizan a discriminar distintas regiones paraguayas en la manifestación de este importantísimo

19. Sobre este pronombre hay un trabajo de muy singular valor debido a Alicia Trueba (lo expuso en Burgos en el V Congreso del español de América).

20. «Origen y formación del leísmo en el español del Paraguay» (*Sociedad...*, pp. 210-241).

21. No tienen carácter general, ni mucho menos, los calcos sintácticos del guaraní en el español, lo que no quiere decir que no se produzcan. Lo que atenúo es su generalización y universalidad (*vid.* Granda, *op. cit.*, pp. 249-273, y, sobre todo, Usher a lo largo de muchísimas páginas de su estudio, que apenas son otra cosa que un estudio comparativo).

22. También ahora debe verse Granda, «Observaciones sobre el voseo en el español del Paraguay» (*Sociedad*, etc., pp. 157-166). En cuanto a los morfemas guaraníes con función verbal no creo que sean una cuestión del español, sino de la lengua aborigen.

proceso, con lo que inferimos que la razón, al explicarlo, está de parte de Granda[23] y no de Rona.[24]

El léxico

Arcaísmos.   Una y otra vez nos hemos referido a la situación periférica del Paraguay, y ello comporta no poco conservadurismo, según probaron los neolingüistas.[25] El *DRAE* da la acepción de americanismo para un par de los términos que siguen, pero esto no niega el arcaísmo de las voces paraguayas. Me permito señalar las siguientes: *argel* 'desgraciado' (como paraguayismo figura en el *DRAE*), *carpir* 'rozar, quitar hierbajos', que de 'arañar' (recuérdense los carpidos medievales que acompañaban a las endechas) ha pasado a ser un término agrícola sumamente difundido; según el *DRAE*, *cobija* es un americanismo que significa 'ropa de cama' (no fue término muy transcrito); *corpiño* era, y aún es en algunas partes, 'almilla o jubón con mangas' de donde la acepción de 'sostén'; *festejar* tiene el mismo valor que en aragonés, 'mantener las relaciones entre los novios' (voz muy difundida para la que no valen las acepciones 3 y 4 del *DRAE*);[26] *frazada / frezada* no es 'manta peluda' sino simplemente 'manta' y aun habría que saber la difusión del término, que no es general, ni mucho menos; *hornalla* no figura en el *DRAE* (sólo el anticuado *fornalla* 'horno') y, sin embargo, la voz paraguaya la transcribí en Asunción, Caacupé, Villarrica y Encarnación, es decir, tres ciudades muy importantes; *limeta* 'botella'; el *miriñaque* fue un 'zagalejo interior de tela rígida que usaron las mujeres' *(DRAE)*, de donde salió la acepción de 'enaguas' recogida en Hernandarias y Ciudad del Este; *pantalla* 'soplillo' es voz muy común que nada tiene que ver con la 'lámina que se sujeta delante o alrededor de la luz para que no moleste'; *pollera* 'falda', usual en muchos sitios de América y general en el Paraguay, ha salido de aquella 'falda que las mujeres se ponían sobre el guardainfante'; *refrigerio* es un 'corto alimento' (dejemos aparte su valor conversacional) que poco tiene que ver con 'tomar el terere [una especie de mate]' en Curuguaté; *retar* 'espantar al perro o al gato' tiene una acepción nueva.

Indigenismos.   Hay que tener en cuenta que el español fue una especie de latín vulgar que incorporó a su vocabulario las palabras que iba adaptando en contacto con la nueva realidad. Así, por ejemplo, de una primera etapa de adopción están los términos del taíno o arahuaco que se adquirieron en las Antillas y que, al pasar a Tierra Firme, se consideraban como patrimoniales (tenemos testimonios en los diccionarios en cuya parte española daban como propias voces de las islas o en las *Relaciones* de Yucatán). Tal

23.   La bibliografía sobre el voseo es abrumadora; para reducirnos a nuestro ámbito, véase el trabajo de Germán de Granda, «Observaciones sobre el voseo en el español del Paraguay» (*Sociedad, Historia*, pp. 157-166).

24.   *Geografía y morfología del voseo*, Pôrto Alegre, 1967.

25.   G. Bartomi y M. G. Bartoli, *Breviario di neolinguistica*, Módena, 1925.

26.   Hubo acción cultural aragonesa en Paraguay, según estudió Purificación Gato Castaño, *La educación en el virreinato del Río de la Plata. Acción de José Antonio de San Alberto en la Audiencia de Charcas, 1768-1810*, Zaragoza, 1990.

sería el caso de *batata*,[27] *enagua, guayaba, hamaca, iguana, maíz* o *maní*. Por razones obvias, abundan también las voces quechuas: *chacra* o *chácara* 'granja' (< *chacra*), *chala* 'espata del maíz' (< *chhalla*), *charque / charqui / chasque* 'carne seca' (< *charqui*), *choclo* 'mazorca tierna del maíz' (< *chocllo*), *papa* 'patata' (< *papa*), *vincha* 'cinta para sujetar el pelo' (< *wincha*), etc.[28] De origen araucano son *laucha* 'rata chica' y *calcha* 'montura'.

Voces guaraníes

Las circunstancias del país, descritas al comenzar estas páginas, hace que multitud de términos guaraníes aparecieran a lo largo de la encuesta. Claro que no a todos hay que dar el mismo valor, pues no es lo mismo el término que aflora en un hablante de sólo español que los que advienen en tropel en las respuestas de otro informante que tiene como lengua principal la indígena, o el bilingüe, que, buen conocedor de ambas, va dando conjuntamente los términos de una y otra lengua.[29] Ya hemos visto cómo en alguna ocasión el hablante no tiene una clara conciencia lingüística y considera indigenismos palabras como *corpiño* (en Eusebio Ayala), y, claro, otra informante de San pedro de Paraná nos dijo ser guaraní una palabra tan poco dudosa como *quijada*. Los términos indígenas corresponden a voces terruñeras: bichos, que poco cuentan en una lengua culta y que han quedado entrañadas en la conciencia rural de estas gentes. A continuación voy a seleccionar unos pocos términos de entre los que aparecieron con mayor frecuencia:[30] *agatí* 'libélula', *ñahetu*, pero la forma correcta debe ser *ñahatí*, pues la equivalencia guaraní es precisamente *ñahatî; buhú / mbutú* 'tábano' (< *mbutû*), *cama* 'ubre' (< *kama* 'ubre, teta'), *había* 'tordo, mirlo' (< *hábiâ* 'tordo'), *mainunguí* 'libélula' (es *mainumby* 'colibrí'); *mamanga* o *mangangá* 'abejorro' dejó unos cuantos derivados que significan 'tábano o moscardón': *mamagá, mamangá; muá* 'luciérnaga' (< *muâ*), *ñeti/ñahatí* 'jején' (< *ñetî*), *pehagüé* 'hijo tardío' (< *pahagüe* 'el benjamín, el más chico'), *teyú / tiyú* 'iguana' (< *teju*).[31]

Conclusiones

Sintetizar en pocas palabras la historia lingüística de un pueblo es osadía impertinente. Pero hemos de pensar en el carácter aislado que tuvo la

27.   *Para la historia de los indigenismos. Papa y batata. El enigma del aje. Boniato. Caribe. Palabras antillanas*, Buenos Aires, 1938.

28.   Para identificar las palabras incas, *vid.*, entre otros, *Vocabulario quichua* [1586] (edic. G. Escobar), Lima, 1951; Diego González Holguín, *Vocabulario de la [...] lengua quichua* (edic. R. Porras Barrenechea), Lima, 1952 [1608].

29.   Cfr. Natalia Krivoshein de Canese y Graziella Corvalán, *El español del Paraguay en contacto con el guaraní*, Asunción, 1987.

30.   Hay «Tres variedades del guaraní casi ininteligibles entre sí: el misionero o jesuítico, el tribal y el guaraní paraguayo», cuyos caracteres y destino fueron apuntados por Natalia Krivoshein de Canese, *Gramática de la lengua guaraní*, Asunción, 1994. Ahora resulta imprescindible el libro de Bartomeu Melià, *La lengua guaraní del Paraguay*, Madrid, 1992.

31.   Para identificar las palabras guaraníes he usado el *Arte y vocabulario* del padre Antonio Ruiz [de Montoya], Madrid, 1640, y el *Diccionario castellano-guaraní, guaraní-castellano* (12.ª edición, Asunción, 1995), de los jesuitas Antonio Guasch y Diego Ortiz.

Provincia del Paraguay antes de la independencia, y su lejanía del mar antes y después y el no haber sido nunca país de inmigrantes. Lo hemos visto reflejado en algunos rasgos, aunque como siempre no valga una sola explicación para multitud de hechos muy complejos.[32] No sé si se puede mantener «el carácter culto del español en este país» (Malmberg, p. 17). Es difícil decir, así, sin discriminar, si la lengua de cualquier nación es culta o no; será lo que de ella hagan sus usuarios. La disputa viene de lejos: podríamos recordar las palabras del padre Bernardo Ibáñez de Echavarri, jesuita expulso que, en *El Reino Jesuítico del Paraguay*, escribió:

> Allí [En España] se piensa que en esta ciudad [Asunción] y las otras están llenas de indios, y que apenas hablan el español; y aquí veo yo que es menester la linterna de Diógenes para encontrar un indio en Buenos Aires, Córdoba o Santa Fe, y que se habla el español con más cultura y pureza que en Madrid, pues no oigo decir como a los zafios: «El probe del hespital tiene mal de estógamo, que se arrima a las paredes de la Trenidad a la meludia, y después se va trempano a casa, sin prencipiar la limosna.»

Por otra parte, la pervivencia del guaraní ha podido influir sobre ciertos rasgos del español regional; sobre todo desde el momento en que la lengua indígena sirvió para defensa de la propia nacionalidad, aunque también en esto hubo exageraciones. Válganos algún hecho: en la guerra de 1932-1935 el gobierno —basándose en razones de seguridad— prohibió el uso del español en el campo de batalla; por otra parte, se empleó el guaraní para llevar mensajes que el enemigo no entendía. Estos hechos reforzaron el nacionalismo servido por la lengua de aquellos indios. Lo cierto es que todo abocó al reconocimiento de la lengua indígena con cuantos problemas he expuesto al empezar estas páginas. Y hoy el español del Paraguay es una lengua hermosa en la expresión de sus grandes escritores, transida de voces indígenas en determinados campos, insatisfactoria en quienes no la dominan. Se trata de hechos que paralelamente se dan en el bilingüismo de cualquier parte. Pero aquí hemos estudiado el español, con sus arcaísmos, con sus correspondencias y discrepancias del rioplatense y con una personalidad claramente definida.

---

32. *Vid.*, además de cuanto he dicho a lo largo de esta presentación, el libro de Bertil Malmberg, *La América hispanohablante. Unidad y diferenciación del castellano*, Madrid, 1970, p. 253. Téngase en cuenta el aislamiento económico que vino a incidir sobre el lingüístico (Rubin, *op. cit.*, p. 23). Hugo Rodríguez-Alcalá, el sagaz ensayista, ha escrito páginas esclarecedoras en *La incógnita del Paraguay y otros ensayos*, Asunción, 1987. (Léase el trabajo que ahí se incluye sobre «La narrativa paraguaya desde 1960 a 1970».)

ARGENTINA-URUGUAY

por Nélida Donni de Mirande

Introducción

En el ámbito de la gran comunidad cultural y lingüística que abarca España y la América hispanohablante, la mayor en el dominio de las lenguas romances, se inscriben el español de la Argentina y el del Uruguay como modalidades lingüísticas hispanoamericanas, sin que esto implique un conjunto uniforme de fenómenos en cada caso.

En el extenso territorio argentino (2.791.810 km² sin contar sectores antárticos) que va desde los 21° 46' de latitud sur en la provincia de Jujuy hasta los 55° 03' sur en la Isla Grande de Tierra del Fuego, y en el cual viven unos 33.000.000 de habitantes, existen diferencias lingüísticas, a veces de importancia, debidas a factores demográficos, históricos, socioculturales y económicos. Es evidente que no habla igual un porteño, habitante de la ciudad de Buenos Aires, capital del país y *puerto* por antonomasia desde la época hispana, que un cordobés, del centro de la Argentina, un correntino, en el litoral fluvial nordeste, un tucumano en el noroeste, o un cuyano, en el centro-oeste. Pero la intercomprensión no se ve afectada por ello, ya que sobre las modalidades regionales parcialmente distintas existe un entramado unitario esencial de estructura funcional y medios expresivos en la Argentina y, más allá de sus fronteras, en toda Hispanoamérica y España. En este entramado se unen los ejes constitutivos de una misma realidad, en la que el medio ambiente humano, como ha señalado M. Alvar, «condiciona al hombre según una doble motivación: la geográfica y la social».[1] Y también, podría agregarse, lo hace la situación de la interacción comunicativa y la tradición histórica, cuyas perspectivas el hombre supera abriéndose a los cauces del cambio.

El Uruguay, por su parte, se sitúa entre los los 30° y 35° de latitud sur y reúne en su territorio de 176.215 km² una población aproximada de 3.000.000. Tampoco se trata de una zona lingüística homogénea, pues existen procesos que manifiestan una regionalización. El más destacado de ellos, según expresa A. Elizaincín,[2] es la división del país en una zona nor-

---

1. «Sociología de un microcosmos lingüístico», *Prohemio*, II, 1, 1971, pp. 5-24.
2. «El español actual en el Uruguay», en C. Hernández Alonso (coord.), *Historia y presente del español de América*, Junta de Castilla y León, PABECAL, Valladolid, 1992, pp. 759-774.

te y otra sur, siendo una de las causas más importantes de esta regionalización norte-sur la presencia del portugués en el nordeste del país.

I. ARGENTINA

Variación del español en la Argentina

En el territorio argentino la variación lingüística, según ya dije, es regional (diatópica) pero se estratifica socialmente y se convierte en cada zona también en variación social, como veremos.

La variación diatópica del país en su conjunto fue estudiada primeramente por B. Vidal de Battini,[3] quien reunió en mapas la distribución de fenómenos lingüísticos (realizaciones de /s/, /r̄/, /l̬/ e /y/, la entonación y el voseo) y la acción eventual de factores extralingüísticos (influencia del sustrato indígena especialmente). De acuerdo con estos criterios, determinó cinco áreas dialectales: litoral (la casi totalidad de la provincia de Santa Fe, zonas de la de Entre Ríos, provincias de Buenos Aires, La Pampa y toda la Patagonia), guaranítica (provincias de Misiones, Corrientes, este de las de Formosa y Chaco, nordeste de la de Santa Fe y norte de Entre Ríos), noroeste (provincias de Jujuy, Salta, Tucumán, Santiago del Estero, Catamarca, La Rioja, norte de San Juan y San Luis, noroeste de Córdoba), Cuyo (provincias de Mendoza, San Juan y norte de Neuquén) y central (provincias de Córdoba y San Luis). El problema lo replanteó después J. P. Rona en el marco más amplio del español americano.[4] Este estudioso reunió en un mapa los varios de Vidal de Battini utilizando una metodología sólo basada en datos lingüísticos referentes a hechos caracterizadores del sistema (yeísmo, žeísmo, voseo y formas verbales del voseo), datos con los que delimitó cuatro regiones: gauchesca, correspondiente a la del litoral y que abarca también al Uruguay; guaranítica, que se prolonga en el Paraguay; santiagueña (provincia de Santiago del Estero y parte de la del Chaco) y oeste y noroeste, que se extiende a Chile y Bolivia. En estudios más recientes de mi autoría[5] y con metodología también basada solamente en datos lingüísticos (yeísmo, žeísmo, pronunciación vibrante o asibilada de /r̄/ y voseo verbal en el presente de indicativo), establecí algunas zonas más que las anteriormente mencionadas: litoral-pampeana (correspondiente a la litoral o gauchesca ya citadas), nordeste (o guaranítica), noroeste (oeste de las provincias de Chaco y Formosa, la mayor parte de Jujuy, Salta, La Rioja, Catamarca y Tucumán, excepto el centro), andina del norte (norte de la provincia de San Juan, oeste de las de La Rioja y Catamarca, extremo norte de Jujuy y parte del noroeste de Salta), cuyano-central (centro y noroeste de la provincia de Córdoba, centro y norte de San Luis, la mayor parte de San Juan, la pro-

---

3. *El español de la Argentina*, Consejo Nacional de Educación, Buenos Aires, 2.ª ed., 1964.
4. «El problema de la división del español americano en zonas dialectales», en *Presente y futuro de la lengua española*, vol. 1, Ediciones del Instituto de Cultura Hispánica, Madrid, 1964, pp. 215-226.
5. Especialmente «Sobre la variación diatópica en el español de la Argentina», en *Actas del Segundo Congreso Nacional de Lingüística*, vol. 2, Universidad Nacional de San Juan, San Juan, 1984, pp. 43-56 y «El español actual hablado en la Argentina», en C. Hernández Alonso (coord.), *Historia y presente del español de América*, pp. 383-411.

vincia de Mendoza y norte de la de Neuquén), Santiago del Estero y regiones menores como la del centro de la provincia de Entre Ríos, la del sur de Jujuy y parte del centro de Salta y la del centro de Tucumán. Algunas de las zonas podrían considerarse de transición o de sistema fusionado (norte de Santa Fe, centro de Entre Ríos, la ciudad de Córdoba, por ejemplo).

Diversos factores lingüísticos y extralingüísticos han influido en la conformación de esta variación lingüística en la Argentina. Uno de ellos es el hecho de que la colonización del territorio se hizo según tres grandes corrientes. La del Río de la Plata vino directamente de España y pobló en 1536 el puerto de Buenos Aires con elementos llegados en la expedición del primer adelantado del Río de la Plata, el andaluz Pedro de Mendoza. El centro de la colonización, después de despoblado el puerto de Buenos Aires, pasó a la ciudad de Asunción, instalada formalmente en 1541. Allí se originó una población numerosa de criollos puros descendientes de españoles y de mestizos y desde ella se fundaron las principales ciudades del litoral (Santa Fe en 1573, Buenos Aires en 1580, por segunda vez, Corrientes en 1588, etc.), prevaleciendo entre sus pobladores los de procedencia del sur de la Península y sus descendientes, seguidos por castellanos y extremeños, así como un porcentaje menor de vascos que, junto con leoneses y castellanos viejos, predominaron entre los jefes colonizadores y militares.[6] La corriente colonizadora del noroeste vino del Perú y sus jefes fundaron, entre otras, las ciudades actuales de Santiago del Estero (1553) y de San Miguel de Tucumán (1565), siendo mayoritarios en estos contingentes los castellanos y riojanos. En Tucumán, además, confluyó una corriente pobladora que venía de Santiago de Chile, con muchos castellanos viejos y vascos. Cuyo, por último, fue poblada desde Chile y se fundaron las ciudades de Mendoza (1561), San Juan (1562) y San Luis (hacia 1591 o 1594). Una parte de los colonizadores de esta región, como los del noroeste y del Río de la Plata, fueron americanos o españoles con larga residencia anterior en América y el resto fueron mayoritariamente castellanos viejos y vascos. A la parcialmente distinta composición demográfica originaria se uniría luego la posterior evolución histórica y sociocultural de las distintas comunidades para explicar hechos lingüísticos divergentes. Así, por ejemplo, en las ciudades de Santa Fe y Buenos Aires se dio un triunfo temprano del español de tendencia meridional, en tanto que en Corrientes, vuelta culturalmente hacia el Paraguay hasta casi fines del siglo XIX y con una sociedad en la que se daba un intenso bilingüismo español-guaraní, se conservaron rasgos del español norteño como la /r̄/ fricativa asibilada y un leísmo frecuente, o se restituyó el uso de /ʎ/ como parte de la norma local luego de un período inicial en que hubo yeísmo.[7]

Otros factores también han influido en la conformación y diferenciación dialectal del español en la Argentina. Uno de ellos es la acción del contacto con lenguas indígenas, cuya mayor incidencia se da en el plano del léxico. El

    6.   Este hecho fue señalado por P. Boyd-Bowman, «La emigración española a América: 1560-1579», en *Studia Hispanica in honorem R. Lapesa*, vol. 2, Gredos, Madrid, 1974, pp. 123-147.
    7.   Véase sobre esto, I. Abadía de Quant, *Observaciones sobre aspectos del español de Corrientes. Siglos XVI-XIX*, Facultad de Humanidades de la Universidad Nacional del Nordeste, Resistencia, 1993, pp. 23-24.

quechua en el noroeste, el guaraní en el nordeste y el araucano en el sur fueron lenguas *generales* que contribuyeron con numerosos vocablos al léxico cotidiano, sobre todo regional, así como, en algunos casos, dejaron huellas en hechos fónicos y morfosintácticos, siendo el araucano o mapuche el que menos vocablos ha dado al vocabulario general (*malón*, ataque de indios, entre ellos). La influencia de estas lenguas indígenas, y aun de otras menores, explica parte de la diferenciación regional del español en el territorio argentino.

A los contactos con lenguas indígenas deben sumarse los contactos con lenguas de inmigración, debido a la afluencia masiva de contingentes migratorios, de origen europeo en gran parte, desde la segunda mitad del siglo XIX hasta fines de la década de los veinte del presente siglo. Los italianos fueron los elementos más numerosos, seguidos por polacos, rusos, franceses, alemanes y otros, además de españoles, predominantemente de procedencia norteña. Los inmigrantes, especialmente los italianos entre los de lengua no hispánica, se radicaron en la ciudad de Buenos Aires y en algunas provincias de la región litoral-pampeana (especialmente Buenos Aires y Santa Fe), así como en Córdoba, Mendoza, Tucumán y otras. En la ciudad de Buenos Aires, el contacto de italianos con los grupos populares nativos produjo interferencias y algunas variedades mixtas o continuos bilingües, como el *cocoliche*, resultado de un bilingüismo transitorio español-itálico, y también la incorporación de numerosos italianismos en el *lunfardo*, argot delictivo en su origen, en el lenguaje popular y aun en diversas áreas del léxico general (alimentación, vida cotidiana, etc.).[8]

Otro contacto, que contribuye a diferenciar el español de la provincia de Misiones y el de Corrientes, en menor medida, es el que se produce en esas zonas con el portugués del Brasil y que se manifiesta en el uso de vocablos de ese origen y en otros planos de la lengua, sobre todo en zonas del alto Uruguay.[9] En las últimas décadas, por lo demás, está en marcha un

8. El *cocoliche* fue estudiado por G. Meo Zilio, «El cocoliche rioplatense», *Boletín de Filología* (Santiago de Chile), XVI, 1964, pp. 61-119; por B. Lavandera, «El componente variable en el uso verbal bilingüe», en *Variación y significado*, Hachette, Buenos Aires, 1984, pp. 61-75 y por M. B. Fontanella de Weinberg, «Variedades intermedias entre el italiano y el español», en *La asimilación lingüística de los inmigrantes*, Universidad Nacional del Sur, Bahía Blanca, 1979, pp. 75-87 y «Variedades lingüísticas de contacto. El caso del cocoliche», en *El español bonaerense. Cuatro siglos de evolución lingüística (1580-1980)*, Hachette, Buenos Aires, 1987, pp. 138-142. El *lunfardo* tiene una amplia bibliografía desde la obra de A. Dellepiani, *El idioma del delito*, A. Moen, Buenos Aires, 1894. Para los datos sobre ello véanse los títulos reunidos en mi trabajo «Argentina», en *El español de América. Cuadernos bibliográficos*, vol. 4, Arco/Libros, Madrid, 1994, pp. 99-102.

9. A este tipo de contacto dedicó J. P. Rona el trabajo *El caingusino: un dialecto mixto hispano-portugués*, Facultad de Humanidades y Ciencias, Montevideo, 1959. Cainguás es un departamento de la provincia de Misiones, sobre el río Uruguay, cuyos habitantes hablan una variedad lingüística mixta de portugués brasileño y español. Entre los estudiosos argentinos esa variedad mixta se llama *portuñol*. Noticias de interés sobre la provincia de Misiones trae G. Sileoni de Biazzi, en *Ensayos sobre un área dialectal de lenguas en contacto: la provincia de Misiones*, Universidad Nacional de Misiones, Posadas, 1985. Acerca del tema de la asimilación lingüística de distintos grupos inmigrantes pueden verse, además del estudio de M. B. Fontanella de Weinberg, *La asimilación lingüística de los inmigrantes*, citado en nota 8; de la misma autora con otras colaboradoras, *Lengua e inmigración*, Universidad Nacional del Sur, Bahía Blanca, 1991; de M. B. Fontanella de Weinberg, M. Blanco de Margo, E. Rigatuso y S. Suardíaz de Antollini, «Mantenimiento y cambio de lengua en distintos subgrupos de la comunidad italiana del partido de Bahía Blanca», en Vincenzo Lo Cascio (ed.), *L'italiano in America latina*, Felice Le Monnier, Florencia, 1987, pp. 204-230; de N. Prevedello y A. Malanca de Rodríguez Rojas, «La lengua de los inmigrantes italianos en Córdoba y sus descendientes. Una cuestión de prestigio», en Vincenzo Lo Cascio (ed.), *L'italiano in America latina*, pp. 231-242; etc.

proceso de unificación lingüística según la modalidad del habla de la ciudad de Buenos Aires, centro social, cultural, político y económico del país cuya influencia es cada vez más notoria como foco de irradiación lingüística para el resto de la Argentina.

Fonología

En el español de la Argentina no hay alteraciones de importancia en la articulación de los cinco fonemas vocálicos tónicos con respecto al español medio. Cuando son átonos, los mismos pueden cerrarse o abrirse en sociolectos medios y bajos: [komisería], [polesía], [meníhtro], [sepoltúra], etcétera. En los mismos tipos de sociolectos se cierran, en el noroeste, los fonemas /e/ y /o/ finales de palabra: [póku], [ésti]. Por otra parte, en lengua rural y sociolectos bajos urbanos de todo el país la /o/ de la terminación -*ado* se suele cerrar en /u/.

En lo que se refiere al consonantismo, hay que señalar en primer término que el seseo es general en la Argentina desde las épocas tempranas de su historia. La única sibilante que presenta el sistema fonológico se realiza como un fonema predorsodentoalveolar convexo fricativo y sordo en posición explosiva (/s/), aunque hay algunas zonas rurales del centro de la provincia de Buenos Aires, centro y norte de Santa Fe, interior de Corrientes y Entre Ríos y oeste de Río Negro, entre ellas, en que la sibilante en tal posición es interdental fricativa sorda (ceceo).

En posición implosiva, la realización de /s/ varía en cada región según la estratificación social y el registro del discurso. La aspiración y elisión de -/s/ se dan en casi todo el territorio argentino, con la excepción de zonas de la Puna y la provincia de Santiago del Estero donde aparece una /s/ tensa y silbante que se mantiene mejor al final de sílaba y palabra. En el sociolecto culto de Buenos Aires el índice de elisión es del 14 % en promedio, mientras que la aspiración está más avanzada, como lo ha señalado T. Terrell.[10] La elisión de -/s/ al final de palabra en esa variedad es del 21 % ante consonante, 5 % ante vocal y 11 % ante pausa. Tanto la ciudad de Buenos Aires como la de Bahía Blanca, estudiadas con métodos cuantitativos,[11] muestran ser conservadoras al prevalecer la retención de sibilante en las realizaciones del segmento. En Rosario, al sur de la provincia de Santa Fe, estudié el proceso en el marco del modelo variacionista con aplicación del programa logístico computacional VARBRUL 2.[12] El estudio evidenció que en el conjunto de los sociolectos rosarinos la elisión está más avanzada que en Buenos Aires, alcanzando al 24,7 % de las realizaciones de superficie. La aspiración está favorecida por la posición interna (coeficiente de probabi-

10. «La aspiración y elisión de /s/ en el español porteño», *Anuario de Letras*, XVI, 1978, pp. 41-66.
11. M. B. Fontanella de Weinberg examinó el proceso en la ciudad de Bahía Blanca en *Un aspecto sociolingüístico del español bonaerense. La -s en Bahía Blanca*, Universidad Nacional del Sur, Bahía Blanca, 1974.
12. «El segmento fonológico /s/ en el español de Rosario (Argentina)», *Lingüística Española Actual*, XI, 1989, pp. 89-115.

lidad del .61), el contexto preconsonántico (.69) y la aparición de formas verbales (.61) o nominales redundantes (.51), el nivel socioeducacional bajo (.53), la generación joven (.51) y el estilo espontáneo (.56). La elisión es impulsada por la posición final de palabra (.52), el contexto prepausal (.65), la ocurrencia en formas verbales (.59) y en formas nominales redundantes (.52) y el nivel socioeducacional bajo (.54). Esto último y el hecho de no ser favorecida por la generación joven indican que no es un proceso en avance actualmente.

En lo que se refiere a la conservación o no de la oposición entre /y/ y /ʎ/, existen en la Argentina zonas de conservación de la misma (la región nordeste y la andina del norte), en tanto que todo el resto del país no la ha conservado, esto es, presenta yeísmo. La zona mayoritaria de yeísmo se subdivide, a su vez, en regiones con y sin žeísmo (pronunciación de /y/ con rehilamiento o no). El žeísmo es un hecho de origen urbano que se irradia desde la ciudad de Buenos Aires y otras del área litoral-pampeana hacia el interior, siendo general en la ciudad de Salta y en la de Tucumán. La provincia de Santiago del Estero presenta un yeísmo diferenciado con realización rehilada de /ʎ/ y no rehilada de /y/.[13] Por otra parte, las zonas žeístas muestran procesos de ensordecimiento parcial o total del fonema /ž/, señalado ya en la ciudad de Buenos Aires en 1930 por A. Alonso y A. Rosenblat.[14] El proceso atrajo la atención de numerosos estudiosos hasta que en fecha reciente C. Wolf y E. Jiménez llegaron a la conclusión de que el ensordecimiento es casi completo en el grupo más joven de los porteños, que las mujeres lideran el cambio y que es el sociolecto alto donde está más avanzado.[15] En Bahía Blanca, al sur de la provincia de Buenos Aires, M. B. Fontanella de Weinberg indicó, entre otras cosas, que las mujeres y los jóvenes son los grupos que muestran índices mayores de realizaciones sordas de /ž/.[16] En Rosario, en el sur de la provincia de Santa Fe, el ensordecimiento de /ž/ está menos avanzado que en la capital del país. En un estudio que llevé a cabo con igual metodología que la usada para examinar el debilitamiento de -/s/ aparece en avance en la actualidad. El ensordecimiento parcial está favorecido por la posición interna (coeficiente .55), la ocurrencia en sílaba tónica (.51), el contexto posconsonántico (.55), las mujeres (.53), los grupos jóvenes, 25-35 años (.53), los de edad intermedia, 36-55 años (.52) y los niveles socioeducacionales medio y alto (.51). El ensordecimiento total, segunda etapa del proceso, se ve impulsado también por la posición interna (.51), la ocurrencia en sílaba tónica (.52) y el contexto pos-

13.   Esta noticia fue consignada por B. Vidal de Battini, en *El español de la Argentina*, p. 79 y repetida luego por otros estudiosos.

14.   Nota a A. Espinosa, *Estudios sobre el español de Nuevo México*, vol. I, Facultad de Filosofía y Letras de la Universidad Nacional de Buenos Aires, 1930, p. 200.

15.   «El ensordecimiento del yeísmo porteño, un cambio fonológico en marcha», en A. M. Barrenechea, M. Monacorda de Rosetti, M. L. Freyre, E. Jiménez, T. Orecchia y C. Wolf, *Estudios lingüísticos y dialectológicos. Temas hispánicos*, Hachette, Buenos Aires, 1979, pp. 115-144. Más de veinte años antes, G. Guitarte había señalado que era un fenómeno que se extendía entre las mujeres y en la burguesía media, «El ensordecimiento del yeísmo porteño», *Revista de Filología Española*, XXXIX, 1955, pp. 261-283.

16.   *Dinámica social de un cambio lingüístico*, UNAM, México, 1979.

consonántico (.55), así como por las mujeres (.60), los jóvenes (.61), los hablantes de edad intermedia (.53) y el nivel socioeducacional alto (.64).[17]

Con referencia a la /r̄/, en la Argentina se realiza como vibrante en el área litoral-pampeana (excepto ciertas áreas cordilleranas del sur patagónico), en tanto que la articulación de la misma como fricativa y asibilada se extiende por todo el interior del país. En algunas áreas como Corrientes se realiza como asibilada en la norma estándar pero alterna con la realización vibrante en los niveles populares.[18]

Otros hechos se registran en casi todo el territorio argentino, como es el caso de la reducción o alteración de los grupos consonánticos, aspecto de la variación diastrática y diafásica de la lengua, es decir, de la referente a la estratificación social y a los estilos del discurso. La reducción de estos grupos, que forma parte del debilitamiento general del consonantismo implosivo en el español con predominio de las sílabas abiertas, es más intenso en los sociolectos bajos y en el estilo descuidado.

Morfosintaxis

Uno de los rasgos más caracterizadores del español en la Argentina es el llamado voseo, esto es, el uso del pronombre *vos* en lugar de *tú* como sujeto y como término de complemento. El paradigma pronominal es etimológicamente mixto, ya que se completa con las formas *te* como objeto y *tu / tuyo* como posesivo. Este voseo pronominal es prácticamente general en el país, en todos los sociolectos urbanos y rurales y en los distintos niveles de estilo. El pronombre *tú* sólo se oye excepcionalmente en algunos hablantes mayores de ciertas familias tradicionales.[19] La situación es más compleja respecto de las formas verbales que se usan con esos pronombres. Si se toma en cuenta el presente de indicativo, existen zonas (litoral-pampeana y nordeste) en que se usan formas voseantes monoptongadas del tipo *-ás, -és, -ís (cantás, comés, vivís)* y otras (sociolecto bajo de la ciudad de Tucumán, parte de Cuyo y del centro del país como centro y nornoroeste de Córdoba, casi la totalidad de San Luis, sur de San Juan, Mendoza y norte de Neuquén) en que aparecen las también monoptongadas de tipo *-ás, -ís, -ís (cantás, comís, subís)*. En gran parte del noroeste se da un paradigma mixto *-áis,-ís, -ís (cantáis, comís, subís)* que alterna en los sociolectos altos y medios con formas voseantes monoptongadas. En la provin-

17. «Sobre el ensordecimiento del žeísmo en Rosario (Argentina)», en *Homenaje a Humberto López Morales*, Arco/Libros, Madrid, 1992, pp. 171-183.
18. Según señala O. Kovacci, «El español de la Argentina. Diversidad y unidad», *Boletín de la Academia Argentina de Letras*, LIV, 1991, pp. 343-374. Alternancias similares entre la vibrante y la asibilada se registran en algunos puntos de las provincias de San Juan, Mendoza y Río Negro. Véase sobre San Juan, de R. M. Sanou de Los Ríos, «Variantes de /r̄/ en San Juan», en *Actas del Segundo Congreso Nacional de Lingüística*, vol. 3, Universidad Nacional de San Juan, San Juan, 1989, pp. 195-210. Véase también M. Alvar, «Muestras de polimorfismo en el español de la Argentina» (*La lengua española y su expansión en la época del tratado de Tordesillas*, Valladolid, 1995, pp. 125-145).
19. En ciertas ocasiones, entrevistas periodísticas por televisión, por ejemplo, suele aparecer esporádicamente el uso de *tú* como forma intermedia de tratamiento entre el *vos* de confianza y el *usted* de mayor respeto y distancia social.

cia de Santiago del Estero aparecen las formas pronominales voseantes con verbales tuteantes *(vos cantas, comes, subes)*. En sociolectos bajos urbanos y rurales del noroeste, Cuyo y centro del país, se registran las formas diptongadas *-áis, -éis, -ís (cantáis, coméis, vivís)*.

Respecto de otras formas verbales que acompañan a *vos*, en el imperativo es general el uso de las formas voseantes *(cantá, comé, viví)*. En el pretérito perfecto simple de indicativo, las formas con *-ste* y *-stes* alternan en todo el país y en los distintos sociolectos, prevaleciendo la forma *-ste* en los sociolectos altos y en el habla cuidada. En el presente de subjuntivo el uso presenta más variación entre formas tuteantes y voseantes. En el sociolecto culto de la ciudad de Buenos Aires predominan las tuteantes *(vos cantes, comas, vivas)* frente a las voseantes *(vos cantés, comás, vivás)*, aunque los jóvenes tienden a emplear más estas últimas, lo mismo que en la ciudad de Rosario.[20] En el sociolecto alto de la ciudad de Salta los jóvenes y los hablantes de edad intermedia prefieren las formas voseantes y algo semejante ocurre en Tucumán,[21] en tanto que en la ciudad de Mendoza los sociolectos alto y medio prefieren las formas tuteantes para el subjuntivo desiderativo mientras que en el sociolecto bajo predominan las voseantes, aumentando el uso de estas últimas en la exhortación.[22]

En los pronombres personales *vosotros, -as* y *os* han desaparecido de la lengua oral, siendo reemplazados por *ustedes* y *se*, respectivamente, con formas verbales de tercera persona plural *(ustedes cantan, comen, viven)*. Las formas *vosotros* y *os* se usan esporádicamente en la oratoria, aunque se los considera afectados.

Como en gran parte del territorio hispanoamericano, los pronombres átonos *lo / los, la / las* y *le / les* se acomodan en la Argentina al uso etimológico, es decir, que los dos primeros se emplean como objetos directos y *le / les* como objetos indirectos, siguiéndose la norma del español meridional.

20.   Véase M. I. Siracusa, «Morfología verbal del voseo en el habla culta de la ciudad de Buenos Aires», en J. M. Lope Blanch (ed.), *Estudios sobre el español hablado en las principales ciudades de América*, UNAM, México, 1977, pp. 383-393. Sobre los usos pronominales en Rosario puede verse S. Boretti de Macchia, *El español hablado en el litoral argentino. El pronombre*, Universidad Nacional de Rosario, Rosario, 1977. La alternancia *-ste ~ -stes* fue estudiada por la misma S. Boretti de Macchia y M. C. Ferrer de Gregoret, «La segunda persona singular del pretérito perfecto simple», en N. Donni de Mirande, S. Boretti de Macchia, M. C. Ferrer de Gregoret, N. Martino y C. Sánchez Lanza, *El español de Rosario. Estudios sociolingüísticos*, Universidad Católica Argentina, Rosario, 1987, pp. 23-40. En mi estudio «El español actual hablado en la Argentina», en C. Hernández Alonso (coord.), *Historia y presente del español de América* me refiero a distintos tipos de voseo en la Argentina (p. 386).

21.   Sobre el voseo en Salta véanse S. Martorell de Laconi e I. Rossi de Fiori, *El voseo en la norma culta de la ciudad de Salta*, Universidad Católica de Salta, Salta, 1986 y *Estudios sobre el español de la ciudad de Salta*, Editorial Roma, Salta, 1986; S. Martorell de Laconi, *El español de la Argentina con especial referencia a Salta*, Instituto Salteño de Investigaciones Dialectológicas, Salta, 1992, pp. 99-111; etc. Acerca del voseo en Tucumán trae datos E. Rojas, *Aspectos del habla en San Miguel de Tucumán*, Universidad Nacional de Tucumán, Tucumán, 1980, pp. 77-79. Un estudio más detenido del mismo en la misma ciudad es el de la citada autora con varias colaboradoras, «El voseo en San Miguel de Tucumán», *Boletín del Instituto de Investigaciones Lingüísticas y Literarias Hispanoamericanas* (Tucumán), 4, 1984, pp. 7-50.

22.   Así lo señalan N. Moreno de Albagli, D. Ejarque, O. Duo de Brottier, M. Ramallo de Perotti y L. Cubo de Severino en «Construcción del paradigma pronominal y verbal del voseo en Mendoza», *Anales del Instituto de Lingüística* (Cuyo), XIII, 1987, pp. 85-149. Más títulos de estudios sobre voseo reuní en «Argentina», *El español de América. Cuadernos bibliográficos*, pp. 51-55.

Sólo esporádicamente aparecen en el país casos de leísmo, uso de *le / les* como objetos indirectos con el rasgo [+ persona], como en el español norteño. De esto debe exceptuarse la región nordeste o guaranítica (provincias de Corrientes, Misiones y este de las de Chaco y Formosa), en las que el leísmo está ampliamente difundido.[23]

En el paradigma verbal han desaparecido del uso en lengua oral el pretérito anterior de indicativo *(hube cantado)* y los dos futuros de subjuntivo (*cantare* y *hubiere cantado*), cuya existencia se ha documentado hasta fines del siglo XVIII y aun en el XIX en el español bonaerense, en el de Santa Fe, Corrientes y Tucumán.[24] En lo referente al futuro de indicativo, existe en todo el país la tendencia a reemplazar la forma sintética por perífrasis, especialmente por la formada por *ir a + infinitivo*, según sucede en otras variedades del español como la de México.[25] También es general en la Argentina el predominio de las formas en *-ra* frente a las en *-se* del subjuntivo (pretéritos imperfecto y pluscuamperfecto). En el uso de los pretéritos perfectos simple y compuesto de indicativo hay tendencias en distintas zonas a preferir uno u otro de ellos, apareciendo olvidadas o poco claras las diferencias funcionales y semántico-pragmáticas entre las dos formas. En la zona litoral-pampeana se emplea sobre todo el perfecto simple,[26] tanto que en el noroeste y en la región central se prefiere la forma compuesta.

Léxico

En el caudal de voces de origen hispano, obviamente el más importante, se emplean en la generalidad del territorio argentino vocablos hoy en desuso en el español peninsular, aunque muchos de ellos aparecen en otras zonas americanas. Entre ellos deben mencionarse, por ejemplo, *barranca* (corte vertical y profundo en el terreno), *barrial* (lugar cubierto de barro o

23.   Véase I. Abadía de Quant, *Observaciones sobre aspectos del español de Corrientes. Siglos XVI-XIX*, p. 90.

24.   Sobre ello pueden consultarse M. B. Fontanella de Weinberg, *El español bonaerense. Cuatro siglos de evolución lingüística (1580-1980)*, pp. 35-36; E. Rojas, *Evolución histórica del español en Tucumán entre los siglos XVI y XIX*, Universidad Nacional de Tucumán, Tucumán, 1985, pp. 105-109 y 260-261; I. Abadía de Quant, *Observaciones sobre aspectos del español de Corrientes. Siglos XVI-XIX*, pp. 97-98. En un estudio, en prensa, que me pertenece, «El español en Santa Fe durante el período hispano», trato estos hechos en detalle, los que ya había señalado en algunos estudios anteriores más breves como «El español en Santa Fe (Argentina). Cuestiones de historia lingüística y variación sincrónica», *Anuario de Lingüística Hispánica*, VII, 1991, pp. 131-149.

25.   La preferencia por el uso de la perífrasis *ir a + infinitivo* con valor de futuro de indicativo, señalada sobre todo en el español de América, es en México, como en la Argentina, muy notable, según consigna J. Moreno de Alba, *Valores de las formas verbales en el español de México*, UNAM, México, 1978, pp. 90-94. E. Luna Traill, *Sintaxis de los verboides en el habla culta de la ciudad de México*, UNAM, México, 1980, pp. 166-172, se refiere también al valor de futuro de dicha perífrasis en el sociolecto culto de la ciudad de México, valor que es el más frecuente en dicha variedad.

26.   Sobre esto, N. Donni de Mirande, *El español hablado en el litoral argentino. Formas personales del verbo*, Universidad Nacional de Rosario, Rosario, 1977, pp. 46-48 y «El sistema verbal en el español de la Argentina: rasgos de unidad y de diferenciación dialectal», *Revista de Filología Española*, LXXII, 1992, pp. 655-670. Sobre usos en la ciudad de Rosario puede verse también M. C. Ferrer de Gregoret y C. Sánchez Lanza, «El verbo y su función en el discurso», en N. Donni de Mirande, S. Boretti de Macchia, M. C. Ferrer de Gregoret y C. Sánchez Lanza, *Variación lingüística en el español de Rosario*, Universidad Nacional de Rosario, Rosario, 1991, pp. 45-108.

lodo), *lindo*, *pararse* (levantarse), *pollera*, *vidriera*, etc. Muchos términos tienen origen marinero, habiendo sido incorporados en los largos viajes hasta América. Estas voces se usan con referencia a actividades y lugares terrestres, como *atracar* (acercar, arrimar un vehículo), *balde* (cubo para agua), *flete* (caballo, coste de un transporte de carga), *playa* (*de estacionamiento*, lugar para estacionar vehículos), *virar* (doblar), etc.[27] A causa del proceso de koinización producido en el español americano y en el que participaron elementos meridionales junto con otros de distintas regiones españolas, en el léxico usado en la Argentina aparecen voces de origen andaluz (además de voces marineras que tienen ese origen): *cachetear*, *empeñoso*, *limosnero*, entre ellas. De origen canario es, por ejemplo, *botarate*, en tanto que otros vocablos son occidentalismos (leonesismos, galleguismos, portuguesismos): *carozo*, *buraco*, *cardumen*, *laja*, *tamango*, etc.

Muchas voces del léxico general provienen de las más importantes lenguas indígenas americanas, incorporadas como patrimoniales al español en la Argentina como en gran parte de América.[28] Del taíno son *batata*, *cacique*, *canoa*, *hamaca*, *maíz*, *maní*, *tiburón* y otras. Otras lenguas caribes aportaron *butaca*, *caimán*, *caníbal*, *piragua*, etc. Del náhuatl provienen *cacao*, *camote*, *chocolate*, *hule*, *tiza*, *tomate*, por ejemplo, y del quechua proceden vocablos también muy usados corrientemente: *alpaca*, *carpa*, *cancha*, *chacra*, *choclo*, *chúcaro*, *cóndor*, *locro*, *mate*, *ojota*, *pampa*, *papa*, *poroto*, *puma*, *tambo*, *vicuña*, *zapallo*, etc. Otros vocablos son de origen guaraní, lengua regional en el nordeste del país, como *ananá*, *mandioca*, *ñandú*, *ombú*, *patí*, *surubí*, *tapera* y otros. Del araucano o mapuche ha pasado al léxico general *malón* (ataque de indios, hoy con sentido ampliado a irrupción desordenada de muchas personas).[29]

Las voces de procedencia africana, numerosas en otras regiones americanas como las Antillas y la costa de Colombia, no son muy frecuentes en la Argentina. Entre los afronegrismos hay nombres de frutas *(banana)*, de danzas o instrumentos musicales *(bongó, candombe, conga, mambo)*, sustantivos diversos referentes a creencias y prácticas religiosas *(macumba, vudú)*, tal vez *mucamo,-a* (camarero) extendido del Brasil al Río de la Plata y algunos más.

Es importante en el repertorio léxico el aporte de préstamos de diversas lenguas europeas. Entre esos préstamos están los provenientes de lenguas de cultura y prestigio internacionales como el francés, de difusión general en español (*bagaje, ballet, cachet, chantaje, chic, debut, elite, masacre, remise, rol*, etc., además de otros numerosos términos del dominio de la moda, gastronomía y vida social). Los anglicismos aparecen con mayor fre-

27.   Al respecto hay estudios como el de D. L. Garasa, «Voces náuticas en tierra firme», *Filología*, 4, 1952-1953, pp. 169-207; los de B. Vidal de Battini, «Voces marinas en el habla rural de San Luis», *Filología*, 1, 1949, pp. 104-149 y «Voces marinas en el léxico de la Argentina», en *Primeras Jornadas Nacionales de Dialectología*, Universidad Nacional de Tucumán, Tucumán, 1977, pp. 43-48; etc.

28.   Muchas de ellas aparecen ya en los primeros documentos del siglo XVI en distintas zonas de la Argentina.

29.   A las voces del léxico general hay que añadir numerosos términos de uso familiar y más restringido, así como designaciones referentes a la fauna, flora, toponimia y antroponimia en distintas regiones.

cuencia en las áreas léxicas de la ciencia, la técnica, los deportes y la vida cotidiana, siendo muchos de ellos préstamos directos (*barman, box, clearing, compact, film, flash, fútbol, gol, grill, hockey, rugby, sandwich, sexy, snob* y muchos más).

En algunas zonas, especialmente en la rioplatense, son muy abundantes los préstamos del italiano o dialectos itálicos. Aparecen en todos los sociolectos en los dominios más cercanos al habla familiar y espontánea, sobre todo en el léxico de la alimentación, de la familia, de la vida cotidiana: *antipasto, bondiola, grisín, minestrón, panceta, pesto, pizza, ricota, salame, nono, nona, pibe, batifondo* (alboroto), *biaba* (paliza), *crepar, chau, esbornia* (borrachera), *falluto, fiaca* (pereza), *laburo, linyera* (vagabundo), *morfar, morfi* (comer, comida), *mufa* (mal humor), *mufado, yeta* (mala suerte) y muchos más.[30]

II. URUGUAY

La situación lingüística actual del Uruguay muestra, según últimas investigaciones, que no se trata de una zona homogénea sino que existe una división del país en una zona norte y una zona sur, como lo señala A. Elizaincín.[31] La causa quizás más importante de esa división es la presencia del portugués en el nordeste del país. Hay variedades lingüísticas portuguesas muy antiguas que conviven en la región norte con variedades del español, ejerciendo influencias sobre ellas. El poblamiento del país no tuvo una única procedencia. El sur fue poblado originariamente por elementos hispánicos con predominio de canarios, en tanto que otros de origen lusitano, llegados desde Brasil, ingresaron al país por la zona nor-nordeste, aunque esos asentamientos fueron fugaces. Como en la Argentina, en el Uruguay confluyen en la segunda mitad del siglo XIX corrientes migratorias de diverso origen en las que prevalecen los italianos, aunque la presencia hispánica también fue importante.

Si bien no existe hasta el presente un trabajo global acerca del español en territorio uruguayo, los avances del Atlas lingüístico diatópico y diastrático permiten pensar que pronto se contará con ello.[32]

30.   Los italianismos en la región del Río de la Plata han sido objeto de estudios de G. Meo Zilio, como «Genovesismos en el español rioplatense», *Nueva Revista de Filología Hispánica*, XVII, 1963, pp. 245-263; «Italianismos generales en el español rioplatense», *Thesaurus*, XX, 1965, pp. 68-119; «Italianismos meridionales en el español rioplatense», *Boletín de Filología* (Santiago de Chile), XVII, 1965, pp. 225-235 y otros. En colaboración con E. Rossi, el mismo G. Meo Zilio publicó *El elemento italiano en el habla de Buenos Aires y Montevideo*, Imprenta Valmartina, Florencia, 1970. Con anterioridad a los estudios de G. Meo Zilio, R. Donghi de Halperín había publicado «Contribución al estudio del italianismo en la República Argentina», *Cuadernos del Instituto de Filología* (Buenos Aires), 1, 1925, pp. 183-198 y «Los italianismos y la lengua de los argentinos», *Quaderni Ibero-Americani* (Turín), 3, 1958, pp. 446-449.

31.   «El español actual en el Uruguay», en C. Hernández Alonso (coord.), *Historia y presente del español de América*, pp. 759-774.

32.   Como señala A. Elizaincín, las investigaciones van mostrando una situación cada vez más compleja y heterogénea de la realidad lingüística y cultural del Uruguay. Véase de este autor «El español actual en el Uruguay», en C. Hernández Alonso (coord.), *Historia y presente del español de América*, p. 762. Sobre los orígenes y la evolución histórica del español en ese país trata el mismo A. Elizaincín en «Historia del español en el Uruguay», incluido en el volumen recién citado, pp. 743-758.

En el aspecto fonológico el tema más investigado ha sido la realización de -/s/. W. Vásquez, en un estudio al respecto, concluyó que debido a la frecuente pérdida de -/s/ habría un cambio fonológico de apertura de las vocales /a, e, o/ para indicar el plural.[33] Éste y otros aspectos han merecido luego estudios e interpretaciones diferentes.[34] A. Elizaincín, refiriéndose a algunos rasgos típicos de las variedades del español del nordeste, en contacto con los dialectos portugueses del Uruguay (llamados hoy DPU), ha destacado que hay en el campo fónico una variabilidad muy grande y que en el vocalismo los procesos más interesantes son la apertura de las vocales medias /e, o/ y la nasalización y centralización de /a/. En el consonantismo señala las realizaciones oclusivas de /b/ y /d/ en posiciones en que el español prefiere la solución fricativa (entre vocales), así como la realización como labiodental sordo del grafema *v* y el mantenimiento de la sibilante implosiva en lugar de las realizaciones aspiradas o nulas de otras variedades del español.[35] El mismo autor, al referirse al español rural, expresa que es común el cierre de vocales medias, la elisión de -/r/ final en los infinitivos y la aspiración o elisión de la -/s/, en zonas rurales aisladas esparcidas en todo el territorio. En el departamento de Canelones, al sur del Uruguay, en el español de áreas rurales existen, entre otros fenómenos, confusión de líquidas o eliminación de ellas al final de palabra y cierre de las vocales medias en el interior de palabra, siendo notorio el cierre de /o/ al final de palabra.[36]

Montevideo, capital del país sobre la cual ejerce presión lingüística la ciudad de Buenos Aires, comparte con muchas variedades americanas rasgos como el seseo, el zeísmo, común con la ciudad de Buenos Aires y que presenta formas sonoras y sordas en todo el territorio uruguayo, así como la aspiración y elisión de -/s/.[37]

En lo referente a la morfosintaxis, distintos trabajos se han dedicado a los usos de la segunda persona singular. J. P. Rona señaló que en todo el país predomina el uso del voseo, con la excepción de la zona ultraserrana (departamentos de Rocha, Lavallejo y Maldonado) y la de la cuenca del río Tacuarembó.[38] L. Behares después ha indicado que en la zona ultraserrana no existe sólo el tuteo exclusivo sino que éste alterna, por influencia del habla montevideana, con el uso de *tú + verbo voseante* (*tú cantás, comés*, etc.). Al estudiar el habla de Montevideo, A. Elizaincín y O. Díaz llegan a la conclusión de que la norma prefiere la combinación *tú cantás, comés, vivís,*

33. «El fonema /s/ en el español del Uruguay», *Revista de la Facultad de Humanidades y Ciencias*, 10, 1953, pp. 87-94.

34. Como el de J. Ricci, *Un problema de interpretación fonológica en el español del Uruguay*, Imprenta García-Morales-Mercant, Montevideo, 1963.

35. «El español actual en el Uruguay», en C. Hernández Alonso, *Historia y presente del español de América*, pp. 762-763.

36. También en «El español actual en el Uruguay», p. 768. El español rural del departamento de Canelones fue estudiado recientemente por V. M. Groppi y M. Malcuori, «Losotro semo canario. El habla rural del Noreste de Canelones», trabajo citado por A. Elizaincín en «El español actual en el Uruguay», p. 768, nota 21.

37. Así lo señala A. Elizaincín, «El español actual en el Uruguay», en C. Hernández Alonso, *Historia y presente del español de América*, pp. 770-771.

38. *Geografía y morfología del voseo*, Pontificia Universidade Católica do Rio Grande do Sul, Porto Alegre, 1967.

pero en el uso concreto la forma más frecuente es *vos cantás, comés, vivís,* en tanto que *tú cantás* es propia de la clase media y media alta.[39] Más recientemente, A. Elizaincín ha indicado que el voseo pronominal y verbal está generalizado en el español rural uruguayo (*vos cantás, comés, vivís*). En la ciudad de Rocha, donde se considera que se habla el mejor español del país, el tuteo pronominal y verbal perdura en los niveles más bajos de la población, y los niveles altos, aun cuando usan el tuteo, sufren la influencia de otras variedades del sur donde ya predomina el voseo. En Montevideo, según el mismo Elizaincín, la norma sería la de una forma mezclada (*tú cantás*), forma estándar montevideana que distingue a los habitantes de esa ciudad. En el imperativo, por otra parte, para la segunda persona singular se usan las formas *cantá, comé, viví* si la orden es positiva y las de subjuntivo *no cantes, comas,* etc., cuando la orden es negativa, aunque cada vez sean más frecuentes las formas *no cantés, comás,* etc.[40]

39.   El trabajo de L. Behares es «Estudio sociodialectológico de las formas verbales de segunda persona en el español de Montevideo» y el de A. Elizaincín y O. Díaz es «Sobre tuteo/voseo en el español montevideano», ambos incluidos en el volumen compilado por A. Elizaincín, *Estudios sobre el español del Uruguay,* Facultad de Humanidades y Ciencias, Montevideo, 1981, pp. 27-49 y 81-86, respectivamente.

40.   «El español actual en el Uruguay», en C. Hernández Alonso, *Historia y presente del español de América,* p. 771. Los estudios sobre léxico no están muy desarrollados en el Uruguay, como indica A. Elizaincín, en el trabajo recién citado, p. 766, aunque pueden recordarse los estudios de G. Meo Zilio sobre italianismos en el español rioplatense, por ejemplo, citados en nota 30, y otras investigaciones sobre galicismos, anglicismos y portuguesismos cuyos títulos han reunido A. Elizaincín y M. Coll en «Uruguay», *El español de América. Cuadernos bibliográficos,* vol. 4, pp. 137-138.

CHILE

por Claudio Wagner

No es fácil dar cuenta de la variación del español hablado en Chile cuando la información de que se dispone es escasa y por añadidura dispersa. «El concepto de variación es un universal del funcionamiento de las lenguas», dice Pottier,[1] y cuando se trata de la variación geográfica, su determinación consiste en una tarea compleja y delicada.

Si el propósito final de un estudio dialectológico es determinar la fragmentación dialectal de un territorio determinado, la historia de la zonificación propuesta para Chile adolece de mayores dificultades que la propuesta para Hispanoamérica. En efecto, aunque para este último territorio los intentos de división dialectal obedecen a criterios diversos —cuatro al menos—,[2] las zonas resultantes de la mayoría de ellas se justifican como producto de una selección de rasgos lingüísticos, lo que no ocurre con las propuestas de zonificación dialectal para Chile, o por lo menos ello no se ve con claridad.

La de Rodolfo Lenz primero y las de Alejandro Cañas Pinochet y Rodolfo Oroz luego[3] no presentan diferencias esenciales entre sí: todas proponen cuatro zonas dialectales, con diferencias de extensión, pero ninguna de ellas descansa sobre fenómenos lingüísticos específicos, que uno pudiera identificar con precisión. En realidad, estos intentos de determinación de zonas dialectales habría que tomarlos como meras referencias, porque aunque seguramente están fundadas en observaciones lingüísticas, o incluso experiencias de lenguaje, hasta ahora no han sido comprobadas por insuficiencia de datos rigurosos que hagan posible determinar el tipo y la extensión de los diversos fenómenos seleccionados. El problema, pues, continúa abierto, ya que sólo investigaciones globales del tipo de los atlas

---

1. Bernard Pottier, «La variación lingüística y el español de América», *RFE*, LXXII (1992), fascs. 3.°-4.°, *El Español de América*, pp. 283-295.
2. *Ibid.*, *op. cit.*, pp. 287 y ss.
3. Rodolfo Lenz, *Diccionario etimológico de voces chilenas derivadas de lenguas indígenas americanas*, edic. revisada por Mario Ferreccio P., Universidad de Chile, Santiago, 1982, pp. 49-54, quien, además, se refiere a la división dialectal propuesta por Cañas Pinochet en *El español en Chile*, *BDH*, tomo VI, trad., notas y apéndices de Amado Alonso y Raimundo Lida, Buenos Aires, 1940, pp. 28-29; Rodolfo Oroz, «El español de Chile», en *Presente y futuro de la lengua española*, vol. I, Actas de la Asamblea de Filología del Primer Congreso de Instituciones Hispánicas, OFINES, 1964, p. 93, y *La lengua castellana en Chile*, Facultad de Filosofía y Educación, Universidad de Chile, Santiago, 1966, p. 46.

lingüísticos pueden garantizar materiales precisos que permitan establecer científicamente esas deseadas zonas dialectales.

Hace poco acaba de finalizar —para el sector chileno— la recopilación de los datos correspondientes al Cuestionario lingüístico de Hispanoamérica, que dirigen Manuel Alvar y Antonio Quilis.[4]

Una somera revisión del material, especialmente el relativo a la sección fonética, corrobora —en una primera aproximación— lo que estudios dialectales parciales ya permiten concluir: que en el nivel culto se advierte, a lo largo de todo el país, una relativa uniformidad; en el habla popular, en cambio, se han desarrollado algunas variedades dialectales cuyas áreas están a la espera de ser determinadas.

Las dos descripciones globales con que contamos para el español de Chile: la de Oroz y la de Rabanales, ambas en dos versiones,[5] en la práctica no describen zonas dialectales, aunque la primera parte proponiendo una zonificación *a priori*.

En dialectología no interesan sólo las diferencias lingüísticas; también tienen importancia los fenómenos que cubren gran parte o la totalidad de un territorio. Como dice Pottier, «sólo se puede hablar de diferencias y divergencias en la medida en que se reconocen ciertas semejanzas y afinidades», una «mínima base unitaria virtual»,[6] que para el caso del español de Chile está constituida por una serie de fenómenos lingüísticos de carácter fónico, gramatical y léxico de uso general en el país en todos los niveles, y que con tanta propiedad describe Rabanales en sus obras ya citadas. A ellas remitimos, lo que nos excusa de reiterarlos en estas páginas.

Fuera del *ALH-Chile*, los estudios regionales de carácter dialectal que nos puedan servir de fuentes son escasos, pero fiables por su utilización del método geolingüístico: ellos son el *Atlas Lingüístico de la provincia de Parinacota (ALPA)*, y los estudios de él derivados,[7] que dan cuenta de una interesante región del extremo noreste de Chile; un trabajo en que se aplica el método geolingüístico al habla de la población que vive en torno al salar de Atacama, todavía en el norte de Chile,[8] y varios estudios geolingüísticos que cubren la zona sur del país: en primer término, el *ALESUCH*,[9] que abarca las provincias de Cautín, Valdivia, Osorno, Llanquihue y Chiloé, entre los grados 38 y 46 latitud sur, y del cual desgraciadamente sólo se publicó un

4. Claudio Wagner, Gustavo Rodríguez, Eduardo Roldán y Luis Tecas, «El Atlas Lingüístico de Hispanoamérica en Chile» (*Estudios Filológicos*, n.º 29 [1944], pp. 15-24).

5. Las de Ambrosio Rabanales son «Perfil lingüístico de Chile», en *Logos Semantikos. Studia linguistica in honorem Eugenio Coseriu*, Gredos, Madrid, 1980, y «El español de Chile: situación actual», en *Historia y presente del español de América*, Junta de Castilla y León, Madrid, 1992, pp. 565-592.

6. B. Pottier, *op. cit.*, p. 284.

7. Magdalena Contardo y Victoria Espinosa Santos, Informe final de investigación del Proyecto FONDECYT 90-0417, *Atlas lingüístico de la provincia de Parinacota*, Universidad de Tarapacá, Vicerrectoría Académica, Arica, 1995. (Inédito, al igual que el Atlas.)

8. Gustavo Rodríguez, M. Orieta Véliz y Ángel Araya, «Particularidades lingüísticas del español atacameño (II)» (*Estudios Filológicos*, n.º 16 [1981], pp. 51-77).

9. Guillermo Araya, Constantino Contreras, Claudio Wagner y Mario Bernales, *Atlas lingüístico y etnográfico del sur de Chile (ALESUCH)*, tomo I, que incluye Nota preliminar, Índice y Tabla de transcripción fonética (I-IX), 314 mapas lingüísticos y 7 láminas de dibujos, Universidad Austral de Chile y Edit. Andrés Bello, Valdivia, 1973.

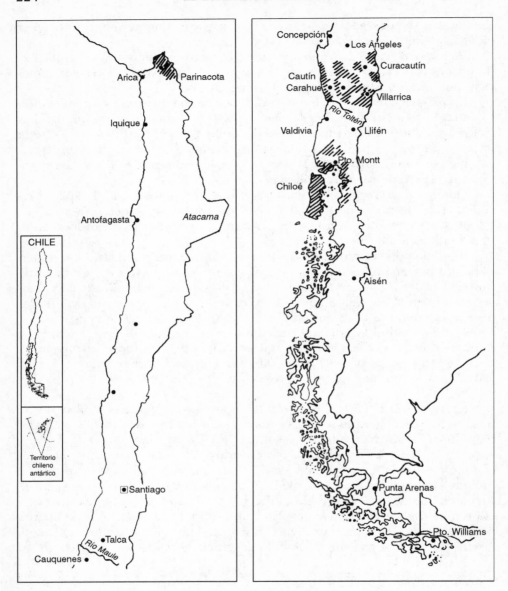

Chile, zonas dialectales y referencias.

único volumen sobre léxico general y urbano; luego un estudio geolingüístico de la provincia de Valdivia, inédito, anterior al *ALESUCH*;[10] otro sobre
el habla de la provincia de Cautín;[11] varias descripciones puntuales, de ca-

    10.   Claudio Wagner, «El español en Valdivia: fonética y léxico» (*Estudios Filológicos*, n.º 3
[1967], pp. 246-302).
    11.   Carlos Ramírez S., «Forma lingüística del habla rural de la provincia de Cautín (Chile)»
(*Estudios Filológicos*, n.º 7 [1971], pp. 197-250).

rácter parcial, del español hablado por la población mapuche de los alrededores de Tenuco y de la comuna de Victoria, algo más al norte[12] y un trabajo descriptivo relativo al habla de Chiloé.[13]

De acuerdo con los antecedentes expuestos nos ha parecido que, para el propósito de esta presentación y el espacio de que disponemos, lo más adecuado era seleccionar algunos fenómenos fónicos y gramaticales entre los reconocidos como más generalizados del habla hispanoamericana, que pudieran permitir una eventual caracterización dialectal del español de Chile en el contexto de Hispanoamérica. Dado este condicionamiento, ellos deberían corresponder a rasgos del español hablado en Chile considerados como 1) muy acusados y, al mismo tiempo, 2) de dudosa distribución, en razón de la coexistencia de normas en pugna.[14] Ellos se describen a continuación.

Inestabilidad de las vocales átonas.   La relativa inestabilidad de las vocales átonas, en cualquier posición, es un fenómeno que caracteriza el vocalismo del español en muchos lugares de Hispanoamérica. En Chile, el fenómeno se manifiesta, en el habla informal y por todas partes, en el cambio de timbre de las vocales protónicas tanto como postónicas. Éstas raramente llegan a perderse.

En Putre, provincia de Parinacota, se comprueba con frecuencia el ensordecimiento de la vocal átona en posición final de palabra, fenómeno muy llamativo, pero no generalizado ni aun en un mismo individuo. La provincia de Parinacota, en muy alto porcentaje, mantiene la vocal átona, frente a ocasionales ocurrencias de cambios de timbre o, incluso, de elisión.

En el salar de Atacama, en cambio, aunque se trata igualmente de una región serrana y relativamente aislada, la transformación de timbre de las átonas medias marca una tendencia al cierre, especialmente en posición final: *monte* [mónti], *gato* [gá:ttu], *despacho* [tihpášo].

Algunos estudiosos[15] han aventurado una posible explicación sustratística del fenómeno, basados en el comportamiento similar de unas cuantas palabras del único glosario existente en kunza, lengua de la antigua cultura atacameña, que tuvo por centro la región del salar. Pero, primero, desgraciadamente la información sobre el kunza es del todo insuficiente como para fundamentar una hipótesis de sustrato y, segundo, el fenómeno (me

12.   Arturo Hernández y Nelly Ramos, «Rasgos del castellano hablado por escolares rurales mapuches. Estudio de un caso», *Revista de Lingüística Aplicada*, n.º 16 (1978), pp. 141-150, y «Estado de la enseñanza del castellano a escolares mapuches del área rural. Un problema de bilingüismo y lenguas en contacto» (*Estudios Filológicos*, n.º 14 [1979], pp. 113-127), y «Situación sociolingüística de una familia mapuche. Proyecciones para abordar el problema de la enseñanza del castellano» (*Revista de Lingüística Aplicada*, n.º 21 [1983], pp. 35-44). A Daniel Lagos y Selma Olivera pertenece «Algunas características del español hablado por los escolares mapuches de la comuna de Victoria» (*Estudios Filológicos*, n.º 23 [1988], pp. 89-102).

13.   Constantino Contreras, «Estudio lingüístico-folklórico de Chiloé: mitos y actividades laborales rudimentarias» (*BIFUCh*, tomo XVIII [1966], pp. 59-212).

14.   Naturalmente, los eventuales fenómenos lingüísticos localizados y que, por lo tanto, escapen a esta selección, deberán ser considerados, por derecho propio, como caracterizadores dialectales.

15.   Gustavo Rodríguez *et al.*, *op. cit.*, p. 61.

refiero a la metafonía de las vocales medias en posición final) aparece en otros lugares del país, aunque en bastante menor proporción (la provincia de Valdivia) y se ha comprobado en otros lugares del mundo hispánico, lo que demuestra que forma parte de las tendencias evolutivas propias de la lengua. En Chiloé no hay ocurrencias de metafonía en posición final y en Cautín tampoco, salvo en la zona rural con predominio de población mapuche, donde el fenómeno existe para la -/o/ y es atribuible a la influencia del mapudungu, que para el fonema /o/ tiene los alófonos [o] y [u]: *fardo* [vár.ḍu], *durazno* [tu.ṛá.nu], *anillo* [a.ní.ḻo].

Modificación y pérdida de /-s/. En Chile, la /s/ en posición final de palabra mayoritariamente se aspira o se pierde, aunque también se documenta con menor frecuencia su realización como tal. En Parinacota se dan estas tres variantes, pero en otro orden: la pérdida es mínima en frecuencia, no significativa, dándose una pugna muy pareja entre la conservación de -/s/ y su aspiración. En el salar de Atacama se produce pérdida de -/s/ y también su aspiración, pero no sabemos con qué frecuencia ni en qué magnitud.

A pesar de la falta de estudios de conjunto con datos suficientes como para despejar las tendencias —conservadora o innovadora— o verificar los cambios ya realizados, lo que queda claro es que de las tres estrategias en uso, el mantenimiento de -/s/ es la menos utilizada,[16] por lo que su fuerte presencia en el extremo noreste del país asume el carácter de arcaísmo y confirma la información proporcionada por Zamora Vicente en el sentido de que «la -s se conserva en la meseta de Méjico, el Perú y algunas regiones andinas».[17]

En el español de los mapuches de Cautín, la -/s/ se pierde sistemáticamente por interferencia del mapudungu, que no expresa el plural con una marca afijal como el español: *los perros lo sintieron* [lo pé.ṛo lo sin.tjó].

Indistinción de /y/ y /ḻ/. Zamora Vicente, al referirse al yeísmo, dice que «América ofrece aún restos visibles de /ḻ/ lateral, en contra de la creencia generalizada».[18] En relación con Chile, señala que casi todo el país es yeísta, basándose en la información proporcionada por Oroz en 1963, para quien la pugna entre ambas palatales sólo parece subsistir en pequeñas zonas del centro meridional (del río Maule a Cautín) y del sur (Aisén). En sus obras de 1964 y 1966, Oroz precisa bastante más esa información, señalando como islotes lleístas Talca, Quirihue, Cauquenes, Antuco, Los Ángeles, Angol, Cautín y Aisén. Ahora se puede completar esta información, pues, de acuerdo con nuestros datos, la provincia de Parinacota practica la distinción notoriamente más en el estrato bajo que en el alto. La coexistencia de ambos elementos (con oposición débil y sin valor fonológico) es también regular en el salar de Atacama: [ḻúƀja, yúƀja], [kordiyéræ, kordiḻéræ].

---

16. Así lo corroboran los datos documentados por Ramírez, Contreras y nosotros mismos para las provincias sureñas, tanto como el material aportado por el tomo I del *ALESUCH*.
17. Alonso Zamora Vicente, *Dialectología española*, Madrid, 1967, p. 417.
18. *Ibid.*, pp. 76 y ss.

Bastante más al sur se encuentra en Curacautín, una localidad precordillerana de la provincia de Malleco: [gă̰ʎo], [kaƀă̰ʎo].

La provincia de Cautín merece un apartado especial. Allí subsiste la /ʎ/,
pero en la localidad donde se pronuncia coexiste con la [Y], incluso en un
mismo individuo, lo que ocurre en Carahue: [gaʎínæ], [ehtř̥éʎa], Toltén:
[káʎe], *yuguillo* [ʎugíʎø], Villarrica: *cebolla* [seóʎa], Loncoche y Gorbea. Por
otro lado, en la zona rural de población indígena de Cautín, la presencia de
/ʎ/ en las palabras españolas es normal, probablemente favorecida por la
existencia de sonido semejante en el mapudungu.

Más al sur, en Llifén, localidad precordillerana de la provincia de Valdivia, también ha sido documentada la prepalatal lateral: *cogollo* [kogóʎo],
patilla [patíʎa] 'vástago', en medio de una región muy mayoritariamente
yeísta.

Palatalización de las velares.   Rabanales, en 1980, da cuenta de una articulación mediopalatal de /k, x, g/ delante de /e, i/, del tipo [ḱéro, ḱjéro],
que sería general para todo Chile. Este fenómeno existe en otras regiones
de Hispanoamérica y en la Península, según afirma Zamora Vicente, pero
en América está más extendido en Chile que en otros sitios.[19]

Dieciséis años antes, Oroz, al describir la pronunciación de las velares
de Chile,[20] menciona el carácter mediopalatal y aun prepalatal de la /g/ y /x/
y, para la primera, su uso frecuente en lengua culta y casi general en lengua popular, pero restringido a la zona comprendida entre Antofagasta y
Valdivia; la [ǵ], al menos, no aparecería, entonces, ni en el extremo norte
ni en el extremo sur.

Pues bien, los datos proporcionados por el *ALH-Chile* nos presentan un
panorama algo diferente: el adelantamiento de las velares es general, en
ambos niveles, desde Punta Arenas, por el sur, hasta Copiapó, por el norte.
Aquí, el nivel culto alterna el adelantamiento con la articulación velar: *hi-
güera* [iǵéra], *extranjero* [ˋehtraŋxéro], lo mismo que ocurre en la ciudad de
Arica, en la costa del extremo norte. En el nivel popular, en ambas ciudades, la pronunciación es exclusivamente mediopalatal. En Antofagasta, la
penetración del neologismo es aún débil, pero de todas formas implica la
alternancia de ambas pronunciaciones. Putre y Toconao, las dos localidades preandinas, son mayoritariamente conservadoras, aunque no faltan los
ejemplos de adelantamiento. En Iquique, finalmente, sólo encontramos la
articulación mediopalatal, y en ambos niveles, lo que convierte a esta ciudad en un islote lingüístico de avanzada en un territorio mayoritariamente
conservador, que aparentemente está sucumbiendo a la expansión del fenómeno.

Asibilación de /tr/.   La información proporcionada por Oroz y Rabanales coincide en afirmar que en el país /r/ y /r̄/ son articuladas como vibrantes o como fricativas asibiladas. Esta última pronunciación es muy co-

---

19.   Zamora Vicente, *op. cit.*, pp. 389 y 414.
20.   R. Oroz, *El español de Chile*, p. 99.

mún en el habla popular y, en general, en el habla descuidada. Agrupada con las dentales, especialmente con /t/, en el uso popular se convierte en una articulación ápico prepalatal africada sorda [tř] en todo el país.[21] En el nivel culto alterna con la pronunciación canónica.

A pesar de la primera afirmación, se encuentran islotes de /tr/ sin asibilar en el nivel popular en algunas zonas rurales aisladas: uno es la provincia de Parinacota, donde no se registra caso alguno de asibilación del grupo. En esta región existe la asibilación de /r̄/, pero, consistentemente, registra una ocurrencia menor en la mitad que su pronunciación como vibrante múltiple. Otro islote está constituido por la isla de Chiloé, donde los hablantes adoptan un comportamiento diferente según se trate del grupo /tr/ en vocablos españoles o mapuches. En estos últimos, el sonido asibilado es general y suena muy marcado a nuestros oídos, porque su punto de articulación es prepalatal: *traiguén* [třaigén] 'cascada', *trauco* [třáu̯kø, šau̯kø] 'ser mítico'. En palabras castellanas, muy rara vez este grupo o /dr/ se asibilan.

Voseo y tuteo.   La situación descrita por Oroz respecto de la distribución del voseo y del tuteo en Chile parece no haber variado. Para la segunda persona singular no formal se escuchan dos formas: {tú} y {vos}, en cuya distribución se entrecruzan los criterios geográfico y social. En efecto, el uso de la 2.ª persona de plural como singular predomina en el nivel popular en todo el país, alternando con el uso de {tú}, que es usual, por su parte, en el nivel culto. Para los grupos cultos, en general, el empleo de {vos} aparece fuertemente estigmatizado.

En términos generales, voseo y tuteo, como dice Oroz,[22] son usos paralelos a lo largo de todo el país, con predominio general del {tú} sobre el {vos}. No obstante, señala que hay algunas zonas donde se comprueba un empleo más acentuado del {tú} que en el resto del país: ellas son la zona norte, en particular desde Iquique hasta Antofagasta, y la isla de Chiloé, en el sur.

De acuerdo con los datos a nuestro alcance relativos a este fenómeno, para la provincia de Parinacota no es posible confirmar ni refutar la afirmación anterior. Lo único que se comprueba allí es la coexistencia de {vos} y {tú}, y el uso no sólo de un voseo directo: *voh ehtái*, sino también de uno encubierto: *tú ehtái*, es decir, la combinación de {tú + voseo verbal}.

En el salar de Atacama predominan fuertemente las formas del tuteo frente a las del voseo, pero con vacilaciones verbales, que asume también el voseo: *voh cantái ~ vos cantah*; *tú cantah ~ tú cantái*. Similar comportamiento se atestigua en Chiloé.

En la provincia de Cautín, el uso de {tú} y {vos} corresponde al del resto del país: {tú} se emplea familiarmente y entre personas de confianza, combinado con las formas verbales correspondientes o con el voseo verbal: *tú tienes ~ tú teníh*; {vos} es utilizado por las personas mayores para dirigirse a sus hijos o a otras personas menores: *vení voh p'acá*, y también muy

21.   R. Oroz, *La lengua castellana en Chile*, p. 111.
22.   *Ibid.*, pp. 295-297.

frecuentemente entre jóvenes y niños en situaciones informales. Su uso está contraindicado con personas desconocidas.

Con respecto al español hablado por los mapuches de Cautín, en éste la única fórmula de tratamiento es {tú}, tanto para las relaciones familiares como para las no familiares.

Predominio del futuro analítico. «El futuro [sintético] es, en general, mucho menos usado [en América] que en la Península y se tiende a sustituirle por una perífrasis», dice Zamora Vicente,[23] opinión que sigue siendo válida. Aunque en Chile se recurre a varias locuciones con valor de futuro, la más usual es la construcción {ir a + infinitivo}. Una particularidad, sin embargo, se puede comprobar en la provincia de Parinacota: allí alternan en el uso la forma sintética y la perifrástica con valor de futuro, también con marcada preferencia por la última, pero entre los hablantes de nivel popular, la construcción {ir a + infinitivo} es la única utilizada. En el nivel alto predomina, por el contrario, el uso del futuro sintético.

En resumen, después de este análisis se pueden advertir tres áreas de uso del español claramente diferenciadas —aunque en grados diversos— del resto del territorio: una de ellas es una región arcaizante bastante bien demarcada (provincia de Parinacota), situada en el extremo noreste del país, entre los grados 18 y 19 latitud sur, con una población de 4.500 habitantes aproximadamente, la gran mayoría de origen aymara, distribuida en dos pisos ecológicos, la precordillera y el altiplano, y con permanentes contactos con Perú y Bolivia; otra (Chiloé) revela una variedad muy marcada por arcaísmos y neologismos con mayor desarrollo que en el resto del país, hablada no sólo en la Isla Grande de Chiloé, sino en las islas adyacentes y en la parte meridional de la provincia de Llanquihue, en que destaca la ciudad de Puerto Montt. Se trata, pues, de una región relativamente amplia, con alrededor de 300.000 habitantes, en que predominan los usos típicos de la Isla Grande, que actúa tanto como reducto lingüístico como foco irradiador; y una tercera corresponde al área rural de la provincia de Cautín con población mapuche, entre los grados 37 y 40 sur. Allí habita el 80 % de la población mapuche del país, estimada en una cifra aproximada de 380.000 personas, que habla un español con mucha interferencia del mapudungu, en razón del bilingüismo extendido de carácter asimétrico que practican los mapuches desde hace varios siglos.[24]

Ni el español usual de los pueblos aledaños al salar de Atacama (aislados también como los de Parinacota, aunque en grado menor), ni el descrito para las provincias de Cautín y Valdivia se alejan mayormente del modelo general hablado en Chile. Ello sí ocurre con las tres variedades antes mencionadas, cuya descripción desgraciadamente excede los límites de esta presentación.

23. A. Zamora Vicente, *op. cit.*, p. 434.
24. La descripción del español hablado por los nativos de Isla de Pascua está por hacerse, y no cabe duda de que —por existir un activo contacto de lenguas— cuando ello ocurra nos encontraremos, como en Cautín, con una notable modalidad lingüística.

SUPERVIVENCIA EN FILIPINAS

LA LENGUA ESPAÑOLA EN FILIPINAS

por Antonio Quilis

Introducción

La lengua española no llegó a ser nunca la lengua general de Filipinas:[1] su lejanía, la escasez de maestros, de escuelas, las dificultades de comunicación, y, sobre todo, el reducido número de inmigrantes hispanohablantes, que pudiesen haber hecho posible un mestizaje semejante al de Hispanoamérica, fueron las causas que dificultaron la expansión del español. No obstante, nuestra lengua, junto con la labor educativa, fueron penetrando lentamente en aquel territorio.[2]

Pero esta lenta hispanización se vio bruscamente cortada por la pérdida de la soberanía española. Desde 1898, los Estados Unidos se esforzaron por introducir el uso del inglés y por desmontar, sistemática y cuidadosamente, la labor realizada anteriormente. Recién declarada su independencia de España, el nuevo Departamento de Instrucción se opuso a la enseñanza del español, promulgando una nueva ley en la que se declaraba que esta lengua no estaría vigente en los centros oficiales hasta 1930; con ello, desterraba al mismo tiempo la lengua que había sido el vehículo de la Revolución filipina. Cuando en 1934 se establece que la soberanía norteamericana cesaría en 1946, se ordena que en la nueva Constitución filipina conste la obligatoriedad de mantener el inglés como única lengua de enseñanza.[3]

Y no sólo fue la prohibición del uso del español, sino el intentar borrar toda la amplia cultura, que en lo cotidiano había ido germinando durante siglos; fue el dictar al pueblo filipino su nueva historia, en la que los nue-

---

1. Cfr. Antonio Quilis, *La lengua española en cuatro mundos*, Colecciones Mapfre 1492, Madrid, 1992, pp. 109-200; Antonio Quilis y Celia Casado-Fresnillo, «La lengua española en Filipinas. Estado actual y directrices para su estudio», *Anuario de Lingüística Hispánica* (Valladolid), VIII, 1992, pp. 273-291.

2. A pesar de todo, la escolaridad, a mediados del siglo XIX, había alcanzado un nivel alto: en 1840, un niño por cada treinta y tres habitantes estaba escolarizado; en Francia, ese mismo año, la relación era de un niño por cada treinta y ocho habitantes. Los decretos de 1863 establecen la creación en cada pueblo de una escuela para niños y otra para niñas, hacen obligatoria y gratuita la enseñanza, obligan a enseñar el español y se crea una Escuela Normal para el magisterio en Manila; poco después se crearía la de Zamboanga. En 1891, el número de escuelas ascendía a 2.114, regidas, en su mayoría, por nativos.

3. Cfr. «El español en Filipinas», *Cuadernos Hispanoamericanos*, Madrid, julio de 1952, pp. 3-12.

vos colonos liberaban al país del cruel *castila* ('español'), que los esclavizó durante siglos y fue el verdugo de su héroe oficial.

El español fue perdiendo terreno hasta llegar a la situación actual, que no es nada optimista: de acuerdo con las últimas estadísticas, un poco más del 3 % de la población filipina, es decir, 1.816.773 personas, aproximadamente, tienen el español como lengua materna;[4] a ellos hay que añadir alrededor de 1.200.000 hablantes de chabacano, criollo español en fuerte expansión en el sur.

Hasta 1987 se mantuvo como lengua oficial y como materia de enseñanza obligatoria en la universidad; pero la nueva Constitución filipina, promulgada en la mencionada fecha, le quitó el rango de oficialidad, la eliminó de la enseñanza y la situó, con el árabe, en la categoría de los idiomas optativos.[5]

La influencia del español sobre las lenguas indígenas filipinas

La influencia del español sobre las lenguas autóctonas del archipiélago ha sido enorme. Cuando nuestra lengua llegó a aquellas islas, comenzó un proceso lento y secular de contacto con sus lenguas.

NIVEL FÓNICO .

La influencia del español en aquel archipiélago comenzó a principios del XVI. No vamos a entrar en este momento a examinar el modo de adecuación de los fonemas españoles a los otros sistemas lingüísticos;[6] sólo daremos aquí algunos datos sobre la reestructuración de sus sistemas a causa de la hispanización.

Según las descripciones de las gramáticas y vocabularios antiguos, las lenguas filipinas poseían sistemas vocálicos triangulares de un solo grado de abertura: sus fonemas eran: /i/, /a/, /u/.[7] Frente a esta situación, las descripciones actuales muestran un panorama bien distinto. Por ejemplo, Paul Shachter y Fe Otanes [8] señalan para el tagalo cinco fonemas vocálicos, que

4.   Véase el *Calendario Atlante de Agostini*, Instituto Geografico de Novara, 1996, p. 323.

5.   Cfr. Antonio Quilis, «El referéndum filipino y la lengua española», en *ABC*, 1-II-1987, p. 14, y, para el tratamiento del español en las diferentes constituciones filipinas, Pedro Ortiz Armengol, «La lengua española en Filipinas», en *ABC*, 4-III-1987, p. 51, y «Las constituciones filipinas y las lenguas en que fueron escritas», en *Actas del Segundo Congreso de Hispanistas de Asia*, Manila, 1989, pp. 27-33.

6.   Cfr. los siguientes trabajos de Antonio Quilis: «Hispanismos en tagalo», *Tea Canadian Journal of Romance Linguistics*, I, 1973, pp. 68-92; *Hispanismos en cebuano. Contribución al estudio de la lengua española en Filipinas*, Ed. Alcalá, Madrid, 1976; «Influencia de la lengua española en la cebuana de Filipinas», en *Actas del IV Congreso Internacional de la Asociación de Lingüística y Filología de la América Latina*, Lima, 1978, pp. 557-571; «Le sort de l'espagnol aux Philippines: un problème de langues en contact», *Revue de Linguistique Romane*, 44, 1980, pp. 82-107; «Historia, vicisitudes y resultados de la lengua española en filipinas», *Hispanic Linguistics*, 2, 1985, pp. 133-152; «Algunos aspectos de la influencia de la lengua española en Filipinas», en *Actas del V Congreso Internacional de la Asociación de Lingüística y Filología de la América Latinas*, Caracas, 1986, pp. 547-558.

7.   Conociendo [e], [o] como alófonos, en distribución no complementaria, de /i/, /u/, respectivamente.

8.   *Tagalog reference grammar*, Berkeley, Los Ángeles, Londres, University of California Press, 1972.

funcionan tanto en palabras autóctonas, como entre éstas y los hispanismos: *benta* 'venta' / *binta* 'canoa'; *mesa* 'mesa' / *misa* 'misa'; *balot* 'envuelto' / *balut* 'huevo de pato empollado'; *botas* 'botas' / *butas* 'agujero'; *borador* 'volador' ('cometa') / *burador* 'borrador'.

Las mencionadas antiguas descripciones consideran en cebuano [d] y [r] como alófonos del fonema /d/, en distribución casi complementaria.[9] La presencia de *r* y de *rr* en muchos de los hispanismos importados afianzó la realización del autóctono [r] hasta convertirlo en el fonema /r/, de realización vibrante simple, más tensa que la española correspondiente; en él, confluyen los dos fonemas vibrantes españoles.

El fonema africado español /š/ no existe en las lenguas indígenas; por ello, lo han asimilado a la secuencia consonántica /ts/: [kótse] *coche*.[10]

En las lenguas filipinas no existen grupos consonánticos que pertenezcan a la misma sílaba. Por eso, los hispanismos que los poseen pasan a ellas convirtiendo generalmente el grupo consonántico en dos sílabas: tagalo: *torompo* 'trompo', *pilegues* 'pliegues'; cebuano: *kurós* 'cruz', *paragata* 'fragata', y en ambas, *Parancisco* 'Francisco'.

Aquellas lenguas tienen también un acento libre con dos patrones: el oxítono y el paroxítono: tagalo: *bata* 'muchacho' / *batá* 'padecer'; cebuano: *túbod* 'corriente de agua' / *tubód* 'primavera', etc. De este modo, muchos significantes españoles han adquirido nuevos significados al pasar al cebuano, merced a la posición libre del acento: *súgal* 'juego' / *sugál* 'jugar', *lába* 'lava del volcán' / *labá* 'lavar', e incluso entre una palabra española y otra cebuana: *píto* 'pito' / *pitó* 'siete'; *amo* 'dueño' / *amó* 'mono'.

NIVEL GRAMATICAL

En el contacto entre el español y las lenguas indígenas se produjo la transferencia de algunas unidades gramaticales a los sistemas de aquellas lenguas.

Los morfemas españoles de *género* {-o}, {-a} pasaron a las lenguas indígenas acompañando a los lexemas españoles: *tiyo, -a* 'tío, -a'; *pilipino, -a*; *lolo, -a* 'abuelo, -a';[11] también se introdujeron otros alomorfos de género, como: *doktor, -a*; *kapitán -a*; *alkalde, -esa*. En estas lenguas se considera el morfema de género como parte de su sistema gramatical.[12]

El comportamiento del morfema de *número* es diferente: aquellas

9. Por ejemplo: /d/, precedido de consonante, se pronuncia como [d]: *palandong* 'meditar', pero precedido de vocal, puede realizarse por medio de cualquiera de los dos alófonos mencionados: *didí* o *dirí* 'aquí'.

Por eso, en los primeros préstamos españoles, [-d-] > [-r-]: *araro* 'arado', *almirol* 'almidón', *piraso* 'pedazo', etc.

10. Algunos lingüistas, como Shachter y Otanes, en la obra ya citada, consideran que /ts/ es fonema en tagalo. Por el contrario, Teodoro A. Llamzón en su *Modern Tagalog: A functional-structural description*, La Haya, París, Mouton, 1976, piensa que no.

11. En tagalo, por ejemplo, *biyudo ang maestro* 'el maestro es viudo', *biyuda ang maestra* 'la maestra es viuda'.

12. Cfr. para el tagalo la obra citada de Shachter y Otanes, y para el cebuano, E. P. Yap y M. V. R. Bunye: *Cebuan Visayan Dictionary*, Honolulú, University of Hawaii Press, 1971.

lenguas importaron los plurales sin el sentimiento de pluralidad. Muchos hispanismos pasaron con el morfema {-s}, aunque sin su significado gramatical, como acabamos de decir; como el plural se forma en las lenguas autóctonas por medio del morfema {maŋá}, escrito *manga* o *mga*, tendremos: *peras* 'pera' / *mga peras* 'peras'; *balbas* 'barba' / *mga balbas* 'barbas', etc.

El paso a estas lenguas de un mismo significante, con *-s* o sin ella, ha originado muchas oposiciones: en tagalo: *bara* 'vara, unidad de longitud' / *baras* 'vara de la justicia'; *pera* 'perra, unidad monetaria' / *peras* 'pera'; en cebuano: *baraha* 'naipe' / *barahas* 'baraja'; *medya* 'mitad' / *medyas* 'calcetines'. El mismo tipo de oposición puede darse también entre un hispanismo y una palabra indígena; en tagalo: *anká* 'usurpación' / *ankás* 'anca'; *hiyá* 'acción de azuzar' / *hiyás* 'joya'.

El *diminutivo* español *-ito* (pocas veces *-illo*) puede funcionar como tal en ocasiones: en tagalo y cebuano: *kopa*, *kopita*; *kutsara*, *kutsarita*, etc. Otras veces, ha pasado funcionando como simple diferenciador lexicosemántico: *bandilyo* 'pregón'/*bando* 'grupo político'; *kosina* 'cocina' (habitación) / *kosinilya* 'cocina' (aparato), etc.

Otros *sufijos*, con sus correspondientes morfemas de género, han pasado a aquellas lenguas, formando parte de las lexías filipinas: tagalo: *kabilá* 'al otro lado' + *-oso, -osa* > *kabiloso, -a* 'cambiante'; de *pansit* 'comida china', *pansiteriya* 'restaurante donde sirven comida china'; de *basag'ulo* 'triste, apenado', *basag'ulero, -a* 'penoso, -a', etc.

Con el léxico hispánico penetraron también en aquellas lenguas elementos pertenecientes a distintas partes del discurso —además de los sustantivos, verbos, adjetivos y adverbios—, que siguen funcionando plenamente en ellas. Por ejemplo, en tagalo, *para*: *mabuti para sa iyo* 'bueno para usted'; *mismo*: *sa Manila mismo siya nakatira* 'es en el mismo Manila donde él vive'; las conjunciones *o* y *ni*: *ni kapé ni tsá* 'ni café ni té'; *lunes o martes*; el adverbio *menos*: *menos singko para alas otso* 'las ocho menos cinco'; o elementos como *imbis* 'en vez de', *sa lugar* 'en lugar de', *pero, porque*, etc. Lo mismo puede encontrarse en cebuano: *mismo, hasta, contra, pero*, etc.

NIVEL LÉXICO

El número de prestamos léxicos españoles que existen en las lenguas indígenas es muy elevado, aunque difícil de precisar.

La Oficina de Educación Iberoamericana publicó los *Hispanismos en tagalo*,[13] obra muy importante, en la que se recogen unos 40.000. Pero[14] hay que tener en cuenta que: *a*) se trata de una obra acumulativa, que no distingue los diferentes niveles temporales, espaciales, sociales o funcionales; por ello, se trata de un léxico cuya mayor parte no ha funcionado nunca en

13.   Madrid, 1972.
14.   Cfr. Antonio Quilis, sobre: Oficina de Educación Iberoamericana: «Hispanismos en tagalo», *Revista de Filología Española*, LV, 1972, pp. 336-342.

un mismo individuo; *b*) su única fuente es la lengua escrita; *c*) es imposible conocer el léxico activo de un individuo.

En nuestras dos recopilaciones de hispanismos, en tagalo y en cebuano,[15] hemos aplicado el mismo cuestionario a informantes de ambas lenguas.[16] En tagalo, el número de hispanismos es del 20,4 %, y en cebuano del 20,5 %. Las cifras son importantes, y su importancia no se manifiesta sólo en términos matemáticos, sino también lingüísticos y culturales; en el aspecto lingüístico, porque los préstamos lexicales afectaron, ya lo hemos visto, a los sistemas fonológicos y morfológicos de las lenguas que los recibieron; en el plano cultural, porque, junto a ellos, penetraron nuevas cosas, nuevos aspectos del vivir o nuevas creencias.

Los hispanismos se introdujeron en estas lenguas no a través del español aprendido por los filipinos, sino usando como vehículo, por lo menos en los primeros tiempos, el empleo de sus lenguas por parte de los misioneros españoles.

Algunas veces se han producido *cambios semánticos* en los préstamos léxicos: español *barraca* > tagalo *baraka* 'mercado'; español *agua* > cebuano *agwa* 'perfume'; español *escuela* > cebuano *eskwela* 'estudiante'.

En el léxico de aquellas tierras quedó un gran número de *americanismos* que pasaron desde los primeros tiempos. En los diarios de relación de los primeros viajes entre América y Filipinas se utilizan ya como léxico totalmente habitual; cuando la palabra es rara, se da el equivalente español. Así, han permanecido hasta ahora nahuatlismos como *petate, tamal, camote, cacao, copal, tiza, tomate, mecate, petaca*; tainismos, como *batata, bejuco, sabana, nagua, huracán, cabuya, maguey*, o antillanismos, como *iguana, barbacoa, manglar*.

Hasta tal punto la estructura del léxico español subyace en las lenguas filipinas que la *adecuación de los anglicismos* en ellas se realiza bajo una previa hispanización, no tomándolos directamente del inglés, como cabría esperar siendo ésta la lengua de mayor peso allí. Así, *dormitorio* 'residencia de estudiantes' y *dormitoriano, -a* 'el residente'; *planta* 'factoría'; *ponema* 'fonema', etc.

EL DIALECTO CHABACANO

El chabacano es ese entrañable criollo del que N. Romuáldez[17] decía que «en él, bajo las tosquedades de la forma, el alma filipina y la española se abrazan y se confunden».

El chabacano se habla en Ternate y Cavite, en la bahía de Manila,[18] en el oeste de la isla de Luzón. En el sur, se habla en la isla de Mindanao,

---

15.   Cfr. Antonio Quilis, «Hispanismos en tagalo» e *Hispanismos en cebuano*, ya citados.

16.   Se trata del *Cuestionario para el estudio coordinado de la norma lingüística culta de las principales ciudades de Iberoamérica y de la Península Ibérica*, Madrid, C.S.I.C., 1971. El número de preguntas asciende a 4.452.

17.   *Influencia de la pronunciación castellana sobre la fonética filipina*, Manila, 1933, p. 19.

18.   El chabacano de la Ermita, en el barrio viejo de Manila, desapareció durante la segunda guerra mundial.

en Zamboanga y Cotabato,[19] y en la isla de Basilan, frente a Zamboanga. El chabacano de la bahía de Manila tiene, lógicamente, influencia del tagalo, y el del sur, del cebuano.

NIVEL FÓNICO

El sistema fonológico del chabacano no es muy complejo. Presenta el siguiente cuadro:

Fonemas /p/, /t/, /k/: oclusivos sordos no aspirados, como en español.[20]

Fonemas /b/, /d/, /g/: oclusivos sonoros no aspirados; a veces, se realizan como fricativos.

El seseo es general; [s] es predorsoalveolar; ante /i/, se palataliza.

Fonema /h/: se realiza como fricativa laríngea sorda.[21]

En el chabacano de Zamboanga aparece frecuentemente [v].

Las lenguas filipinas no poseen africadas. Por ello, la africada prepalatal española se asimila a la secuencia /ts/, que en chabacano se realiza bien como [ts], bien como /š̬/.

Se ha conservado el fonema nasal /ɲ/, como en español: *compañero*. Por el contrario, el filipino /ŋ/ (ortográficamente *ng*), presente en el morfema de plural autóctono, se ha asimilado al fonema alveolar /n/ del español. En chabacano es /mána/ y no /maɲá/.

Se ha conservado el lateral palatal /ʎ/: [ʎéno] *lleno*, [káʎe] *calle*.

En chabacano sólo hay /r/ simple, coincidiendo con las lenguas autóctonas: [rósas] *rosas*, [sonreí] *sonreír*. Algunas veces, [-r] > [-l] en interior de palabra: *puelte* 'fuerte', *talde* 'tarde', *polque* 'porque'; esporádicamente, puede ocurrir también en posición final de palabra. La [-r] se pierde siempre en los infinitivos y, frecuentemente, en el resto de las palabras que terminan en él. En este caso, aparece un ataque vocálico duro en su lugar; por ejemplo: [seɲóʔ] *señor*, [máʔ] *mar*.

NIVEL GRAMATICAL

Artículo. Sólo utiliza *el* y *un*: *el voz, un muchacha nervioso, un talde*. También el contracto *del*: *debajo del olas*. A veces, usa el posesivo precedido de artículo: *el nisós honra* 'la nuestra honra'.

Nombre

a) Género. El chabacano, en general, adoptó las palabras con el mismo género del español: *viejo, -a, ladrón, -a*. También puede especificarlo añadiendo *macho* (que equivale al tagalo *lalaki*) o *hembra* (tagalo *babae*).

19. No hemos encontrado chabacanohablantes en Davao.
20. El español /f/ > chabacano /p/: *pondo* 'fondo', *puera* 'fuera', *plores* 'flores'. El mismo fenómeno se produce en todas las lenguas filipinas.
21. El español /x/ se ha asimilado al /h/ autóctono: [hugá] *jugar*, [hénte] *gente*; a veces se conserva la antigua aspirada española: *jablá* 'hablar', *jacé* 'hacer'.

Normalmente, en estos casos, el término marcado es el femenino: *el pianista, el pianista mujer.*

b) Número. La formación del número es bastante heterogénea: unas veces, se conserva y funciona como en español: *rosa, rosas; plor, plores.* Otras, se utiliza el morfema de plural autóctono, [mána] *mana: el mana compañera* 'las compañeras'. En ocasiones, se combinan los dos procedimientos: *su mana pulseras* 'sus pulseras'.

Adjetivo. Invariable en género y en número: *un muchacha nervioso.* Algunos sintagmas, por estar lexicalizados probablemente, mantienen la forma española del adjetivo: *el Vilgen Santísima;* otras veces, pasan con la misma forma genérica española, como en *guapa.*

Adverbio. Tiene la misma forma que su adjetivo correspondiente:[22] *ta clavá bueno el vista,* donde *bueno* es 'bien'; *caminá chiquitito* 'caminar con pasos cortos'.

Muchos adverbios españoles se han conservado como tales: *agora, luego, sólo, despacio, ansina, no más* 'sólo', etc.

Pronombre. Los pronombres personales son diferentes en el chabacano caviteño y en el zamboangueño, como muestra el cuadro siguiente:

Español	*Caviteño*	*Zamboangueño*
yo	yo	yo
tú	tu, vo, usté	tu, evós, vos
él, ella	eli	ele, le
nosotros, -as	nisós	kamé, kitá
vosotros, -as	vusós	kamó
ellos, -as	ilós	silá

La modalidad caviteña es más fiel a las formas españolas que la zamboangueña, cuyos pronombres de plural son préstamos del tagalo, del visayo o de ambos.

El *tú* caviteño se usa poco, incluso familiarmente; en el zamboangueño sí se usa. En caviteño, *vo* (< 'vos') es la forma más usual en familia, entre iguales y para dirigirse a superiores. *Usté* se emplea con los superiores. En zamboangueño, *ele* se usa antepuesto: *ele ta trabajá* 'él o ella trabaja'; *ele guapa* 'ella es guapa'; *le* se usa pospuesto: *Ta trabajá le* 'él o ella trabaja'.

En zamboangueño, *kamé* y *kitá* son préstamos de las lenguas indígenas (tagalo o cebuano); el primero excluye a la persona a la que hablamos; *kitá* la incluye. *Kamó* es cebuano (en tagalo es *kayó*).

Verbo. El verbo chabacano posee, como el de las lenguas autóctonas, cuatro modos: infinitivo, participio, gerundio e indicativo, y tres tiempos: presente, pasado y futuro.

a) El infinitivo adopta la forma española con pérdida siempre de la *-r* final: *volá y cantá* 'volar y cantar'; *jacé* 'hacer'.

---

22. En tagalo y en cebuano no hay diferencia formal entre adjetivo y adverbio.

b)   El presente se forma en todos los dialectos chabacanos por medio de '*ta* + infinitivo':[23] *ta jugá* 'juega'; *ta alborotá* 'alborota'. Tiene un aspecto durativo actual.

c)   El futuro en el chabacano caviteño se construye por medio de '*de*, *di* + infinitivo': *de trabajá* 'trabajaré'; en el zamboangueño se expresa por medio del morfema '*ay* + infinitivo': *ay andá si Juana na escuela* 'Juana irá a la escuela'.

d)   El pasado se forma en todos los dialectos chabacanos por medio de '*ya* + infinitivo': *ya aparecé el viejo* 'apareció el viejo'; *ya soná* 'sonó'.

e)   El imperativo se forma únicamente con el infinitivo, posponiendo el pronombre si es afirmativo, y anteponiéndolo, si es negativo: *cantá kitá* 'cantemos'; *no kitá cantá* 'no cantemos'; *ñor Juan, cantá usté* 'señor Juan, cante'; *ñor Juan, no usté cantá* 'señor Juan, no cante usted'.

f)   El participio puede formarse de dos maneras: 1.ª Por medio de la terminación *-au* (< español *-ado*): *acabau el piesta ya bolbé kamé* 'terminada la fiesta, regresamos'; *serrao el mana bintana na opisina* 'las ventanas de la oficina están cerradas'. 2.ª Utilizando el mismo participio español con el morfema *ya* pospuesto: *abierto ya el puerta* 'la puerta está abierta'; *cusido ya el kanon* 'el arroz está cocido'.

g)   El gerundio, en el chabacano zamboangueño, tiene la misma forma que en español: *ya llegá silá jipando* 'llegaron jadeando'. El chabacano caviteño utiliza la misma forma del infinitivo: *ya lligá eli na casa ta cantá* 'llegó a casa cantando'.

h)   En chabacano no existe el verbo *ser*; a veces, aparece usado como *ta*. Ello es debido a la influencia de las lenguas indígenas, que prefieren las construcciones con la omisión de la cópula.

Preposición. Existen dos: *de* (< español *de*) y *na*, posiblemente de origen portugués; ésta se usa como un locativo: 'en', 'a'; se utiliza también en compuestos preposicionales: *na junto de* 'junto a', 'cerca de', *na fuera de*, *na medio de*, etc.

LÉXICO

Los recuentos realizados[24] sobre el léxico chabacano dan los siguientes resultados: *a*) En el chabacano caviteño, el léxico español supone el 94 % del total; el resto es tagalo. *b*) En el zamboangueño, la base léxica española es también muy amplia: el 86,3 %; el resto corresponde a elementos autóctonos. *d*) En el chabacano de Cotabato[25] hay un 82,49 % de léxico español; el resto procede de las lenguas indígenas.

En resumen, el léxico español, en el conjunto de las variedades de chabacano estudiadas, supone un porcentaje del 91,77 %; el léxico autóctono

---

23.   *Ta* proviene del español *esta(r)*.
24.   Cfr. Antonio Quilis, «Estructura del léxico chabacano», *Cuadernos del Centro Cultural de la Embajada de España* (Manila), n.º 21, 1988, pp. 22-26.
25.   Cfr. M.ª Isabel O. Riego de Dios, «A composite dictionary of Philippine creole Spanish», tesis doctoral inédita, Ateneo de Manila, 1976.

no es muy elevado: sólo el 2,22 % del total; la repetición de partículas y morfemas autóctonos, aunque no muy numerosos, da origen a un porcentaje relativamente alto: el 6 %.

Los americanismos encontrados han sido muy escasos: *petate*, *saragate* (< 'saraguate', 'mono'), *zacate*, *camote*. Algunos arcaísmos, como *agora*, *ansina*, *altor* 'altura', *quilaya* 'cualquiera que'. Vulgarismos como *aluego* y *pa*, y algún anglicismo.

El español como lengua materna

El español como lengua materna, alternando, por lo general con el inglés y con alguna lengua autóctona, presenta, entre otros, los siguientes rasgos:[26]

FONOLOGÍA Y FONÉTICA

Las consonantes oclusivas sordas son no aspiradas, como en español y en las lenguas indígenas. Las sonoras presentan dos alófonos: el oclusivo, que se produce siempre como tal en las mismas ocurrencias del español general, y el fricativo, en el resto de los casos. En la mayoría de los hablantes predomina la realización oclusiva.

Consonantes fricativas. La realización predominante de /f/ es la bilabial [ɸ], aunque en muchos informantes alterna, en distribución libre, con la labiodental [f]. En algunos hablantes ha aparecido [p], siguiendo la tendencia de las lenguas autóctonas de asimilar el /f/ español a su fonema /p/.

Las realizaciones más extendidas de /s/ son: la apicoalveolar y la predorsoalveolar. Como ocurre en las lenguas indígenas, se palataliza, a veces, en contacto con vocal palatal: [negóśjo] *negocio*.

Algunos hablantes mantienen constantemente la distinción entre /θ/ y /s/; la mayoría sesea; otros alternan, en mayor o menor medida, ambos fonemas.

El fonema /x/ se realiza como faríngeo —el más abundante—, velofaríngeo, laríngeo o velar —el menos frecuente—.

El fonema africado sordo español es también polimórfico: aparecen realizaciones mediopalatales, alveoloprepalatales y dentoalveolares; a veces, en el mismo informante, alterna más de una realización.

Las realizaciones de /m/, /n/ y /ŋ/ son iguales que en el español general. /n/, en contacto con vocal palatal, se palataliza, en mayor o menor grado, llegando, a veces, hasta /ɲ/: [matrimóɲo] o [matrimóɲo] *matrimonio*.

Se mantiene en todos los informantes el palatal /ʎ/, que, a veces, se realiza con poco contacto, resultando más bien [ḻ] palatalizada: [káḻe] *calle*.

26. Cfr. Antonio Quilis y Celia Casado-Fresnillo, «La lengua española hablada en Filipinas», en *Actas del Tercer Congreso de Hispanistas de Asia*, Asociación Asiática de Hispanistas, Tokio, 1993, pp. 328-337.

Como ocurre con /s/ y /n/, el también alveolar /ḷ/ se palataliza en contacto con vocal palatal: [sandáḷja] o [sandáḷa] *sandalia*.

Los dos fonemas vibrantes, /r̄/ y /r̄/, se mantienen, en general; en algunos informantes se pierde, a veces, la oposición, realizándose ambos como [r], con mayor tensión que el vibrante simple del español general.

En las vocales hay que señalar la tendencia a cerrar /e/, y, sobre todo, /o/: [é uído] *he oído*, [kúmen] *comen*. Es frecuente la presencia del ataque vocálico duro al comienzo de una vocal en posición inicial de palabra o en una secuencia vocálica: [álma] *alma*, [poéta] *poeta*, como ocurre en las lenguas autóctonas.

MORFOSINTAXIS

En general, nuestros informantes fueron leístas cuando había referencia a persona masculina. El uso fue el etimológico, con referencia a cosa. Algún informante resultó laísta o con *le* generalizado para todas las funciones y personas.

Con frecuencia se sustituye el adjetivo posesivo por la construcción '*de* + posesivo': *los parientes de nosotros* 'nuestros parientes'.

Expresiones como '*mandarse* + verbo', que aparecen en América y en Canarias, también aparecen en Filipinas: *mandarse cortar el pelo* 'cortarse el pelo'.

Formas como *no tanto* 'no mucho', *no más* 'ya no' son frecuentes.

LÉXICO

Se conservan algunos americanismos: unos procedentes de las lenguas indígenas americanas, como *bejuco*, *guayaba*, *mango*, *mecate*, *camote*, *maní*, *zacate*, *maguey*, *tiangue* 'puesto de venta callejero'; otros son palabras españolas que se conservaron en América o que allí tomaron una nueva significación, como *caminar*, *concuño* 'concuñado', *convento* 'casa parroquial', *escampar* 'guarecerse de la lluvia', *lampacear* 'limpiar el suelo con un lampazo', *lampazo* 'trapo grande sujeto a un palo, para limpiar el suelo', etcétera.

Palabras de poco uso en el español general, como *guillado* o *quillado* 'chiflado', *nortada* 'viento del norte', *sobretodo* 'abrigo', *terno* 'traje', *vapor* ' barco'. Expresiones como ¿*cuál es su gracia?* '¿cuál es su nombre?' o *mande* para hacer que se repita algo que no se ha comprendido bien.

Otras palabras tienen hondo sabor regional, más o menos extenso, como *aretes* 'pendientes', *candela* 'vela', *alcancía*, *bolsa* 'bolsillo de una prenda de vestir', etc.

Hay palabras que en las islas han tomado un nuevo significado o que se han acuñado allí, como *almáciga* 'clase de madera muy blanda', *gabinete* 'armario empotrado', *arriba y abajo* 'vómitos y diarrea, conjuntamente', *barrio* 'grupo de casas en los alrededores de la población', *camisadentro* 'camisa de mangas largas', *cicada* 'moscardón', *ermita* con algunas casas alrededor', *hijo del sol* 'albino', *lanceta* y *cortaplumas* 'navaja' (frente a la *navaja* del barbero), *morisqueta* 'arroz cocido', *tubero* 'fontanero', *salamanca* 'juego de manos', *salamanquero* 'prestidigitador', etc.

Hay también, lógicamente, palabras indígenas que se usan en el español de aquel territorio, como *bolo* 'machete recto', que se distingue del *machete*, que es curvo; *baguio*, que alterna con *tifón*; *calamansí* 'limón pequeño, con mucho jugo', etc.

Toponimia y antroponimia

Si cuando recorremos las islas filipinas vamos reteniendo los topónimos, luego se nos proyectan como listas interminables de nombres españoles: muchos, tomados del santoral: *San Fernando, San Isidro, Santa Cruz, Santiago, La Trinidad, Rosario, San Fabián*, etc.; otros, que recuerdan los que atrás se dejaron, en la lejana España: *Nueva Cáceres, Nueva Écija, Lucena, Cuenca*, etc.; otros, nombres españoles también, más o menos evocadores: desde *Cabo Engaño, Cabo Bojador*, hasta *Halcón, Bahía Honda, Puerto Princesa, Guagua*, etc.

A mediados del siglo XIX, el gobernador general de Filipinas, Narciso Clavería y Zaldúa, conde de Manila, decreta que los filipinos que no tuviesen apellidos los adopten, y que quienes ya los tuvieran, los conserven; la inmensa mayoría sólo tenía nombre de pila. Se elaboró una lista de 60.662 apellidos españoles que se envió a los alcaldes mayores para su distribución. En cada familia, los padres o los miembros de mayor edad hicieron la elección. Por eso hay tantos *Martínez, López, Ramos, Marcos*, etc.; y, además, otros que creemos que no estarían en aquella relación, como *Carmelita Visera, Raúl Asotes, General Edgardo Alfabeto, Manolito Elevasantos, Tomás Buenviaje, Editha Nebrija, Dionisio Capasiete, Juan Piojo, Elpidio Alfiler*, y un largo etcétera.

ISLAS MARIANAS

por Rafael Rodríguez-Ponga

La historia

Las islas Marianas[1] son el archipiélago de Oceanía con mayor herencia hispánica, sólo comparable en el área del Pacífico con las islas Filipinas.[2]

En 1521 Magallanes y Elcano visitaron las islas, en 1565 Legazpi las incorporó a la Corona española y en 1668 el beato Diego de Sanvitores[3] inició la evangelización y colonización, produciéndose desde entonces un contacto creciente entre los nativos —los chamorros— y el mundo hispánico. Se construyeron escuelas, iglesias, puentes y fuertes, y hubo una cierta actividad comercial con el galeón de Acapulco y Manila, que ejerció una enorme influencia.

En el siglo XVIII el mestizaje era general: a los marianos se les unieron los españoles peninsulares, los mexicanos y los filipinos (tagalos, cebuanos, pampangos, etc.), muchos de los cuales eran mestizos, de forma que la población resultante es varias veces mestiza. Y con el parentesco de la sangre, emparentaron también las lenguas. Los hablantes de la lengua austronésica originaria incorporaron espontáneamente una enorme cantidad de elementos españoles y, al mismo tiempo, los forasteros se inclinaban con gusto a hablar el idioma de las islas, adoptado por los misioneros en su labor evangelizadora. Así, el español quedó como lengua administrativa y escolar, y la lengua mariana, usada como forma de expresión familiar, vivió una intensa transformación en el léxico, la fonología y la morfosintaxis, como consecuencia del contacto lingüístico. Entre el chamorro hispanizado de unos y el español chamorrizado de otros surgió algo nuevo, a causa del ais-

1. Este estudio es posible gracias a la Fundación Juan March, el Instituto de Cooperación Iberoamericana y la Comisión del V Centenario, que financiaron el viaje a las islas, de tres meses de duración, en 1985, junto con mi mujer, Paloma Albalá, también lingüista. Allí nos apoyaron, sobre todo, el *Micronesian Area Research Center* (Universidad de Guam) y la Comisión de la Lengua Chamorra. En 1992 volví a Guam gracias al Ministerio de Asuntos Exteriores. A todos, mi agradecimiento.
2. Sobre la lengua española en el Extremo Oriente ibérico, *vid.* el amplio estudio de Antonio Quilis, *La lengua española en cuatro mundos*, Mapfre, Madrid, 1992, pp. 109-200. Los fenómenos que se observan en Filipinas y en Marianas son muy semejantes.
3. El jesuita español Diego Luis de Sanvitores desde 1668 predicó en las Marianas, donde murió mártir en 1672. Escribió la primera gramática de la lengua mariana. Fue beatificado en 1985.

lamiento geográfico y cultural de las islas, y de la convivencia de diversos grupos étnicos y lingüísticos. Entre los siglos XVIII y XIX se formó el chamorro moderno, que se nos presenta —desde un punto de vista histórico— como una lengua mixta hispano-austronésica, si bien es evidente que se trata de un idioma claramente diferenciado, perteneciente en su filiación básica a la familia malayo-polinésica pero, al mismo tiempo, vinculado con el español.

Aunque no llegó a cuajar como lengua materna, el español era de conocimiento casi general a fines del siglo XIX.

En 1898 la isla de Guam fue cedida a Estados Unidos, que la conserva hoy como una colonia. En 1899, las Marianas del Norte fueron vendidas a Alemania, pasaron en 1914 a Japón y —tras la segunda guerra mundial— a Estados Unidos como fideicomiso de la ONU. Desde 1986, son un estado asociado como Puerto Rico.[4]

El inglés es lengua oficial en ambos territorios. Lo habla más del 90 %, por la acción del sistema educativo, por ser la lengua de comunicación interétnica[5] y por su elevado prestigio.

La cultura hispánica se percibe hoy en la gastronomía, la religión católica, los restos arquitectónicos, las costumbres.[6] La lengua pervive de las siguientes maneras.

La situación del español

El español como lengua materna representa una minoría de unos cientos de personas (en 1980 eran 780 en Guam, equivalentes al 0,83 %), sin unidad, que en su mayoría permanecen un tiempo en las islas por razones laborales. Los hispanohablantes —hoy, como ayer— son forasteros (españoles, hispanoamericanos, estadounidenses y filipinos) y no existe un grupo nativo que tenga el español como lengua materna.

El español residual[7] aparece en chamorrohablantes que aprendieron algo de español por las vías tradicionales de hispanización: mestizaje y evangelización. Se conservan mejor las formas del lenguaje repetido: oraciones y canciones (sobre todo villancicos de Navidad), recitadas o cantadas por personas mayores que sólo a veces las transmiten a los jóvenes.

Muy pocos chamorros[8] pueden mantener una conversación en espa-

4. España tuvo posesiones hasta 1899 en otros archipiélagos de Oceanía (Carolinas y Palaos). Sus lenguas y culturas también reflejan la huella española, pero de una forma muy limitada. *Vid.* R. Rodríguez-Ponga, «Huellas de la lengua española en Micronesia», en F. Rodao, ed., *España y el Pacífico*, Agencia Española de Cooperación Internacional, Madrid, 1989, pp. 291-299.

5. Según el censo de 1990, el 50 % de los 133.152 habitantes de Guam y el 58 % de los 43.345 de las Marianas del Norte han nacido fuera del archipiélago.

6. Una visión de conjunto puede verse en C. P. Albalá y R. Rodríguez-Ponga, *Relaciones de España con las Islas Marianas. La lengua chamorra*, Fundación Juan March, Madrid, 1986.

7. El concepto de *español residual* está tomado de John Lipski, que dice *español vestigial*. En «El español en Filipinas: comentarios sobre un lenguaje vestigial» (*Anuario de Lingüística Hispánica*, III, 1987, pp. 123-129) se refiere también a Guam.

8. Recogí estos datos en las Marianas en 1985. Es posible que, diez años después, el español sea aún más residual.

ñol. En 1985, sólo algunas personas de más de 60 años podían comprenderlo, pero para hablarlo usaban una forma simplificada, mezclada con chamorro e inglés, con seseo y yeísmo, pronunciación chamorrizada (/-l, -r/ > /-T/) y frecuente ausencia de concordancias de género y número, e incluso de conjugación: «*No hay escuela españot en este isla*»; «*Mi papá, muetto*».

El chamorro actual es el resultado de la fusión histórica de elementos austronésicos (originarios o filipinos) y españoles, a los que se han añadido, en este mismo siglo, algunos préstamos del japonés y del inglés. Aunque aparece clasificada generalmente como lengua malayo-polinésica (en la gran familia austronésica),[9] para J. Fischer[10] podría ser un *pidgin* y para M. Alvar[11] es una lengua criolla como el chabacano de Filipinas.[12]

Es cooficial, pero minoritaria, en Guam (hablada por el 29,3 %) y las Marianas del Norte (29,9 %)[13] y hay grupos de chamorros en Estados Unidos. En total, tiene unos 60.000 hablantes.

El chamorro modificó sus estructuras al introducir los elementos españoles[14] en todas las partes del idioma actual.

En la fonología, incorporó las oposiciones /e/-/i/, /o/-/u/, /l/-/r/, de forma que hoy se distinguen *peso/piso, bola/ bula*,[15] *pala/para*; y los grupos consonánticos /kr, kl, br, bl.../. Dos rasgos muestran el origen atlántico del español llegado a las islas: el seseo y el yeísmo, que son generales (*kabayo* 'caballo', *setbesa* 'cerveza').

La morfosintaxis se vio profundamente afectada, aunque está muy extendida la idea contraria.[16] Son de origen español todo el sistema numeral ordinal (*uno, dos, tres, kuatro, sinko...*) y muchas preposiciones. Funcionan libremente: *asta, desde, entre, kontra, para, pot, sigún, sin*; limitadamente: *de, kon, tras*; en expresiones fijas: *a, bahu, en*. El artículo *un* y el demostrativo *este* están totalmente incorporados. Un pronombre de primera persona es *yo*. Hay cuantitativos e indefinidos, interrogativos, conjunciones e interjecciones que funcionan libremente. Y, aunque de forma aislada, hay artículos determinados y relativos. También hay numerosos sustantivos, adjetivos, verbos y adverbios de origen español.

---

9.   Ya en el siglo XVIII, Lorenzo Hervás y Panduro incluyó la lengua mariana como malayo-polinésica.

10.   John Fischer, «The retention rate of Chamorro basic vocabulary» (*Lingua*, X [1961], pp. 255-266).

11.   Manuel Alvar, «Cuestiones de bilingüismo y diglosia en el español», en *El castellano actual en las comunidades bilingües de España*, Junta de Castilla y León, 1986, p. 28; y «Lenguas criollas», *ABC* (12 de julio de 1987).

12.   La bibliografía anglosajona que he consultado no incluye al chamorro entre los criollos, pero sí al chabacano.

13.   Datos del censo de 1990.

14.   *Vid*. R. Rodríguez-Ponga, *El elemento español en la lengua chamorra (Islas Marianas)*, tesis doctoral inédita, Facultad de Filología, Universidad Complutense de Madrid, 1995.

15.   *Bola* 'bola, pelota' y *bula* 'mucho', del mismo origen, con uso mexicano: *bula paluma* 'muchas palomas', 'bola de palomas'.

16.   D. Topping dice que el español «had virtually no effect on Chamorro grammar» (*Chamorro Reference Grammar*, Honolulu, University Press of Hawaii, 1973, p. 7). Su opinión ha tenido mucha influencia. Sin embargo, Donald Bowen («Hispanic Languages and influences in Oceania», en T. Sebeok, *Current Trends in Linguistics*, vol. 8: *Linguistics in Oceania*, Mouton, París-La Haya, 1971, pp. 938-953) llamó la atención sobre la presencia de muchas palabras funcionales españolas.

El verbo merece una consideración especial, por las formas *está, estaba*, que han adquirido nuevos usos; y por el futuro, basado en perífrasis verbales, como es frecuente en las lenguas criollas: *para bai hu maigo* 'dormiré' ('para voy yo dormir').

Hay morfemas de género (*bonito, bonita*), algunos de número, y morfemas apreciativos y derivativos, que funcionan incluso con lexema austronésico: *dandero, dandera* 'músico', *afte, desafte* 'techar, destechar'.

La sintaxis sigue los modelos españoles en los complementos indirecto (*para i familia* 'para la familia') y circunstancial (*desde i eskuela asta i lancho* 'desde la escuela hasta el rancho), y en la forma de decir la hora *(alas sinko i media)*.

Entre el 50 y el 60 % del léxico activo de un chamorro actual es de origen español. En mis encuestas y en los libros manejados (editados desde 1974),[17] he recogido 5.000 hispanismos. La mayoría proceden del español general, pero hay voces del español de Filipinas (*tanores* 'monaguillo'); de orígenes peninsulares varios; y de lenguas indoamericanas,[18] algunas de las cuales están en el español general *(chokolate, papaya)* o son propias del español de México *(kamote, sakate)*.

El léxico de origen español aparece en todos los campos ideológicos: flora, fauna, anatomía, religión, política, etc.

Hay también elementos españoles en carolino,[19] lengua austronésica de las Marianas del Norte (donde es cooficial), con 1.861 hablantes (en 1990), herederos de los carolinos llegados en el XIX. Por contacto directo o a través del chamorro, tiene unos cientos de hispanismos y algún rasgo morfosintáctico: el morfema de género en préstamos *(amiigo, amiiga)* y la forma de expresar la hora: *ala una, alas doos, alas trees...*[20]

La asignatura de español se imparte en algunos centros, como lengua extranjera preferida después del japonés. Mil alumnos estudian español cada año, dentro del sistema educativo en inglés (que añade clases de chamorro y carolino).

Los antropónimos son un rasgo evidente de hispanidad. Más de la mitad de los chamorros tienen nombre o apellidos españoles, junto a los de origen malayo-polinésico, japonés, alemán y anglosajón, como resultado del palpable mestizaje de siglos. Allí hemos conocido, v.g., a Remedios Castro, Carmen Blas, Antonio de León Guerrero, José Cruz, Isabel Tenorio o Vicente Camacho.[21]

Los topónimos españoles se mantienen, empezando por el nombre del archipiélago: *Marianas*, bautizadas por el padre Sanvitores en honor de la

17. Destaca: Donald M. Topping, Pedro M. Ogo y Bernadita C. Dungca, *Chamorro-English Dictionary*, University Press of Hawaii, 1975.

18. *Vid.* Carmen-Paloma Albalá, *Americanismos en las Indias del Poniente*, tesis doctoral inédita, Facultad de Filología, Universidad Complutense de Madrid, 1992.

19. También hay elementos españoles en las lenguas de los filipinos y micronesios que viven ahora en las Marianas, pero no las considero aquí por no ser lenguas propias de las Marianas.

20. *Vid.* F. H. Jackson y J. C.Marck, *Carolinian-English Dictionary*, University of Hawaii Press, Honolulu, 1991.

21. *Vid.* R. Rodríguez-Ponga, «Antropónimos hispánicos en las islas Marianas» (*Revista Española del Pacífico*, IV [1994], pp. 75-83).

reina Mariana de Austria y de la Virgen María. Tienen nombre español cuatro de las quince islas[22] (*Rota, Urracas* o *Farallón de Pájaros, Asunción* y *Farallón de Medinilla*), algunos pueblos (*Barrigada, Santa Rita, San José, San Vicente*) y montes (*Santa Rosa* y *Bolaños*). Y en el centro de Agaña, capital de Guam, leemos un letrero que dice: *Plaza de España.*

22. *Vid.* B. G. Karolle, *Atlas of Micronesia*, Guam Public., 1987.

LISTA DE COLABORADORES

MANUEL ALVAR, Real Academia Española, Madrid.

PAOLA BENTIVOGLIO, Universidad Central de Venezuela.

ROCÍO CARAVEDO, Universidad Católica de Lima.

CARLOS COELLO VILA, Romanisches Seminar der Universität, Augsburg.

CARLOS JOAQUÍN CÓRDOVA, Academia Ecuatoriana de la Lengua.

NÉLIDA DONNI DE MIRANDE, Universidad Católica de Rosario.

JUAN ANTONIO FRAGO GRACIA, Universidad de Zaragoza.

JUAN M. LOPE BLANCH, Universidad Nacional Autónoma de México.

HUMBERTO LÓPEZ MORALES, Universidad de Puerto Rico.

JOSÉ JOAQUÍN MONTES, Instituto Caro y Cuervo, Bogotá.

DAN MUNTEANU, Universidad de Las Palmas de Gran Canaria.

MIGUEL ÁNGEL QUESADA PACHECO, Universidad de Bergen (Noruega).

ANTONIO QUILIS, Universidad Nacional de Educación a Distancia. Madrid.

RAFAEL RODRÍGUEZ-PONGA, Ministerio de Cultura, Madrid.

MERCEDES SEDANO, Universidad Central de Venezuela.

MARÍA VAQUERO, Universidad de Puerto Rico.

CLAUDIO WAGNER, Universidad Austral de Chile.

ÍNDICE

CUESTIONES GENERALES

ANTILLAS

CONTINENTE

SUPERVIVENCIA EN FILIPINAS

Impreso en el mes de octubre de 1996
en Talleres LIBERDUPLEX, S. L.
Constitución, 19
08014 Barcelona